À memória de minha mãe,
Rute Cezar Rodrigues.
O nosso amor é mais forte que a vida,
é mais forte que tudo.

MARCELO CEZAR

Em 1979 iniciei minha jornada no meio espírita. Eu era um adolescente cheio de dúvidas, temores, curiosidades e também com alguns problemas de ordem espiritual por não saber lidar com a minha mediunidade.

Acolhido com carinho no Centro Espírita Os Caminheiros, fundado por Aldo Luiz e Zibia Gasparetto, trabalhei primeiramente na recepção como atendente, depois como conselheiro, passista, doutrinador e médium de incorporação, colocando em prática tudo o que lia e aprendia nos cursos oferecidos pelo próprio centro, nas obras de Allan Kardec e, posteriormente, nos livros do espírito André Luiz, psicografados por Chico Xavier. Dentro desse ambiente repleto de paz e harmonia, aprendi a ter valor, ser útil, criativo e me tornar um homem de bem.

Com o passar dos anos, no entanto, passei a compreender e aceitar outras verdades espirituais; afinal, temos muito que estudar e aprender em relação aos mistérios e verdades da vida e, por que não, da morte.

Espero levar às pessoas, sempre orientado pelos queridos amigos espirituais, histórias em que a espiritualidade é mostrada de maneira natural, enfatizando em cada um de nós os verdadeiros valores do espírito, a fim de podermos viver melhor conosco e com as pessoas ao nosso redor.

SUCESSOS DE MARCELO CEZAR

A vida sempre vence – nova edição

Um casal, dois filhos, uma família como tantas outras. Até que uma tragédia muda o rumo do destino. Nenhuma pista que pudesse explicar a atitude tão surpreendente e radical de uma mãe. Esta história nos leva a compreender como o livre-arbítrio influencia nosso destino.

Um sopro de ternura

Uma família passa por transformações espirituais reveladoras. Lilian, a personagem central, é abandonada e sofre inúmeras humilhações. A trama mostra que os laços construídos pelo amor são eternos e não há vazio que o amor não preencha.

A última chance

Uma emocionante história que tem como cenário as transformações comportamentais provocadas pelo surgimento da aids. A leveza da narrativa propõe a quebra dos tabus e preconceitos contra os portadores do vírus HIV.

Para sempre comigo

Caio é acusado e preso por um crime que não cometeu. Em seu desespero quer apenas provar que é inocente. Será que ele conseguirá ajuda divina? Neste romance você terá a oportunidade de entender os segredos que movem os destinos do homem.

O preço da paz

Quando nada sai como queremos, a frustração e a raiva nos levam à depressão. Buscamos soluções nas drogas, nas fugas viciosas do desequilíbrio destruidor. É quando percebemos que o que queremos é tão somente a paz para voltarmos a ter gosto de viver.

Você faz o amanhã

O poder de conquistar a felicidade está em suas mãos. Se deseja progredir sem sofrer, assuma seu desejo de ficar no bem, jogue fora as ilusões e não tenha medo do futuro, pois você faz o amanhã.

Medo de amar

Neste romance surpreendente, que se passa no início da década de 1970, Maria Lúcia deseja, a todo custo, a riqueza, o luxo e o poder, na ilusão de se sentir preenchida. Mas o resultado vai se mostrar desastroso, pois nada substituirá o seu amor reprimido.

Nunca estamos sós

Conheça a vida de Heitor que, em sua última encarnação, viveu na cidade do Rio de Janeiro e desencarnou na tragédia do *Bateau Mouche*. Sua trajetória demonstra como a sabedoria da vida trama nosso reencontro com a verdade interior.

Nada é como parece

A história de três amigas que, depois de anos, voltam a se encontrar, trazendo à tona o passado em meio a conflitos e desentendimentos, mostrando com clareza que em sociedade nem sempre as pessoas são como aparentam.

Só Deus sabe

Dois irmãos jovens e bonitos. Gêmeos, porém com temperamentos completamente diferentes. Um deles morre em trágico acidente. Por quê? Neste romance encontramos muitas respostas que nos ajudam a entender como a vida funciona.

MARCO AURÉLIO

Marco Aurélio, espírito amigo, tem me acompanhado desde que iniciei meus estudos no espiritismo. No início ele ditava mensagens e, conforme fui-me acostumando à sua presença nas sessões espíritas, desejava saber mais sobre ele. Anos atrás, durante uma sessão nos Caminheiros, ele me revelou que, em sua última encarnação, fora investigador de polícia, nascido e criado na cidade do Rio de Janeiro, em fins do século dezenove. Seus pais morreram cedo e ele, filho único, foi morar com um casal de tios ricos, o que lhe deu condições de estudar em boas escolas e entrar para a polícia. Dentre os feitos de sua prestimosa carreira, ajudou a polícia de São Paulo nas investigações e na solução do famoso crime da mala, ocorrido em 1928.

Depois de seu desencarne, ocorrido por volta de 1931, Marco Aurélio uniu-se a uma colônia destinada a trabalhar com médiuns no nosso planeta, por meio de inspiração ou psicografia, trazendo a público histórias reais, sempre respeitando o nome dos verdadeiros envolvidos, pois muitos ainda encontram-se encarnados.

Esse grupo, do qual o espírito de Marco Aurélio faz parte, trabalha no desenvolvimento do ser humano, fazendo com que, ao ler nossas histórias, você possa conscientizar-se do seu grau de responsabilidade diante da vida e acionar a chave interior para viver melhor consigo e com os outros, tornando o nosso planeta um lugar bem mais interessante e prazeroso de se viver.

Diretor de Arte: Luiz A. Gasparetto

Capa e Projeto Gráfico: Priscila Noberto

Diagramação: Andreza Bernardes

Revisão: Mônica Gomes d'Almeida

1ª edição

6ª impressão — janeiro 2011

10.000 exemplares

Dados Internacionais de Catalogação na Publicação (CIP)
(Câmara Brasileira do Livro, SP, Brasil)

Aurélio, Marco (Espírito).
O amor é para os fortes/pelo espírito Marco Aurélio [psicografado por] Marcelo Cezar.
São Paulo: Centro de Estudos Vida & Consciência Editora.

ISBN 978-85-7722-094-6

1. Espiritismo 2. Psicografia 3. Romance espírita I. Cezar, Marcelo. II. Título.

10-05045 CDD-869.93

Índices para catálogo sistemático:
1. Romances espíritas psicografados: Espiritismo 869.93

Publicação, distribuição, impressão e acabamento
Centro de Estudos Vida & Consciência Editora Ltda.
Rua Agostinho Gomes, 2312
Ipiranga — CEP 04206-001
São Paulo — SP — Brasil
Fone/Fax: (11) 3577-3200 / 3577-3201
E-mail: grafica@vidaeconsciencia.com.br
Site: www.vidaeconsciencia.com.br

O AMOR É PARA OS FORTES
MARCELO CEZAR
pelo espírito Marco Aurélio

1

Era meio da tarde de um dia quente e abafado, bem típico de verão. Fazia dias que não caía uma gota de água e a sensação térmica nas ruas era infinitamente maior do que a exibida nos termômetros espalhados pela cidade.

Edgar encostou o carro na calçada, apertou o botão do pisca-alerta e desceu. Nem ligou para o sopro quente e consequente suor que começava a escorrer pela testa tão logo abrira a porta do veículo. Ele sorriu para si e deu de ombros. Estava feliz. Era um dia especial e ele havia se esquecido das rosas vermelhas — as preferidas de sua esposa.

— Denise vai adorar a surpresa! — murmurou enquanto caminhava em direção a uma das bancas de flores espalhadas ao longo dos muros do cemitério do Araçá. Até poderia parecer algo mórbido — comprar flores para a amada nas banquinhas que ficam encostadas no muro que circunda um cemitério —, no entanto, o local é bem frequentado e é costume do paulistano comprar flores nessas bancas, não importa a ocasião, pois elas funcionam todos os dias da semana, sem fechar, além de oferecerem flores sempre bonitas, fresquinhas, e o preço ser bem em conta.

Edgar escolheu rosas vermelhas colombianas, aquelas com pétalas grandes e cores bem vivas. Apontou para o vaso e disse:

— Quero uma dúzia dessas.

— Quer que embale para presente?

— Não, é um arranjo que eu mesmo vou fazer para a minha esposa — respondeu ele, largo sorriso nos lábios.

Assim, apanhou o ramalhete de rosas, pagou a atendente e saiu feliz. Não se importava com o calor insuportável, cujo painel ali perto, na esquina da rua Cardeal Arcoverde, marcava inacreditáveis 36 graus.

A atendente suspirou e fechou os olhos enquanto se abanava com um leque.

— Que homem romântico! Como eu queria um desses na minha vida.

— Feio isso, Berenice — protestou, num tom de brincadeira, a senhora da banca ao lado. — Você é casada, dê-se ao respeito!

— Casada com um homem nada romântico! Wesley não é um marido, é um tremendo encosto. Depois que nos casamos ele nunca mais me levou para jantar fora ou pegar um cinema.

— Por quê?

— Não sei, eu reclamei e ele me disse que, quando namorávamos a vida era diferente, não tínhamos filhos, contas para pagar. Disse que agora estamos cheios de responsabilidades, que diversão quem tem é namorado. Marido, não.

— Jura?

— E sabe o que ele teve o atrevimento de me dizer também?

A vizinha estava interessadíssima no assunto:

— O quê?

— Por que pagaria por uma sessão de cinema se na televisão tem filmes aos montes! De graça! Ai, que raiva.

A vizinha da banca de flores empinou o peito.

— Por isso nunca me casei. Só quero saber de namorar. É mais fácil, não dá trabalho e cada um vive na sua casa. Não deu certo? Arrume a trouxa e vá embora.

— Esse homem que acabou de sair daqui é romântico, simpático, perfumado...

— Mas tem cara de sonso. Deve ser escravo da mulher.

— Você mal viu o rapaz. Como pode falar com tanta certeza?

— Sou mulher vivida, namoradeira e, além do mais, trabalho nesta banca há muitos anos, conheço os tipos masculinos mais variados. Esse que saiu agora é um paspalhão, do tipo que tem até medo da esposa, não discute jamais. Só diz sim. Pode acreditar.

— É verdade. Ele é simpático, contudo tem cara de cachorro sem dono.

A conversa continuou entre as duas donas das bancas de

flores até aparecer outro cliente. De uma coisa Berenice tinha razão: Edgar era um romântico incorrigível. Era apaixonado pela esposa, marido devotado. Fazia todas as vontades e caprichos de Denise. Não reclamava absolutamente de nada. Ao contrário, beijava o chão que a esposa pisava.

Ele não era nem feio, nem bonito. Tinha um rosto quadrado, bem comum. Possuía estatura média, cerca de 1,75 de altura, corpo esguio em função da alimentação saudável e exercício, muito exercício físico. Edgar tinha sido um menino obeso e lutara a vida toda contra a balança, até que conseguira atingir peso adequado depois de aderir regularmente à prática de exercícios físicos. A pele branca contrastava com os cabelos negros e levemente ondulados, penteados para trás; os olhos verdes e expressivos ficavam escondidos atrás dos óculos de grau, que de certa forma deixavam seu semblante mais sério do que o usual, conferindo-lhe um ar sisudo.

O rapaz tomou o sentido do bairro do Sumaré e seguiu feliz da vida em direção a sua casa. Era meio da tarde e o trânsito ainda fluía tranquilo. O engarrafamento ainda não havia começado. Depois de contornar uma pracinha repleta de muito verde e belo jardim, embicou o carro na garagem do prédio e apertou o controle remoto. Nada. Deu duas buzinadas leves.

— Desculpe, mas o portão ainda não foi consertado. O rapaz da manutenção vai arrumá-lo amanhã — informou João, o porteiro.

— Anda, rapaz! Estou com pressa, homem — disse Edgar, esbaforido, mas gentil e sorridente. — Preciso deixar tudo preparado antes que minha esposa chegue.

O porteiro aproximou-se do portão de ferro e passou a chave. Enquanto empurrava o gradil para dentro, sinalizava com as mãos para Edgar entrar sem raspar o carro na parede.

— O senhor está bem animado hoje! — exclamou.

— João, hoje celebramos cinco anos de casados!

— Tudo isso?

— Cinco! — ele abriu a mão e a colocou para fora do veículo.

— O tempo passa rápido.

— Estou muito feliz.

— É um homem apaixonado. Denise é uma mulher de sorte.

— Eu é que sou um homem de sorte, João. Eu! A Denise é e sempre será a minha princesa, a minha rainha, a minha deusa. Vou lhe fazer uma surpresa daquelas — disse, enquanto balançava a ponta da orelha com os dedos.

João riu, meneou a cabeça para os lados e pensou:

" Esse rapaz é apaixonado mesmo pela esposa. Pena que ela seja tão estúpida e antipática. Bonita, mas grossa e sem educação. Trata a mim e aos demais funcionários do prédio como se fôssemos animais. Ela não tem coração. Não merece um homem bom como Edgar".

Edgar entrou com o carro e parou ao lado do porteiro.

— Chegou encomenda para mim, João?

— Sim, senhor. A Délis levou os pacotes e colocou-os na geladeira. Aqui está a sua chave.

— Obrigado.

O rapaz agradeceu fazendo um aceno com a cabeça. Subiu o vidro do carro e desceu até a sua vaga. Estacionou e em instantes estava no seu apartamento, no décimo andar.

Tudo estava limpo e arrumado. Pedira para Délis, a empregada que trabalhava para o casal havia anos, vir um dia antes — ela costumava vir às sextas-feiras —, a fim de deixar o apartamento impecavelmente em ordem para a comemoração dessa data tão especial. Gostou da casa limpa e asseada. O cheiro de limpeza com leve toque de lavanda no ambiente deixou-o contente e satisfeito.

Edgar arrumou a mesa da sala de jantar com esmero. As castanhas, as nozes e os damascos foram delicadamente colocados em travessinhas de porcelana sobre a toalha de linho, presente de uma tia que a bordara em Funchal, na Ilha da Madeira, e mandara para ele como presente de casamento.

Délis seguiu suas ordens e deixara o salmão pré-cozido devidamente embrulhado numa das prateleiras da geladeira. Era só aquecer no micro-ondas e despejar o molho de páprica doce sobre o peixe. Em seguida, ele conferiu a sua miniadega. O vinho branco para acompanhar o jantar estava na temperatura ideal.

As rosas vermelhas foram delicadamente ajeitadas num vaso de cristal que, em seguida, ele colocou no canto da mesa da sala de jantar.

Edgar pegou um CD de músicas românticas de Roberto Carlos e colocou no aparelho. Consultou o relógio e foi banhar-se, cantarolando as canções.

Caprichou no banho e arrumou-se com apuro. Vestiu calça de sarja, camisa polo, um blazer de bom corte e cinto combinando com os mocassins. Depois de borrifar sobre si mesmo o perfume que Denise afirmava amar de paixão, espalhou pétalas de rosas pelo chão, desde a entrada social até o quarto do casal, fazendo um simpático caminho, terminando-o com outro pequeno e delicado arranjo sobre a cama. Era uma cesta de vime com um ursinho de pelúcia dentro, vestido com uma camiseta vermelha onde estava bordada a frase: Eu te amo.

Sentou-se no sofá e ficou com os olhos ora fixos na porta, ora fixos no relógio de pulso. Denise costumava chegar por volta das oito da noite. O relógio marcava oito e vinte, e nada. Coçou a cabeça, ansioso.

— Será que teve mais uma reunião de última hora? — perguntou para si. — Como minha esposa é responsável, como trabalha! Sinto tanto orgulho dela! Ou então deve estar presa no trânsito. Cada dia está pior.

Ele ligou para o celular dela. Deu caixa postal. Ligou de novo. Outra vez caiu na caixa postal.

Edgar respirou fundo e procurou ocultar a ansiedade cantarolando as músicas do CD. O telefone tocou e ele atendeu de pronto:

— Até que enfim!

— Edgar?

— Ele.

— Oi, sou eu.

— Oi, Adriano. Desculpe atender de maneira ansiosa. Pensei ser Denise. Não havia reconhecido a sua voz de imediato. Está um barulho danado aí.

— Estou na academia.

— Hã?

— Você não vem para a aula de *spinning*? Já vai começar. Está atrasado.

— Eu o avisei que hoje não iria à academia. É meu aniversário de casamento, esqueceu?

— É mesmo. Você comentou. Havia me esquecido. Parabéns.

— Obrigado.

— Vai levar a Denise para jantar em algum restaurante simpático lá da Vila Madalena?

— Não. Preparei umas coisinhas aqui em casa. Espalhei rosas vermelhas e pétalas pelo chão do apartamento todo.

— Uau! — sibilou Adriano.

— Depois vou lhe servir salmão grelhado com molho. Peguei no programa da Ana Maria Braga dia desses. Ah, e também comprei um ursinho de pelúcia.

Adriano riu do outro lado da linha.

— Denise não gosta dessas coisas. Por que insiste em fazer isso?

— Deixe de besteira, homem. Denise adora. Ela faz cena por puro charminho, só para apimentar a nossa relação. No fundo, ela adora esse romantismo todo.

— Sei, não. Sua esposa não gosta desse tipo de demonstração de carinho.

— Parece que você não nos conhece, Adriano.

— Saímos algumas vezes e a Patrícia me assegurou que a Denise não é do tipo romântica.

— A sua esposa é que não é nada romântica. Nunca vi Patrícia ficar grudada em você.

— Não fica mesmo. Nossas demonstrações de carinho deixamos para a privacidade do nosso lar. Patrícia comentou comigo que notou, no último encontro, como Denise o tratou de maneira ríspida por diversas vezes.

— A sua esposa está enganada, meu amigo — falou num tom que tentava ocultar a contrariedade. Edgar não gostava que falassem mal de Denise. Nem amigos, nem ninguém. Fez um muxoxo e concluiu: — A minha princesa adora essas coisas. Ela se faz de difícil só para me provocar, para injetar mais charme na nossa relação. Ela é muito feminina, diferentemente de outras mulheres.

Naturalmente, as outras mulheres eram Patrícia. Adriano não deu trela para a cutucada. Estava, de certa forma, acostumado com a atitude protetora de Edgar com relação à esposa. Achou melhor encerrar a conversa.

— A aula vai começar. Boa sorte. Antes que eu me esqueça, por acaso amanhã vamos correr no parque do Ibirapuera?

— Vamos. Eu ligo antes de sair de casa.

— Mas e se a noite prometer?

— Não tem problema — Edgar sorriu, malicioso. — Vou perder a aula de hoje por um motivo para lá de especial. Não posso e não quero deixar de me exercitar amanhã. Sabe que não me atraso nunca. Eu ligarei para você antes de sair de casa. Vai ver só: amanhã, logo cedinho, vamos correr juntos, faça chuva ou faça sol.

— Combinado. Divirtam-se.

— Obrigado.

— Boa noite.

Edgar desligou o telefone, pendeu a cabeça para os lados e pensou:

"Meu amigo Adriano não conhece as mulheres. Aposto que a Patrícia deve sentir falta de carinho, de mimo. Deve ser por esse motivo que ela é um tanto fria e até meio antipática. Coitada. As mulheres gostam de ser bem tratadas, paparicadas. Eu nunca vi o Adriano comprar um ursinho de pelúcia para a Patrícia. Nunca".

Edgar consultou novamente o relógio e nada de a esposa aparecer. Ele começou a ficar impaciente. O CD acabou e ele pegou outro na estante. Dessa vez escolheu um do Tim Maia. Enquanto Denise não aparecia, ele procurava ocultar a ansiedade cantarolando a canção:

— *Você é algo assim, é tudo pra mim, é como eu sonhava, baby. Sou feliz agora, não, não vá embora, não, vou morrer de saudade...*

2

Do outro lado da cidade, num charmoso *flat* encravado no meio do bairro de Moema, Denise espreguiçava-se nua na cama e sorria feliz. Sentia-se a mulher mais realizada do mundo. Leandro, sim, era homem de verdade, com agá maiúsculo. Não se comparava àquele paspalho do marido. Estava cansada de fingir ter prazer com Edgar. Ao lado de Leandro era impossível fingir o clímax. Ele era ótimo amante. Ele, sim, sabia das coisas.

Leandro saiu do banho e, enquanto se enxugava, Denise passava maliciosamente a língua pelos lábios, soltando gemidinhos de prazer. Puxou o lençol até cobrir o corpo e sentou-se na beirada da cama.

— Como ele é bonito! — suspirou.

De fato, Leandro era um homem muito bonito. Era alguns centímetros mais alto que Edgar, loiro, os cabelos e pelos do corpo eram bem clarinhos. Forte, corpo esguio e bronzeado. Mesmo aos quarenta e cinco anos de idade, tinha um físico e apetite sexual de colocar qualquer garotão no chinelo.

Leandro era diretor de uma grande empresa fabricante de aparelhos eletrônicos, localizada no norte do estado de São Paulo. Era considerada uma das maiores fabricantes de TV de plasma e monitores do país, nacionalmente conhecida como "a Companhia".

A sua família morava na cidade do Rio e o trabalho o mantinha mais na capital paulista, visto que toda a parte administrativa da Companhia fora transferida para a metrópole, dois anos atrás, num moderno e elegante edifício construído na marginal do rio Pinheiros.

Denise era gerente de vendas de uma grande loja de varejo atuante na região Sudeste do país — a Dommênyca. Os dois se conheceram numa reunião trivial de negócios. Além de conseguir um bom desconto na compra de televisores para a cadeia de lojas, Denise também ganhou um admirador. Depois das trocas de olhares furtivos e um bom jantar, a tal admiração cresceu e ambos terminaram aquela noite na cama.

Fazia pouco mais de um ano que se encontravam religiosamente todas as quintas-feiras. Leandro era casado, tinha um filho e, embora tivesse uma linda esposa, não se sentia realizado ao lado da mulher. Letícia tornara-se fria e não tinham mais intimidade. Ele a procurava e ela afirmava ter dores de cabeça ou então inventava um rol de desculpas esfarrapadas: uma hora era a menstruação, depois os problemas da casa, o filho... Cada dia tinha uma desculpa na ponta da língua para não se entregar ao marido. Essas atitudes da esposa o entristeciam profundamente.

Depois que Émerson — pai de Letícia — faleceu, a cama esfriou por completo e o distanciamento entre ambos se tornou tão patente, que nem mais dormiam no mesmo quarto. Cada um tinha a sua suíte. A intimidade, de certa forma, morrera entre eles.

Desta feita, Leandro foi procurar fora o que não tinha dentro de casa. Frequentou alguns bares especializados na venda de bebidas e serviços sexuais, porém o ambiente não lhe agradava e ele não tinha prazer em sair com garotas novinhas. Queria uma mulher de fato, na casa dos trinta anos de idade, e não uma menina de dezoito, mal saída das fraldas. Leandro tinha amigos que haviam trocado suas esposas por brotinhos, meninas mais jovens, e percebia que esse tipo de relacionamento não durava muito. Passado um tempo, depois da aventura de viver uma relação calcada tão somente no prazer e exibir a namoradinha aos amigos como um grande prêmio, os maridos tentavam voltar para a família e para o lar. Poucos eram perdoados.

Leandro não cogitava ter uma amante. Para ele, se uma mulher dava trabalho, imagine duas! Precisava de uma mulher para o sexo, mais nada. Repetia para si: "Se Letícia colaborasse, eu não precisaria ficar à procura de sexo. Ela não me ama mais. Não posso ficar preso a uma mulher que não sente desejo por mim. Tenho a minha dignidade. Se não fosse pelo meu filho, eu já teria me separado dela, infelizmente".

Até que Denise apareceu em seu caminho.

Denise era mulher fogosa e Leandro encontrou em seus braços os carinhos e prazeres que Letícia não lhe dava havia anos. Bonita, trinta e dois anos de idade, corpo bem feito, pele amorenada e sedosa, cabelos curtos cortados à moda. Sempre bem-vestida e perfumada, a morena sabia equilibrar-se num salto quinze com maestria. Rebolava naturalmente ao andar e, evidentemente, chamava a atenção dos homens por onde quer que passasse. E o melhor de tudo, Denise também não queria nada sério com ele. Quer dizer, isso era o que Leandro pensava.

Ela se levantou da cama e o abraçou.

— Queria ter você todos os dias. Todos.

— Enjoaríamos um do outro.

— Seria ótimo.

— Mas aí seríamos amantes.

— E qual o problema?

— Eu não quero compromisso.

Denise passou a língua pelos lábios. Era mulher de temperamento forte e odiava ser passada para trás. Mantinha o casamento porque sabia ter controle absoluto sobre o marido. Ela tinha o poder. E, se tinha o poder, podia controlar e manipular Edgar a seu bel-prazer.

O problema é que Denise estava começando a se envolver demais com Leandro. Ela bem que tentara lutar contra esse sentimento, contudo, mesmo não querendo admitir a si mesma, estava caidinha por ele. Procurou ocultar a sensação de fragilidade e dar um tom natural e amável a sua voz. Disse de pronto:

— Você bem que podia deixar a sua esposa, eu prometo largar o Edgar. Por que não fazemos isso?

— Para quê?

— Ora, para ficarmos juntos — arriscou.

— Não. Eu ainda amo Letícia.

— Ama? Tem certeza?

— Sim. Se ela fosse menos fria e não me rejeitasse, eu não estaria aqui com você. Sabe muito bem disso.

— Eu só sirvo para esquentar a sua cama.

Leandro deu de ombros.

— Eu nunca a enganei, Denise. Nunca. Sempre fui sincero. Eu só quero sexo, mais nada. Você concordou.

— É verdade, você nunca mentiu. Entretanto, estamos saindo há mais de um ano. Pensei que...

Leandro a cortou com docilidade.

— Pensou errado.

Ela mordeu os lábios e rangeu os dentes para controlar a raiva.

— Eu trabalho na empresa do pai dela.

— E o que a Companhia tem a ver com tudo isso?

— Muita coisa. Letícia é filha única e a mãe quer que ela tome a frente do conselho de acionistas a fim de vigiar meus passos.

— As sogras sempre estão atrapalhando o nosso caminho.

— Não sei ao certo. Eu e minha sogra não simpatizamos um com o outro, todavia, percebo que ela quer superproteger a filha. Teresa tem faro apurado e seu instinto percebe que estou pulando a cerca. Eu não a culpo por não gostar de mim. Se eu estivesse no lugar dela, talvez agisse da mesma maneira.

— A minha sogra também é difícil. Aposto que sua esposa e sua sogra estão mancomunadas.

— Duvido. Letícia tinha uma relação mais forte com o pai. Teresa sempre foi muito presa aos ditames da sociedade.

— Sempre vejo fotos de Teresa nessas revistas de celebridades.

— Teresa dá muito valor ao que os outros dizem. É o jeito dela. Não guardo rancor por conta disso. Temos uma relação bem formal, distante. Mas no fim das contas, ela é boa mãe e boa avó.

Denise sorriu.

— Uma boa bisca, isso sim.

— Por que afirma isso? Nem a conhece!

— Sou vivida, mulher experiente. As sogras sempre estão tramando alguma coisa contra suas noras ou genros.

— A minha sogra não é assim.

— O meu santo não bate com o da minha sogra. Eu adoraria

que o meu santo batesse, de verdade, isso sim! Ela, porém, é muito chata.

— Não posso simplesmente sair de casa. Assim que o inventário ficar pronto, Letícia vai se tornar oficialmente sócia--majoritária da empresa, portanto, minha chefe.

— Ah, agora entendi por que não quer se separar. Tem muita grana em jogo.

Ele meneou a cabeça negativamente para os lados.

— Está enganada. Nós nos casamos com separação total de bens. Eu nunca seria capaz de me envolver com uma mulher por interesse. Eu me casei porque amei Letícia desde o primeiro instante que a vi. Não estou casado por conta da empresa. Longe disso. Não sou aproveitador.

— Sei.

— Aos poucos, depois que tudo se assentar e meu filho estiver maiorzinho, se ela realmente não me quiser, infelizmente não terei outra saída: serei obrigado a me separar.

— Ricardo tem doze anos. É um mocinho. Hoje em dia um menino nessa idade sabe lidar bem com a separação dos pais. É algo natural.

— Não para mim. Eu não acho que separação seja algo natural. Eu me casei e fiz votos na casa de Deus. Até que a morte nos separe. Sabe muito bem, e volto a repetir, para não deixar nenhum tipo de dúvida em sua cabeça, que, se Letícia não fosse tão fria e não me negasse carinho e sexo, eu não estaria aqui com você.

Denise sentiu uma ponta de raiva. O que essa tal de Letícia tinha que ela não tinha? Será por que essa dondoca estava sempre chamando a atenção onde quer que estivesse?

Se esse fosse o ponto, Denise não tinha como lutar de igual para igual. Letícia era uma socialite paparicadíssima pela mídia e amada pelo país inteiro. Fora igualada a princesa Diana no que se referia a carisma. Fora comparada a Jacqueline Onassis, pela maneira discreta de ser, e a Audrey Hepburn, pela forma elegante de se vestir.

Denise levou o dedo ao queixo e lembrou-se de uma entrevista que Letícia dera num programa de TV, alguns anos atrás.

Ela era uma mulher fina, elegante, simpática e bonita. Denise sentiu mais raiva e falou para si: "Claro que ele não vai largar da esposa tão facilmente. A tonta é benquista pela sociedade, tem cartaz, faz doações para esses desgraçados vitimados por catástrofes e aos infelizes que quase morrem de fome por esse país afora. É a lindinha da mídia". Depois, virando-se para Leandro, emendou:

— A diferença entre mim e ela é que eu não apareço tanto nessas revistas idiotas de celebridades. Eu não sou mulher fútil, não sou dondoca. Trabalho duro. Sou mulher séria e procurada pela mídia para assuntos relacionados à economia. Se quer saber, em termos de beleza sou até mais gostosa que ela. Por que raios você se derrete tanto por essa mulher?

Leandro simplesmente respondeu:

— Porque a amo. Eu amo a minha mulher.

Denise sentiu uma pontada no peito. A sinceridade dele era desconcertante. Leandro sempre fora sincero com ela, desde o início do caso. Dissera que amava a família, mas precisava descarregar as baterias porque a esposa não se deitava com ele havia séculos. Gostara de ficar com Denise porque ela, aparentemente, não pegava no seu pé.

A princípio, Denise também não queria compromisso sério, estava à procura de um homem interessante para poder ter momentos de prazer, pois se deitar com Edgar tornara-se tarefa árdua e enfadonha. O fato é que o tempo foi passando e Denise foi se apegando a Leandro. E, na sua cabeça contaminada pelo orgulho, ela é que poderia se cansar dele. Jamais o contrário. Falou rapidamente num tom bem irônico:

— Você a ama, mas Letícia não o ama! Por que ficar casado com alguém que não o ama?

Leandro largou a toalha sobre a cama e começou a se vestir. Ele tinha um grande sentimento pela esposa. Se ela fosse uma mulher que seguisse à risca os votos do casamento, ele não estaria com Denise. Nem com ela, nem com qualquer mulher que fosse. Ele ficou pensativo por instantes.

— Já disse a você que não sabe o que é amor. Eu amo Letícia, apesar de ela me tratar tão friamente. Você, porém, não ama seu marido, aposto.

Ela fez um muxoxo e respondeu com desdém:

— Não aguento mais ficar casada.

— Você não tem motivos para continuar casada. Não ama seu marido.

— E terei de continuar a ter você apenas uma vez por semana?

— Sim.

— É muito pouco.

— É o que posso lhe oferecer.

— Podemos esticar nos fins de semana.

— Sabe que todo e qualquer fim de semana dedico única e exclusivamente ao meu filho Ricardo.

Denise sorriu mordendo os lábios. Se não fosse o fedelho de doze anos de idade, ela teria Leandro também nos fins de semana, ou até mesmo ele estaria separado daquela esposa desprovida de desejo sexual. Tinha raiva do menino porque acreditava ser ele um grande estorvo, que atrapalhava a relação dela com Leandro. Contudo, no devido tempo, o teria como amante todos os dias. Denise era cobra criada, mulher com forte experiência em manipular as pessoas, principalmente os homens. E era esperta! Ninguém duvidava de sua esperteza.

— Posso morar neste *flat*, por exemplo.

— Você não gosta daqui. Sempre afirmou que gostaria de morar numa bela casa nos Jardins.

— Verdade. Nasci e fui criada no bairro do Cambuci, numa rua que sofria enchentes constantes. Saí de casa para morar com uma tia no Pacaembu. Foi lá que tive contato com o conforto, com o belo.

— Separe-se e vá viver novamente no Pacaembu.

— Fica fora de mão. Aqui eu tenho tudo o que preciso. Uma suíte espaçosa, uma sala, uma cozinha bem equipada. Tem arrumadeira todos os dias, lavanderia, manobrista. O trabalho fica aqui perto e não pegarei tanto trânsito. E você não precisará mais ficar no hotel pago pela empresa.

— De forma alguma. Não misturo vida pessoal com trabalho. Este *flat* serve tão somente para os nossos encontros.

— Mas...

Leandro a cortou com amabilidade.

— Nem pensar, Denise. Às vezes recebo mensageiros da empresa no hotel e não seria de bom-tom ser visto com você ao meu lado. Sou discreto e praticamente uma figura pública, casado com uma mulher bonita e adorada pela mídia.

Denise odiava cada palavra positiva que ele creditava à esposa. Estava a ponto de explodir, mas precisava, tinha de manter a fleuma a todo custo. Rangeu os dentes e emendou:

— Mas sempre saímos daqui juntos!

— Somos discretos. Eu saio primeiro, você sai dez minutos depois.

— Mas os funcionários sabem o que se passa aqui.

— Eles são treinados para não ver, não ouvir, não comentar. E é um entra e sai neste *flat* que as pessoas mal reparam. Lá no hotel há outros funcionários da empresa que vêm diretamente da fábrica. Não quero dar bandeira.

Ela sorriu contrariada:

— Não queria voltar para casa. Não hoje.

— Por quê?

— Depois de momentos tão bons ao seu lado, ter de encarar um fim de semana ao lado daquele paspalho... Vai ser difícil.

Leandro terminou de se vestir. Enquanto ajeitava a gravata ao redor do colarinho, sugeriu:

— Amanhã retorno para casa. Não tem como escapar do trabalho e vir comigo passar o dia?

— Passar o dia?

— Podemos ficar hospedados num hotel bem charmoso no Flamengo. O pessoal do hotel me conhece, são pessoas muito discretas, respeitam a privacidade do cliente e...

Ela exultou de felicidade.

— Viajar com você para o Rio? Amanhã?

— Estou carente de companhia. Tenho de assinar alguns papéis do inventário num escritório de advocacia no centro da cidade. Vou pegar a primeira ponte aérea. Deverei estar livre da hora do almoço até as cinco da tarde. Poderemos ficar juntos, passear, ir a um bom restaurante...

— Eu vou. Claro que vou!

— Pode tirar o dia de folga?

— Eu ligo para a minha assistente e invento uma desculpa qualquer.

— E seu marido?

— O que tem ele?

— O que vai pretextar?

— Nada. Não sou de dar satisfações.

— Ele pode questionar o motivo da viagem.

— Bobagem. Ele está acostumado com minhas viagens a trabalho. Nesse casamento sou eu quem dá as cartas.

— Eu gostaria de entender melhor: eu tenho um filho, mas você não tem crianças. Se não ama seu marido, por que continua casada?

Denise mordiscou os lábios e ficou pensativa por instantes.

— Estive aqui pensando e não sei por que ainda estou presa a esse casamento sem sal e sem tempero.

— Creio que só ficamos amarrados a quem amamos de verdade. Senão, é pura perda de tempo.

— Sabe que você me deu uma ótima ideia? Vou me separar.

— Já é tempo. Pelo menos você liberta seu parceiro e o deixa livre para ser feliz ao lado de outra pessoa.

Denise gargalhou, uma risada debochada e histérica.

— Não consigo imaginar quem pudesse se interessar pelo Edgar. Ele é tão bobão, tão sem tempero. A cama com ele tem gosto de salada de chuchu.

Leandro riu.

— Não diz o ditado que toda panela tem a sua tampa?

— É verdade.

— Vai ver você não é a tampa certa para o Edgar.

— Definitivamente, não.

— Ele ainda pode ser feliz.

Ela deu de ombros.

— Vou até a minha casa fazer a mala para a viagem e direi na cara dele que não quero mais manter esse casamento chato. Semana que vem, depois do nosso delicioso fim de semana juntos, estarei morando aqui. Poderá vir mais vezes, claro, se quiser.

Leandro nem deu ouvidos ao que ela dizia. Terminou de se vestir, arrumou algumas peças de roupa na sacola e pediu:

— Encontre-me no saguão do aeroporto de Congonhas às seis da manhã.

— Dorme comigo hoje, vai.

— Não posso. Tenho alguns contratos para analisar e não quero tomar decisões erradas. Preciso de concentração. Estamos em época de crise e não posso dar mole. Qualquer decisão errada — ele fez um sinal com o polegar para baixo — e afundo a Companhia. E tem outra coisa.

— O que é?

— Vou logo avisando para não se empolgar tanto. Ficaremos juntos somente amanhã. Fiz o convite porque você é liberal, tem uma cabeça boa e não pega no meu pé. Somos amigos que de vez em quando têm intimidades, mais nada. Sabe que todo fim de semana fico com Ricardinho. É algo sagrado para mim ficar ao lado de meu filho nos fins de semana.

— Podia abrir exceção nesse próximo fim de semana, não?

— Negativo. Passaremos somente o dia de amanhã juntos. No fim da tarde eu subirei para a Barra da Tijuca.

— E ficarei sozinha na cidade?

— Vamos ficar juntos amanhã durante a tarde toda, não está bom? É só o que posso lhe ofertar. Passeamos, comemos algo, e outras coisinhas mais. A diária valerá até o meio-dia de sábado. Você aproveita o dia e no fim da tarde retorna a São Paulo.

— Pode ser. Quero ficar mais, aproveitar a cidade.

— Bom, se quiser poderá sair e fazer seus passeios. Você é livre. Mas o fim de semana eu passo com Ricardo, de qualquer jeito. Não abro mão disso.

Denise mostrou cara de poucos amigos. Mordiscou novamente os lábios para ocultar a contrariedade. Disse entre dentes:

— Esse pirralho filho da mãe tinha de estragar o meu fim de semana?

— O que foi que disse?

— Nada — ela desconversou e consultou o relógio. — Passa das nove. Preciso ir. Vou me arrumar e volto mais tarde para o *flat*. Amanhã cedo ligarei para a minha assistente e invento qualquer mentira. O povo morre de medo de mim lá na Dommênyca.

— Chegue ao aeroporto no horário marcado. Quero pegar o primeiro voo da ponte aérea.

— Combinado.

Despediram-se e Leandro saiu primeiro, como de costume. Denise fechou a porta e sentou-se na cama. Enquanto escovava os cabelos, vociferava:

— Maldito filho! Porque ele tem de estar no meio de nós? Quero o Leandro só para mim.

Leandro tomou o elevador, desceu e foi até a área dos manobristas. O carro chegou em seguida. Ele acomodou-se no banco, acelerou e pegou o caminho do hotel. Chegou, passou no bar, tomou um uísque e subiu para o quarto, pensando em ligar para a esposa. Embora mantendo uma relação distante, era bem ligado à família. Preocupava-se verdadeiramente com Letícia e Ricardo.

Colocou o celular para carregar a bateria, deitou-se na cama, afrouxou o nó da gravata. Pegou o telefone e ligou. Procurou ser simpático.

— Boa noite, Letícia, tudo bem?

— Olá, Leandro. Estou bem e você?

— Para variar estou correndo muito, mas tudo ótimo.

Houve um silêncio constrangedor. Leandro pigarreou e perguntou:

— Como estão as coisas?

— Muito bem — disse ela, num tom que lutou para manter frio e ocultar a emoção que sentia toda vez que escutava a voz do marido.

— O que fez de bom?

— Precisava de um par de tamancos. Fui ao BarraShopping e almocei com a Mila.

— Gosto que saia com a Mila.

— É como se fosse minha irmã. Temos muitas afinidades e ela entende o meu gosto.

— Ela é excelente amiga.

Letícia fechou os olhos e suspirou profundamente. Sentia ciúmes do marido, inclusive desses comentários inocentes. Contudo, como cobrar algo de Leandro? Ela perdera o interesse pelo sexo e não achava justo demonstrar seu ciúme. Ela não tinha o direito de cobrar absolutamente nada dele. Uma pena. Perguntou:

— Volta na sexta à noite?

— Volto — mentiu ele.

— Ricardinho está contando as horas.

Leandro sorriu feliz. Só de tocar no nome do filho seus lábios abriam largo sorriso e seu peito se enchia de contentamento.

— Diga a ele que comprei mais um *game* novo para o *playstation*.

— Você vai estragar esse menino.

— Por quê? Ele é ótimo filho. Sei que os pais sempre dizem que os seus filhos são especiais, diferentes... Mas Ricardinho é fora de série. Que garoto de doze anos gosta tanto de ler os clássicos da literatura universal como também jogar *video game* ou andar de *skate*?

— Tem razão. Hoje mesmo começou aqui no condomínio um campeonato de *skate*. Adivinha quem bolou o campeonato?

— Ricardo.

— Ele mesmo. Está todo contente.

— Além do mais, ele tem tirado notas ótimas na escola, nunca nos deu um pingo de trabalho em nada. Absolutamente nada.

— Concordo. Sabe que hoje no almoço ele leu uma entrevista do primeiro-ministro inglês na revista e passou a tarde toda me fazendo perguntas sobre o Reino Unido, a rainha Elizabeth II, o primeiro-ministro Gordon Brown...

— Ele é inteligente e um filho maravilhoso. Merece um jogo novo.

— Merece, sim, você está certo.

Leandro queria perguntar como iam as sessões no analista, se Letícia sentia-se mais à vontade para conversar sobre suas intimidades, mas teve receio de constrangê-la. Em vez disso, simplesmente discorreu sobre problemas da empresa, os efeitos da crise econômica mundial, a demora no fechamento do inventário do pai dela e desligou o telefone com um singelo boa-noite.

Letícia desligou o telefone e suspirou triste:

— Por que estou tão triste?

Ela não escutou, entretanto uma voz masculina fez-se ouvir no quarto:

— Não fique triste. Esse traste não merece o seu amor. Eu vou cuidar de você, como sempre venho cuidando.

3

Enquanto dirigia para sua casa, Denise imaginava maneiras, as mais disparatadas, de ter Leandro em seus braços, longe da esposa e do filho. Conforme dava largas à imaginação negativa, obviamente começou a se formar, em torno de sua cabeça, uma energia de coloração escura que, a cada pensamento sórdido, tornava-se mais espessa e enegrecida.

Na curva de uma rua, depois de quase atropelar um pedestre, ela mudou o teor dos pensamentos: "Depois penso num jeito de ter esse homem comendo aqui na palma da minha mão. Os homens sempre comeram na minha mão".

Denise pensou um pouquinho e se lembrou de Édson, um gerente de banco que conhecera pouco antes de se casar com Edgar. A coloração da sua pele ficou avermelhada de ódio por alguns instantes. Embora quisesse apagar esse homem de sua vida, a memória parecia ter enorme prazer em fazê-la se lembrar dos acontecimentos passados. Também pudera.

Denise conhecera Édson quando foi abrir uma conta-corrente. Eles trocaram olhares significativos, houve uma paquera e interesse de ambas as partes. Édson era um homem bonitão, na casa dos trinta e poucos anos, alto, forte e viril. Casado e pai de três filhos, saía com Denise por pura diversão. Ele gostava da esposa, mas, como dizia, não gostava de comer arroz e feijão todos os dias. Precisava variar o cardápio. E Denise fora a alternativa.

Alguns meses depois ele decidiu terminar o caso. Denise não aceitou. Édson foi duro e até um pouco agressivo. Ele também era o tipo de homem que fazia toda e qualquer mulher comer na palma de sua mão. Estavam empatados. Denise estava à frente de alguém que tinha o mesmo jeito que o dela.

Denise não se deu por vencida. Falou para si mesma:

— Ah, é assim? Aguarde o troco.

Vingativa e cheia de ódio, um dia ela estacionou na garagem do banco, pretextou ir ao caixa eletrônico para sacar dinheiro e, ao descer de volta à garagem, sem ninguém perceber, riscou toda a lateral do carro de Édson com um canivete. Dos dois lados. Depois, não satisfeita, esvaziou os quatro pneus do carro. Para completar o quadro, entortou os dois para-brisas. Sorriu aliviada e sentiu-se vingada. Entrou no seu carro e saiu da agência gargalhando feito uma doidivana.

De volta ao presente, Denise começou a gargalhar: "Aquele idiota do Édson levou o troco. Esse foi o único homem que tentou me fazer de boba. O único. Leandro que não brinque comigo". Ela afastou os pensamentos balançando os cabelos para os lados: "Agora preciso chegar em casa e terminar meu casamento. De uma coisa eu tenho certeza: não passa de hoje. Não sei por que não tomei essa resolução antes".

Ela embicou o carro na porta da garagem e apertou o controle remoto. Nada. Enfurecida, soltou um grunhido e meteu a mão na buzina, fazendo um barulho estridente. João veio correndo.

— Desculpe, senhora. O portão ainda está quebrado.

— Como? Ainda não mandaram consertar essa joça? Para que serve o dinheiro do condomínio, que é bem alto por sinal?

— Amanhã cedo o técnico virá arrumar. Tenha um pouco de paciência, dona Denise.

— Vou falar com o síndico e fazer reclamação dessa sua lerdeza.

— O portão é pesado. Tenha um pouco mais de calma, por gentileza.

— Funcionários como você merecem estar na rua. Não sei por que temos de pagar salários para pessoas tão incompetentes como você, Zé. Ande logo, abre logo esse portão, ô infeliz!

João fez sinal afirmativo com a cabeça e abriu. Assim que ela passou com o carro para dentro, ele suspirou:

— Edgar não merece essa mulher. E ainda por cima sempre erra meu nome. Chama a mim e a todos os demais funcionários de Zé.

Denise estacionou, saiu do carro e mal cumprimentou a empregada do vizinho que acabava de chegar. Pelo contrário, saiu apressada para pegar o elevador sozinha. A moça apertou o passo tentando equilibrar as sacolas do mercado, esbaforida até o elevador, mas não conseguiu entrar. Denise ainda viu o rosto de frustração que a pobre coitada fez enquanto a porta se fechava, mas deu de ombros: "Detesto pegar elevador com empregada. Gente folgada. Ela que pegue o elevador de serviço". Olhou para um aviso anexado próximo à porta e viu o nome do síndico. Resmungou:

— Para que vou perder meu tempo em falar com o síndico? Vou embora mesmo deste buraco. Esse prédio que se dane.

Ela chegou ao andar, saiu e meteu a chave na porta. Ao abri-la notou algo de diferente. As luzes estavam apagadas. Muito estranho. Várias velas, de cores, tamanhos e odores variados, faziam interessante caminho do corredor até a sala de estar. Ela olhou para aquilo tudo com um esgar de incredulidade.

— O que é isso?! Algum despacho?

— Surpresa! — Edgar apareceu segurando um pequeno arranjo de rosas entre as mãos.

— Edgar...

Ele não deixou que ela falasse. Abraçou-a e a beijou várias vezes no rosto.

— Eu a amo! Eu a amo!

— Me solta, Edgar. Está me melando toda. Parece um cachorro babão. Que coisa!

— Parabéns!

— O que estamos comemorando? — perguntou ela enquanto entrava na sala e tirava os sapatos de saltos altíssimos.

— Hoje é o nosso aniversário.

— Hã?

— Cinco anos.

Denise fez um esforço mental e lembrou-se do dia em que assinara os malditos papéis no cartório.

— Nem me lembrava.

— Eu sei que você não se liga em datas. Mas eu me importo.

Ela abriu e fechou a boca. Estava cansada dessa relação. Por que se casara com ele? Por que fizera aquilo? Desde a saída do *flat* até agora, sua mente não encontrara resposta. Vasculhou o escaninho da memória...

***

Denise tinha sido uma garota bem sapeca. Namorara os meninos do quarteirão da rua em que morava e do bairro todo; em seguida, quando sua mãe deu graças a Deus de ela ir morar com a tia no Pacaembu, envolvera-se com outros tantos na redondeza, no colégio e na faculdade.

Quantas e quantas vezes fora flagrada no estádio de futebol, perto de casa, em cenas dignas de filmes liberados somente para maiores de dezoito anos. A tia, já velhinha e meio senil, não entendia direito o que se passava e Denise não era levada à delegacia, tampouco fichada porque se deitava também com os policiais. Era uma garota para lá de liberal, promíscua até, do tipo muito fácil e malfalada. Não estava nem aí com os comentários dos outros. Por milagre, nunca contraíra nenhum tipo de doença sexualmente transmissível.

Ela conheceu Edgar numa festa de formatura de um de seus conhecidos. Saiu com ele, levou-o para casa e não gostou nem um pouco da intimidade compartilhada. Segundo ela, Edgar não tinha pegada. Iria dispensá-lo no dia seguinte. Ocorre que a tia simpatizou com o rapaz e prometeu à sobrinha substancial aumento na mesada caso ela namorasse aquele menino.

Denise fazia tudo por dinheiro mesmo e assim foi levando o namoro, sem deixar, no entanto, de sair com outros homens ao mesmo tempo que namorava Edgar. Saía com outros homens às escondidas. Depois vieram os *sites* de relacionamentos da internet e tudo ficou mais fácil. Marcava os encontros com homens que vinham a negócios na capital paulista. Aliás, foi num desses encontros que ela conheceu um alto funcionário da Dommênyca. Depois de algumas saídas e ameaças — o homem era casado — Denise conseguiu uma vaga na conceituada empresa. E ela não tinha dó de meter chifres no namorado.

Edgar não percebia. Quando algum amigo, como Adriano, por exemplo, vinha lhe dar indiretas sobre as saídas de Denise, ele ficava possesso. Achava que os amigos inventavam histórias estapafúrdias a fim de melar o namoro dos dois. Tudo por inveja, acreditava ele. Pura inveja.

Até que Denise engravidou, sabe-se lá de quem. Tentou fazer um aborto. Não conseguiu.

Ela chegou à clínica clandestina de aborto, um lugar sujo e fedido no centro da cidade, e marcou de voltar dali a dois dias. Qual não foi a surpresa ao encontrar uma amiga da tia — sempre a tia! — na saída do prédio. A mulher, muito esperta, juntou dois com dois e logo deduziu o que Denise estava fazendo por lá. Não deu outra: descobriu sobre o aborto e contou tudo para sua tia.

Mabel — esse era o nome da tia — estava ficando senil, mas tinha uma religiosidade sem precedentes. Era católica fervorosa e totalmente contrária ao aborto.

— Se você tirar essa criança, eu a deserdo.

— Eu sou jovem, tia. Essa criança vai estragar o meu futuro profissional. Agora que minha carreira deslanchou na empresa, não poderia engravidar.

— Pensasse na carreira enquanto fazia... Fazia... Essas coisas na cama, sua pecadora!

— Eu errei, titia, contudo...

— Não vai ficar com nada de herança. Vai ficar pobre, sem casa, e voltar para aquele buraco de onde veio.

Denise teve um sobressalto. Voltar a morar naquela rua sempre cheia de água e ratos? Nunca.

— Não volto para casa. Nem morta.

— Então vai ter essa criança.

— Mas, tia, com relação ao pai... — Denise hesitou. Não podia dizer que não sabia quem era o pai. Deitara-se com muitos homens.

— Claro que sei quem é o pai — disse Mabel, num raro momento de aparente lucidez.

— Sabe?!

— Por certo. Claro que você seduziu e engravidou daquele menino, o Edgar.

Denise mordiscou os lábios e abaixou a cabeça. Sorriu maliciosamente. Mudou propositalmente a modulação da voz.

— É verdade. Eu não queria contar-lhe. Estava com medo. A família de Edgar não gosta de mim e ele não teve culpa. A camisinha estourou e...

Mabel ficou ruborizada. Era mulher séria e recatada.

— Nem ouse me contar como aconteceu tudo isso. Poupe-me dos comentários sórdidos. O que me interessa é que você se case com esse rapaz e tenha a criança. Ou vou doar este casarão para a prefeitura. Estamos combinadas?

— Se a senhora conseguir dobrar aquela cobra da mãe dele...

E assim foi feito. Mabel, humildemente, foi até a casa dos pais de Edgar e contou sobre a gravidez. Foi uma confusão dos diabos. Os pais de Edgar, portugueses católicos e éticos até o último fio de cabelo, conversaram com o filho à exaustão. Ele era jovem, recém-saído da universidade, tinha um bom emprego. Se não quisesse casar, teria o apoio dos pais, desde que assumisse a criança.

Mabel não arredou pé. Só sairia daquela casa com a promessa de que a sobrinha teria a criança e Edgar se casaria com ela.

Edgar optou pelo casamento e não cogitou a possibilidade de um exame de DNA. Na sua cabeça ingênua e apaixonada, Denise era-lhe fiel. A mãe dele, dona Maria José, era uma portuguesa perspicaz, desconfiava de Denise e nunca gostara ou aprovara o namoro do filho. Se por um lado Mabel era intransigente, por outro Maria José exigia o teste de paternidade.

Depois de muito bate-boca, Edgar aceitou desposar Denise sem fazer o teste.

— Esse filho pode não ser teu — disparou a mãe.

— Jamais volte a dizer uma barbaridade dessas, mamãe. Denise me ama e só se deitou comigo.

Maria José mediu a futura nora de cima a baixo. Levantou o sobrolho e meneou a cabeça negativamente para os lados. Aproximou-se de Denise e sussurrou em seus ouvidos:

— Poderás te casar com meu filho, mas estarei sempre vigilante.

Denise sorriu e devolveu a afronta em novo sussurro:

— Não tenho medo de você. Nem de você nem do seu bigode, sua víbora portuguesa.

— Não me conheces, sua sirigaita.

— Opá! Nem você me conhece! — retrucou Denise, num tom jocoso em relação à expressão muito utilizada entre os portugueses, que seria algo como o nosso corrente "Puxa"!

— Se magoares meu filho, juro que vou odiar-te pelo resto dos meus dias.

Denise deu de ombros.

— Minha tia quer que eu me case com seu filho. Aqui há um jogo de interesses. Eu me caso, tenho a criança e, depois que minha tia morrer, eu me separo.

— Não tens coração! Como pode ser tão fria e mesquinha?

— Eu faço o que é melhor para mim. Danem-se os outros. Eu vou lá me preocupar com os outros? Desde que eu me dê bem...

— Cuidado! Eu sou mãe coruja e Edgar é tudo o que tenho. Se magoares meu menino, eu juro que vou rezar muito para que Deus te dê uma grande lição.

— Faça o que achar melhor, Carlota Joaquina — retrucou num deboche.

Assim foi feito e no mês seguinte eles se casaram.

Maria José fora uma jovem bem bonita e muito inteligente. Estudante de ciências sociais, ela e Fernando, seu marido, participaram ativamente da luta pelo fim da ditadura em Portugal. Logo depois da Revolução dos Cravos[1] ela engravidou e na sequência prestou concurso e ganhou bolsa para fazer doutorado no Brasil.

O casal, jovem e apaixonado, fez as malas e emigrou para cá alguns meses depois. Fernando havia recebido dinheiro proveniente de uma pequena herança e decidiu abrir uma loja de materiais elétricos na rua Florêncio de Abreu, no centro

---

1 Em 25 de abril de 1974 eclodiu em Portugal a Revolução dos Cravos: oficiais de média patente se rebelaram e derrubaram o governo de Marcello Caetano (1906-1980), que se asilou no Brasil. A população festejou o fim da ditadura, que vigorava no país desde 1926, distribuindo cravos — a flor nacional — aos soldados rebeldes (Nota do Autor).

da cidade. Apaixonaram-se pelo país à primeira vista e nunca mais quiseram voltar. Instalaram-se numa confortável casa no Pacaembu. Lá, Maria José podia cultivar suas orquídeas, numa grande estufa que Fernando construíra nos fundos da casa especialmente para esse fim.

No comecinho do outro ano, depois de uma gestação difícil e um parto complicado — que a impediu de gerar outros filhos — nasceu Edgar. Filho único, ele crescera um romântico obstinado. Queria viver uma história de amor igual à dos pais. O casamento com Denise parecia ser o seu conto de fadas. Ia se casar com a sua amada, a sua princesa.

Dois meses depois do casamento, Denise teve uma cólica seguida de forte hemorragia e perdeu o bebê. Continuou levando o casamento adiante, como também traindo o marido a torto e a direito, sem que ele jamais suspeitasse, até conhecer Leandro e cansar-se de vez do marido.

Estava mais do que na hora de pôr fim nessa relação sem sal, sem atrativos. Denise estava cansada de manter uma relação desgastada. Edgar era um bom homem, mas era muito pegajoso, melado. Fazia e concordava com tudo. Nunca discordava de nada. Não escolhia lugares para saírem ou viajarem. Deixava para Denise escolher absolutamente tudo. E, segundo opinião dela própria, ele era muito convencional na cama. Enfim, era um robozinho que vivia apenas para agradar a esposa.

4

Denise espantou os pensamentos fazendo gesto enérgico com uma das mãos. Voltou à realidade como se tivesse saído de um choque anafilático.

— Eu me perdi nos pensamentos. Deve ter sido a bebida — ela beliscou a pele do braço e bradou: — Não é possível! Não foi um sonho!

— Claro que não, meu amor. É dia das nossas bodas!

— O quê?!

— Cinco anos! — Edgar exclamou. Depois a pegou na mão e a conduziu até o quarto.

Ela entrou e fez cara de nojo.

— Olha o ursinho. Ele diz o que eu sinto: eu te amo.

Denise teve vontade de pegar o ursinho e trucidar o bichinho com as unhas longas, afiadas e vermelhas.

— Sabe que eu odeio bicho de pelúcia. Tenho alergia a pelos.

— Ah, mas esse ursinho é especial. E tem também esse casalzinho abraçado, esculpido em madeira — mostrou.

Ela pegou o bichinho e jogou-o de volta à cama. Exalou suspiro desagradável:

— Cada ano eu ganho um bichinho. Que coisa! E esse casalzinho de madeira? Que tosco! Não pensou numa joia, por exemplo?

Edgar riu e balançou a cabeça para os lados.

— Meu amor, meu benzinho, estamos casados há cinco anos. Estamos comemorando bodas de madeira! Comprei na feirinha de Embu das Artes.

— Bodas de madeira, Edgar? Eu nunca ouvi falar.

— Mas é. Por isso resolvi lhe dar essa estátua em madeira.

Ano que vem vamos fazer bodas de açúcar e, quando completarmos quinze anos, que são bodas de cristal, juro que lhe darei uma joia dentro de uma taça de cristal. Prometo!

Denise não estava nem um pouco interessada em saber sobre as bodas. Só um lunático abobado feito o marido poderia ter conhecimento sobre o significado das bodas de casamento. Ela suspirou contrariada:

— Edgar...

— Você nem tem ideia do que fiz — disse ele cortando-a animado e feliz. — Comprei essas rosas vermelhas porque são as suas preferidas. Também encomendei salmão fresquinho e fui buscar lá no mercadão. A Délis temperou seu prato predileto. Não me esqueci do vinho branco.

Ele correu até a cozinha, abriu a pequena adega e pegou a garrafa. Abriu-a e encheu duas taças. Voltou correndo para o quarto e entregou uma taça à esposa.

— Um brinde. Que possamos renovar nossos votos por mais cinco, dez, vinte, cinquenta anos!

Denise pegou a taça e bebeu num gole só. Precisava da bebida para não explodir de ódio. Não dava mais para continuar. Estava cansada de tanta melação. Ela só tinha olhos para Leandro. Só para ele. Respirou fundo, pegou a garrafa das mãos do marido e entornou o gargalo.

— Calma, amor. Vai ficar altinha.

Edgar aproximou-se e tentou beijá-la. Denise o empurrou com força.

— Chega de me melar com esses beijos nojentos!

Ele parou atônito. Nunca a vira tão ríspida.

— Ei! O que foi?

— Chega, Edgar. Chega!

— O que aconteceu, meu amor?

— Não aconteceu nada. Quer dizer, vai acontecer.

Ela colocou a taça sobre o aparador e correu a porta do *closet*. Entrou e apanhou uma mala. Voltou e a jogou sobre a cama.

— O que está fazendo? — perguntou ele, sem entender.

— Vou deixá-lo.

— Como?

Denise deu um grito que ecoou pelo apartamento todo.

— Vou deixá-lo, entendeu agora?

— Deixar-me?

— É. Vou me separar de você. Ou preciso pegar um papel e desenhar?

Ela virou-se e voltou ao *closet*. Apanhou umas roupas, ajeitou-as de qualquer jeito na mala. Em seguida, caminhou até o banheiro e pegou artigos de higiene e cuidados pessoais. Pegou também dois frascos de perfume e colocou tudo numa *nécessaire*.

— Eu vou embora. Para sempre.

— Eu a amo. Não pode fazer isso comigo.

— Estou fazendo. Nosso casamento acabou.

— Vamos conversar. O que foi que eu fiz?

— Nada.

— Algo errado? Eu corrijo.

— Não.

Edgar ajoelhou-se e agarrou-se nas pernas dela.

— Por favor, benzinho, diga: o que foi?

— Pare de cenas, nem parece homem. Que coisa mais feia!

— Você é tudo para mim.

— Tenha um mínimo de dignidade!

As lágrimas escapavam sem controle. Edgar entrou num estado de total desequilíbrio.

— Não me deixe! Você é a mulher da minha vida. O meu grande amor!

— Não sou, não.

— Claro que é.

Ela precisava acabar com aquela cena constrangedora. Disparou num grito:

— Eu tenho outro!

Edgar sentiu uma dor no peito sem igual. Denise o empurrou com violência. Fechou a mala e calçou um par de sandálias.

— Segunda-feira eu passo aqui para pegar o resto das roupas. Não quero mais nada deste lar — ela fez cara de nojo —, tinha de ser decorado pela sua mãe, claro! Odeio cerejeira. É tão brega, tão cafona. A única coisa que presta aqui neste cubículo são as minhas roupas e sapatos. Ah, e meus perfumes importados.

— Não vá, por favor. Um casamento de cinco anos não acaba assim de um dia para o outro.

— O nosso acabou no dia que assinei os papéis.

— Não diga uma sandice dessas.

— Eu nunca o amei de fato.

— Não tem problema. O meu amor é suficiente para nós dois.

— Já disse não.

— Por favor, fique. Eu prometo que vou mudar, vou melhorar e serei o melhor marido do mundo.

— Não dá mais, Edgar. Perdi o interesse por você.

— É uma fase. Vai passar.

— Não vai.

— Você tem trabalhado à exaustão. Vamos tirar umas férias.

Denise sabia que, se não usasse sua força, Edgar passaria a noite toda tentando desesperadamente convencê-la de voltar atrás. Ela estava determinada e disparou, somente para dar um basta na discussão:

— Sabe de uma coisa?

— Não.

— Eu amo outro homem — disse num tom provocativo. — Eu me deito com outro homem e tenho prazer com ele.

Edgar ficou pálido, sua cor desapareceu e a voz quase sumiu.

— Como?! Outro homem?

— É. Melhor ser sincera e falar de uma vez.

— Isso é uma brincadeira de mau gosto. Você não pode ter se apaixonado. Trabalha tanto, vive para a empresa e...

Ela o cortou de maneira abrupta, fazendo gestos largos com as mãos.

— Estou apaixonada e assim que os papéis da separação ficarem prontos, vamos nos casar.

— Você me traiu?

Denise não respondeu. Ele repetiu:

— Você me traiu?

— Um pouquinho, se é que traição se mede. Mas não esperava me apaixonar.

— Quem é ele?

— Não lhe interessa.

Edgar a pegou pelos braços e os sacudiu com força:

— Quem é o desgraçado?

— Não lhe interessa, já disse! — ela gritou. — Agora me solte. Está me machucando.

— Se não vai ser minha, não vai ser de mais ninguém.

Ela gargalhou alto.

— Cão que late não morde! Você é um fraco. Um nada!

— Não sabe do que sou capaz.

— Vai fazer o que comigo? Amarrar-me e obrigar-me a ficar acorrentada ao seu lado pela eternidade?

— Por favor, não vá. Fique. Por mim!

— Você é um molenga. Não serve nem para segurar mulher.

— Não me ofenda.

— Tem razão. Não temos mais nada o que conversar.

— Por favor...

— Pare de falar, por favor! Está me irritando.

Denise puxou a alça da mala para cima e a colocou no chão. Foi puxando e caminhando até a porta da cozinha, passando por cima das pétalas e assoprando as velas.

— Adeus.

Ela rodou nos calcanhares, saiu e bateu a porta. Edgar correu, porém ela já havia entrado e o elevador de serviço descia em direção à garagem. Ele agarrou-se à porta do elevador. Chorou sem parar. Soluçava e sentia uma dor que mal podia explicar. O peito parecia estar estraçalhado. Deixou o corpo escorregar e deslizar pela porta até parar no chão.

— Ela não pode me deixar. Não pode.

Depois de uns minutos levantou-se, procurou se recompor e olhou para os lados para ver se algum vizinho tinha visto a cena. Nada. Entrou no apartamento e mal fechou a porta. Sentiu outra dor no peito sem igual.

— Denise é o amor de minha vida. Sem ela esta casa não tem vida.

O rapaz foi se arrastando pelos cômodos e por fim se jogou

pesadamente sobre o sofá, as mãos seguravam a cabeça, que doía sem cessar.

— Ela não pode me deixar, ela não pode me deixar — repetia.

As horas foram passando e Edgar não conseguia estancar o choro. Estava desesperado. O que fazer? Amava Denise com toda a sua força. Ela era a mulher de sua vida. Não conseguia ver-se ao lado de outra mulher. Tampouco conseguia ver a sua esposa ao lado de outro. Era pura fixação, puro apego, uma paixão desenfreada e sem o mínimo de equilíbrio emocional. Isso que ele sentia por Denise não era amor. Edgar não sabia disso. Confundia apego, dependência e carência afetiva com amor.

Ele estava num estado de fazer dó. De repente, levantou-se e caminhou até a varanda. Olhou para baixo. Pensou em se atirar lá de cima. Hesitou:

— Não. Não tenho coragem.

Depois, voltou até a cozinha e abriu outra garrafa de vinho. Bebeu até a metade.

— Denise não pode me deixar. Não pode!

Disse isso várias vezes em alto e bom tom. Andou pelo apartamento e cada cômodo lhe trazia uma lembrança agradável. Moravam lá desde o casamento. Ele fizera todas as reformas que ela quisera, que ela desejara. Tudo bem que a mãe escolhera os móveis, mas, no geral, o apartamento tinha ficado a cara dela. A esse pensamento o jovem chorava mais ainda.

O dia estava nascendo e Edgar não conseguia pregar o olho. Empanturrou-se de castanhas, damascos e nozes. Escutou o interfone tocar, mas não quis atender. O rapaz estava muito perturbado das ideias.

Os primeiros raios de sol atravessaram as persianas e atingiram a sala; ele correu mais uma vez para a cozinha. O relógio marcava dez minutos para as seis da manhã.

— Dane-se. Não vou trabalhar.

Ele bebeu mais um tanto, outro tanto e, enquanto ingeria a terceira garrafa de vinho, tropeçou e caiu no chão. A garrafa veio junto e espatifou-se. Edgar olhou para os cacos de vidro e pensou em cortar os pulsos.

— Isso é coisa de mulher! Tenho de pensar numa outra forma de acabar com toda essa dor.

Levantou-se, apoiou uma das mãos no granito da pia. Foi até a área de serviço pegar vassoura e pano para limpar a sujeira. Ao abrir o armário sobre o tanque, seus olhos fixaram no rótulo: veneno para rato.

Embora fosse quase impossível um rato aparecer no apartamento, tal produto no armarinho era coisa de Délis. Um vizinho havia comprado um *hamster* para o filho e certa vez o bichinho escapara e fora parar na cozinha de Edgar. Délis ficara apavorada e comprara o veneno, mesmo depois de Edgar explicar-lhe várias vezes que aquele rato branco era inofensivo e não tinha nada a ver com as ratazanas de esgoto.

Um brilho sinistro perpassou pelos seus olhos tristes e inchados de tanto chorar.

— Veneno de rato. É tóxico e mortal.

Ele até escutou uma vozinha amiga lhe pedir:

— Por favor, não faça essa besteira.

— Minha vida sem Denise não tem sentido.

— Você é jovem e pode ter uma nova chance, outra vida amorosa pela frente. Você ainda pode ser feliz.

— Não posso. Não quero. Denise é a mulher da minha vida.

— Pense, não faça besteira. Reflita. Tudo isso vai passar, inclusive essa dor.

— Não.

— Por favor, Edgar...

Ele afastou os pensamentos com as costas das mãos.

— Já disse não!

— Mas...

— Chega! — bramiu.

Edgar pegou a lata de veneno e voltou à cozinha. Abriu nova garrafa de vinho e misturou com uma colher da substância tóxica. Não teve mais tempo de raciocinar. Bebeu o copo num gole só. Sentiu um gosto amargo e fez careta.

Em seguida, levou as mãos ao estômago e seu corpo caiu sobre o chão da cozinha. Logo, uma espessa camada de líquido de coloração indefinível escorria pelo canto de sua boca.

5

Adriano consultou o relógio. Edgar já deveria ter ligado. Era hábito o amigo dar uma ligadinha antes de sair de casa, só para informar que estava a caminho da corrida. Adriano não dormira direito à noite. Tivera pesadelos e estava com estranha sensação no peito.

— Devo ter exagerado no jantar — comentou com a esposa, assim que pôs os pés para fora da cama.

— Sinto que deve ligar para Edgar.

— Por que? Daqui a pouco ele me liga.

— Estou com uma sensação esquisita.

— Você e suas sensações esquisitas! Logo cedo, amor?

Patrícia revirou-se na cama e apanhou um livrinho de orações sobre a mesinha de cabeceira. Abriu ao acaso e leu uma frase. Em seguida, fez sentida prece dirigida a Edgar.

— Não sei o que acontece, sinto que seu amigo não está bem.

— Impossível. Ele e Denise iam comemorar o aniversário de cinco anos. Edgar estava feliz. Com certeza a noite foi boa e ele ainda deve estar dormindo.

— Não sei, não.

— Edgar comprou até um ursinho para presenteá-la. Ah, e lembra aquele passeio que fizemos com ele no Embu no mês passado?

— Sim.

— Na feirinha, Edgar comprou uma estátua de um casalzinho abraçado feita em madeira.

— Comprou o presente errado para a pessoa errada. Denise odeia esse tipo de presente. Não consigo imaginá-la agarrada a um ursinho ou a um casalzinho de madeira, contente e feliz.

Adriano riu.

— Confesso que eu também penso o mesmo — ele deu uma piscadela e continuou: — Ao menos aprendi com Edgar que nós também fizemos bodas de madeira.

Patrícia sorriu e beijou o marido delicadamente nos lábios.

— Nós não ligamos para datas. Somos apaixonados e felizes. Isso é o que importa, de verdade.

— Eu a amo muito.

— Eu também, querido.

— Se você visse como Edgar estava feliz com os preparativos!

— Denise não gosta desse tipo de demonstração de carinho. Depois de tanto tempo Edgar ainda não aprendeu?

— Não sei, querida. Ele é um romântico incurável. Edgar a ama de verdade.

— Aquilo não é amor, é apego. Embora o mundo tenha evoluído em várias áreas, ainda somos analfabetos no quesito amor.

— Será?

— Veja ao seu redor, Adriano. Muitas pessoas têm uma vida afetiva tosca, pobre, cheia de problemas. Poucos são os que se sentem felizes de fato ao lado daquele que afirmam amar.

— É. Hoje há mais separações do que uniões. As pessoas não ficam tanto tempo juntas.

— Não ficam porque não aprenderam a olhar para dentro de si e ver o que a natureza lhes deu: a imaginação!

— E o que isso tem a ver com sentimento, com amor?

— Tudo. Eu tenho lido e estudado sobre o assunto. A nossa imaginação é funcional, permite-nos a capacidade de lidar com as formas. Podemos imaginar o que quisermos.

— E isso não é ótimo?

— Depende — respondeu Patrícia, séria. — A imaginação pode ser responsável pelas piores tragédias humanas. A loucura, a demência...

— Acha que Edgar está louco?

— Não. Não diria louco, mas ele não usa a imaginação com inteligência. Esse é o trunfo de uma mente sadia. Isso posto, quem não souber amar, vai sofrer.

— Por quê?

— Porque a imaginação provoca reações em nosso senso afetivo, que são a emoção e os sentimentos.

— Para mim é tudo a mesma coisa — disse ele enquanto terminava de se vestir.

— São bem diferentes, querido. As emoções são nossos impulsos vitais, são o nosso combustível. Elas são representadas, por exemplo, por raiva, entusiasmo, prazer, riso. Já o sentimento é a satisfação, a realização, o gostar...

— Você deve fazer muito bem aos seus alunos. Por que não tive uma professora de psicologia tão bonita e tão didática?

Ela o beijou, piscou e continuou:

— É bom ensinar os jovens sobre os atributos do senso afetivo. O equilíbrio afetivo é vital para uma vida harmoniosa, plena e feliz. A imaginação está muito ligada ao domínio das emoções, porque é ela quem as provoca.

— Provoca de que maneira?

— Feche os olhos.

Adriano obedeceu.

— E agora, o que faço?

— Imagine você comigo numa praia deserta, num dia lindo de sol, com a água azul do mar numa temperatura bem agradável...

Adriano sorriu com malícia.

— Estou gostando da brincadeira.

— O que sente quando imagina a cena?

— Uma sensação agradável, boa, gostosa. Um prazer indescritível.

— Viu? Você sentiu porque imaginou uma cena bonita, agradável. Ela provocou suas emoções. Agora imagine o seu time levando uma goleada do adversário!

— Não gostei — protestou ele, entre risos. — Não quero nem pensar numa possibilidade dessa.

— Porque agora sua mente projetou uma cena desagradável. Nós acreditamos no que imaginamos. Infelizmente, nosso querido Edgar acredita que amar é chorar, sofrer, fazer tudo pela amada, sem respeitar as próprias escolhas. Ele perdeu a noção da realidade.

— Falando dessa maneira, fico até preocupado.

— Por isso, orar faz bem. Vamos visualizá-lo bem, alegre, contente.

— Difícil imaginá-lo assim ao lado da Denise. Mas vou tentar.

Adriano fechou os olhos e lembrou-se de cenas felizes ao lado do amigo. Depois, Patrícia emendou:

— Edgar está casado com a mulher errada. Denise não tem nada a ver com ele.

— Também concordo, mas não podemos nos meter na vida deles.

— Claro que não. Bom, eu vou até a cozinha preparar nosso café da manhã.

— Ainda é cedo, durma mais um pouco.

— Estou bem-disposta. Tenho o dia cheio pela frente. Embora vá dar aulas só na parte da tarde, tenho mercado e banco para fazer.

— Quer ir comigo ao parque respirar um pouco de ar puro e dar uma caminhada, uma corridinha?

— Boa ideia.

Patrícia abraçou e beijou o marido. Em seguida, Adriano terminou de calçar o par de tênis, foi até a cozinha e tomou um copo de suco. Prendeu o seu *iPod* no *short*, arrumou os fones de ouvido e logo depois ele e a esposa saíram caminhando até o parque do Ibirapuera, a poucos metros do prédio onde moravam. Chegaram ao local de costume e nada de Edgar aparecer. Adriano pegou o celular e ligou. Tocou, tocou e nada. Caía direto na caixa postal.

Ele deu de ombros.

— Vai ver a noite foi boa. Só pode ter sido isso.

— Essa sensação esquisita me diz que há algo estranho. Você é muito amigo do Edgar. Vai ver ele não está bem.

— Não pode ser. Se tivesse acontecido alguma coisa, ele teria ligado do mesmo jeito.

— Tem certeza, querido?

Adriano coçou a cabeça e lembrou-se do que o amigo lhe falara antes de desligar o telefone:

— Sabe que não me atraso nunca. Eu ligarei para você antes de sair de casa. Vai ver só: amanhã, logo cedinho, vamos correr juntos, faça chuva ou faça sol...

Patrícia nada disse. Fez nova prece em favor de Edgar. Sabia que, se falasse novamente sobre a tal sensação esquisita,

Adriano começaria uma discussão. Ela era sensitiva, além de estudiosa dos problemas humanos. Percebia claramente as energias ao seu redor. Tinha certeza de que Edgar não estava bem, mas fazer o quê?

— Em determinados momentos, a prece é a nossa única contribuição.

Patrícia sorriu para o marido e iniciaram a caminhada. Adriano continuava a sentir aquela dor esquisita. Não se tratava de dor física, mas um incômodo, uma sensação estranha de fazer gosto. Procurou afastar os pensamentos com as mãos.

"Estou parecendo minha mulher. Para a Patrícia, toda sensação desagradável é um aviso. Que coisa mais besta", disse para si, enquanto ligava seu tocador de músicas e deixava-se envolver, cantarolando uma canção.

Adriano esboçou leve sorriso, encostou numa árvore e começou a fazer sua série de alongamentos. Patrícia continuou sua caminhada e Adriano, depois, juntou-se a um grupo de amigos que se reuniam para correr no mesmo horário, praticamente todos os dias.

— Você não está com a cara boa — comentou um colega.

— É, parece que não dormiu nada — ajuntou outro.

— Cadê o companheiro de corrida?

Adriano não respondeu de pronto.

— Por onde anda Edgar? — indagou outro.

Ele procurou disfarçar a animosidade.

— Tinha um jantar com a esposa e iam esticar a noite numa boate — mentiu. — Creio que está tendo o sono dos justos.

Enquanto fazia seu exercício matinal ele bem que escutou uma voz amiga:

— Pense coisas boas sobre Edgar. Ele precisa receber boas vibrações.

Por mais que Adriano tentasse, a imagem de Edgar não saía de sua mente. Ele sorriu ao imaginar uma cena vivida tempos atrás em que ambos riam a valer.

***

No *flat*, Denise espreguiçava-se enquanto seu celular a despertava com uma música romântica.

— Preciso mudar essa música. Coisa do Edgar. Que brega!

Ela se levantou, calçou as pantufas e foi para o banheiro. Estava com sono, dormira pouco, contudo prometera chegar ao aeroporto às seis da manhã, conforme combinado com Leandro. Por isso, colocara o celular para despertá-la às cinco em ponto. Ainda estava escuro quando ela saiu do banheiro e arrumou-se com capricho.

Deu-se conta de que os sapatos de salto ficaram no apartamento. Esquecera-se deles. Também, depois de toda aquela cena tétrica com Edgar, o que poderia fazer?

— Ai que raiva! Fiquei dando trela para aquele infeliz e esqueci dos meus saltos. Eu preciso desses sapatos. Não vou viajar sem eles. De sandália rasteirinha? Eu? Nem morta.

Denise imediatamente ligou para sua assistente. Caiu na caixa postal. Ela ficou irritada e ligou novamente. Marina atendeu o telefone com a voz pastosa.

— Pois não?

— Você deve me atender tão logo eu ligue.

— Desculpe, mas quem fala? — indagou Marina, ainda sonolenta.

— Marina, sou eu.

Ela estava com sono, no entanto, assim que reconheceu a voz da chefe, acordou de imediato. Marina pigarreou e disse:

— Olá, Denise. Aconteceu alguma coisa?

— Claro que aconteceu. Por que diabos eu ligaria a uma hora dessas para você, criatura? Para saber se teve bons sonhos?

Marina meneou a cabeça para os lados. Como poderia esquecer das grosserias da chefe? Ela se ajeitou na cama e perguntou:

— Em que posso ajudá-la?

— Tenho de fazer uma viagem urgente.

Marina passou a mão pelos olhos. Procurou se sentar e pegou a agenda na mesinha de cabeceira. Abriu-a e verificou.

— Você tem reunião hoje ao meio-dia com o doutor Inácio.

— Desmarque.

— Essa reunião foi marcada e desmarcada várias vezes.

— Remarque mais uma vez, oras.

— O doutor Inácio não vai gostar. Ele estava intratável ontem. Passou mais de duas vezes na minha sala para confirmar o horário, para saber se estava tudo certo para hoje.

— Deixe que depois eu cuido disso. Ligue para ele e diga que houve um imprevisto.

— Ele está há mais de uma semana tentando marcar essa reunião. Quer rever alguns contratos. Sabe como é, ele é o responsável pela área jurídica da empresa e...

Denise a cortou secamente.

— Feche essa matraca! Dane-se o Inácio. Ele e aquele bando de advogados que ele lidera podem esperar.

— Está certo.

— Não é ele que joga charme para cima de você?

— Ei, o que isso tem a ver com a reunião?

— Pois bem, aproveite e contorne a situação. Fale manso e com jeitinho. Inácio vai compreender.

Marina enrubesceu do outro lado da linha.

— Imagine, Denise.

— Inácio é louco por você, sabia?

Marina sentiu um arrepio pelo corpo. Tinha repulsa do homem.

— Eu nunca dei confiança para ele.

— Pois deveria.

— Perdão...

— Inácio é um advogado bem conceituado. Está na empresa há anos, é queridinho dos donos. Tudo bem que não é o homem mais lindo do mundo, mas beleza não paga as contas, certo? Inácio está muito bem de vida e poderá realizar todos os seus sonhos. Ele pode tirá-la dessa vidinha classe baixa, por exemplo.

— Estou muito confortável aqui onde moro.

— Inácio pode lhe dar um carro melhor que essa carroça que você tem. Não é o seu carro que está sempre quebrando e indo para o conserto? Acaso esse carrinho russo modelo mil novecentos e antigamente está funcionando?

Marina não respondeu, não queria discutir com ela. Mudou o assunto:

— Você precisa de mais alguma coisa?

— Terá de passar na minha casa agora.

— Como?

— Isso mesmo. Agora. Eu tenho uns pares de sapatos que preciso levar para o Rio. Pegue-os no meu *closet*. Estão na sapateira...

Denise foi explicando onde os sapatos estavam. Marina escutou tudo e fez algumas anotações. Era eficiente, mas achava um absurdo ter de fazer esse tipo de serviço para sua chefe. Denise não respeitava o limite entre trabalho e pedidos pessoais descabidos. Achava que seus funcionários eram secretários particulares, entregadores, pessoas prontas para qualquer coisa, a qualquer momento.

Quando um funcionário mais irritado tentava se safar de um pedido esdrúxulo, Denise vinha com a conversa da crise financeira que assolava o mundo. Coagia o funcionário, gritava e dizia que o demitiria. Muitos deles, com família para sustentar, acabavam cedendo e se submetiam aos seus caprichos.

Marina tentou argumentar e falar o óbvio ululante, ou seja, que seria impossível ir ao apartamento pegar os sapatos e chegar antes das seis horas no aeroporto.

— Eu moro longe. Creio que não vou conseguir chegar a tempo.

— Pense no seu emprego. Com tanta gente procurando um posto de trabalho neste tempo de crise, garanto que você vai fazer milagre e chegará ao saguão do aeroporto bem antes de eu embarcar.

— Mas Denise...

Denise desligou o telefone. Tinha essa mania deselegante de desligar no meio da conversa quando o assunto não mais lhe interessava. Marina pousou o celular no criado-mudo e balançou a cabeça para os lados.

— Isso é um abuso. Não gosto de ser pressionada assim dessa maneira. Eu não vou conseguir chegar ao aeroporto daqui a uma hora. Se eu não dependesse tanto desse emprego, estaria longe das garras dessa mulher.

6

Marina levantou-se e dirigiu-se ao banheiro, contrariada. A conversa com Denise parecia ter saído de um filme de ficção. Ela deixou os pensamentos de lado e fez uma toalete básica. Marina era uma mulata bem bonita. Simpática, olhos grandes, verdes e expressivos, cabelos longos e naturalmente encaracolados. Filha de uma mistura de raças — um branco com uma negra —, possuía um corpo escultural, similar ao de uma passista de escola de samba.

Ela era linda e assediada, mas não dava trela para ninguém. Era a bondade em pessoa. Tinha uma alma generosa, um coração puro. Tivera uma vida muito dura, difícil mesmo, e agora estava conseguindo ter melhores condições de vida.

Consuelo, a mãe, tivera vida difícil. Pernambucana, abandonada pelo marido e com um filho pequeno, trocara a vida árida no agreste por uma melhor na cidade grande. Arrumou emprego como doméstica e tempos depois nasceu Marina.

Aos onze anos de idade, Marina arrumou emprego de empacotadora num supermercado. O irmão mais velho era o clássico vagabundo, largara os estudos e nunca quisera saber de trabalhar. Jofre tinha uma espécie de aversão natural ao trabalho e crescera rodeado de amigos marginais e viciados em drogas, amizades para lá de suspeitas. Aos catorze anos ele se envolveu num pequeno assalto e foi parar num reformatório para menores infratores. Numa rebelião, Jofre fugiu, teve uma discussão feia com a mãe e nunca mais deu as caras. Sumiu no mundo.

Consuelo se desgastava com tanta preocupação. Passava noites sem dormir. Tinha medo de que Jofre se envolvesse com bandidos de alta periculosidade.

Dois anos antes ela recebera um pacote com algumas notas de dinheiro. Era um presente de Jofre. Além das notas havia uma pequena carta, escrita com um português bem ruim e uma letra bem infantil, cheia de garranchos. Num texto curto, ele afirmava estar bem, morando em outra cidade, torcia para que ela também estivesse bem, que se precisasse de alguma coisa, era só enviar uma carta ao endereço que constava atrás do envelope.

Consuelo chorou muito. Colocou os três mil reais numa poupança e enviou uma, duas, três, várias cartas ao filho, porém todas voltavam mencionando endereço inexistente. Aos poucos, seu coração de mãe percebeu que o filho estava mesmo levando uma vida marginal e tentou deixar seu desespero nas mãos de Deus. Rezava todas as noites pedindo proteção para Jofre.

Marina nunca se dera bem com Jofre. Desde pequena ele implicava com a irmã, chamando-a de nomes feios. Consuelo dava uns tapas no garoto e ele sossegava. Contudo, sempre que possível, infernizava a irmãzinha. Quando ele foi preso e depois sumiu, Marina deu graças a Deus. Vira que o irmão recebera inúmeras oportunidades de emprego e sempre se deixava levar pela vida mansa. Era um vagabundo nato e jamais mudaria.

O tempo passou e Marina adaptou-se à cidade grande; trabalhava de dia e estudava à noite. Com muito custo, cursou uma faculdade particular, fez curso de inglês e tinha um bom emprego. Terminara uma relação afetiva algum tempo atrás e não pensava em namorar. Queria subir na carreira e dar mais conforto à mãe. Cuidava com carinho de Consuelo, hipertensa havia alguns anos. Consuelo escutou os passos da filha e indagou:

— Caiu da cama?

— Não caí, mãe. A minha chefe me tirou da cama.

— Aquela antipática veio importuná-la logo cedo?

— Hoje começou de madrugada!

— Não entendo por que ainda continua trabalhando para essa mulher. Você é tão competente, tão esforçada. Merecia emprego melhor.

— O emprego é bom, o salário até que é bom também, mas o que importa são os benefícios. Graças a esse emprego você tem uma assistência médica de qualidade. Eu não poderia lhe pagar um plano de saúde. Custa caro. É por isso que eu não posso perder esse emprego, por ora.

— Posso usar o serviço público de saúde.

Marina bateu três vezes na cabeceira da cama.

— Deus me livre e guarde! Você não vê o sofrimento das pessoas que dependem dos hospitais públicos? Não quero ver minha mãe largada num corredor de hospital e demorando para ser atendida.

Consuelo emocionou-se com o carinho da filha.

— Eu dou trabalho, não?

— De forma alguma. Quem me dá trabalho é a minha chefe.

— Se eu pudesse voltar atrás...

— E voltar atrás para quê? Fez tudo direitinho, criou-me com amor e carinho. Transmitiu a mim e ao Jofre valores éticos e morais a fim de nos tornarmos pessoas de bem. Sou uma mulher de valores íntegros graças à educação que me deu. Pena não poder dizer o mesmo do meu irmão.

— Não fale assim do Jofre. Ele sofreu muito, coitado.

— Sofreu?

— Passou fome, viemos num pau de arara de Caruaru até São Paulo. Moramos num cortiço sujo e malcheiroso por anos. Quando você nasceu, a nossa vida já estava mais ajeitadinha.

— Isso é desculpa. Passou sempre a mão na cabeça dele e veja no que deu. Deve estar por aí, assaltando, ou, sei lá, fazendo até coisa pior.

— Não fale assim de seu irmão. É sangue do seu sangue.

— Esse não aprendeu valor algum. Anda perdido por esse mundo.

Marina ia andando de um lado para o outro, atarefada. Não gostava nem um pouco de falar sobre Jofre. Sentia uma sensação muito ruim toda vez que se lembrava do irmão. Os pelos de seu corpo chegavam a eriçar. Interrompeu a mãe com delicadeza.

— Tenho um bom emprego e temos uma boa assistência médica. Não posso me dar ao luxo de largar tudo por conta do gênio ruim da chefe.

— Tem razão, meu bem.

— Não vai dar para chegar a tempo. Impossível. É uma questão de pura lógica.

— Vou rezar para você arrumar um bom marido — retrucou Consuelo.

— Por quê?

— Daí não vai mais precisar trabalhar, oras. Um marido bonito, honesto, trabalhador, que a sustente...

Marina riu.

— Não precisa se preocupar comigo, dona Consuelo. Não preciso me dependurar em homem para me sustentar. Sei me virar. Sempre soube, desde que nasci.

— Fala isso porque sofreu com o término do seu noivado.

— Não quero falar sobre isso. — Marina mudou o rumo do assunto de maneira abrupta, foi até a cozinha, pegou um copo com água e duas caixinhas de medicamentos. Voltou ao quarto. — Trouxe-lhe os remédios da manhã.

Consuelo ajeitou-se na cama e com certa dificuldade conseguiu manter-se sentada. Pegou o copo com água e os comprimidos. Marina pegou o aparelho de pressão e mediu.

— Catorze por dez. Está alta.

— Fiquei agitada com as lembranças de seu irmão.

— Pois então não pense nele.

— Sou mãe.

— Você fez tudo o que podia, tudo o que estava ao seu alcance. Se ele não aproveitou, problema dele. Agora vamos, tome seu comprimido.

— As pernas doem muito — falou Consuelo, enquanto engolia o comprimido e bebericava um copo de água.

— Estão inchadas. O médico sugeriu caminhar um pouco. Não pode ficar o dia todo sentada na cama ou no sofá, assistindo à televisão.

— Essa sua mãe preta lhe dá trabalho, não?

— Já disse que de modo algum.

— Mas o tempo passou e o que me resta?

— Quer saber? Acredito que nós influenciamos bastante o

nosso destino, mãe. Comece a pensar nas suas pernas curadas.

— Os médicos não acham nada. Dizem que minhas pernas nada têm de anormal. E a pressão sobe porque fico nervosa à toa. Também, com tanta desgraça na TV.

— Deixe de assistir a esses programas. Leia um livro.

— Sabe que tenho dificuldade em ler.

— Eu lhe compro um audiolivro. É só escutar.

— Me dá sono.

— Folheie uma revista de moda. Ou vá conversar com alguma vizinha.

— Perigoso. Acontece cada barbaridade nas ruas...

— Mais um motivo para mudar esse jeito. Seja mais positiva. Sua vida pode ser melhor.

— Obrigada pelo estímulo, filha.

— Agora tenho de ir. Se precisar de algo, ligue no meu celular.

— Pode deixar. Bom trabalho.

Marina beijou a mãe no rosto, apanhou a pasta, a bolsa e saiu. Morava num prédio bem antigo, de três andares, sem elevador, no bairro do Tatuapé. O apartamento ficava no térreo, tinha dois quartos pequenos, uma sala, cozinha, banheiro e uma pequena área de serviço. Marina cumprimentou uma vizinha, consultou o relógio e deduziu que talvez não pegasse aquele trânsito pesado do dia a dia para atravessar a cidade. Deu partida no carro — aquele tal do modelo russo bem velhinho — e ligou o rádio em busca das notícias da cidade e do trânsito. O som era meio ruim, tinha interferência. Marina meteu a mão para fora da janela, mexeu na antena enferrujada. O som melhorou.

— Mesmo sem trânsito, não vou conseguir chegar a tempo.

Ela deu de ombros. Paciência. Não ia correr feito uma louca e colocar a própria vida e a de outros em risco por conta de um capricho da chefe. De repente, o carro começou a falhar, como de costume. Ele não aguentava e parava de funcionar.

— Bem que Denise falou. Deve ter sido praga dela. Agora estou danada! Não chegarei ao aeroporto na hora que ela quer.

Acostumada com os problemas constantes no carro, Marina conseguiu fazê-lo chegar, aos trancos e barrancos, até um posto na esquina de casa. Ao lado havia uma borracharia e uma oficina mecânica. Os rapazes a conheciam de longa data e estavam acostumados a fazer o conserto do veículo.

Com muita sorte, deu para ela pegar um táxi logo em seguida e chegar ao prédio de Denise meia hora depois. Desceu em frente à portaria. Estava havendo troca de turno e João aproximou-se e a cumprimentou de maneira jovial. Marina sorriu, retribuiu o cumprimento e explicou ao porteiro o motivo de estar lá.

— Não pode subir.

— É urgente, senhor.

— Eu tenho de ter uma autorização por escrito ou então ter a permissão do marido dela.

— Pois interfone para o marido dela. Edgar me conhece por nome, conversamos algumas vezes por telefone. Se quiser eu falo com ele daqui da portaria, explico tudo e o senhor me deixa subir.

João coçou a cabeça e interfonou para o apartamento. Nada. Ligou de novo. Ninguém atendia.

— Edgar deve estar dormindo. Vai ter de esperar.

— Por favor, eu não posso esperar. A mulher dele quer que eu pegue umas coisas aí no apartamento e leve até o aeroporto. Se eu não chegar a tempo, ela vai comer o meu fígado!

João mordiscou os lábios e coçou a cabeça de novo.

— Tem razão. A dona Denise é mulher muito brava.

— Se é!

— Mas a senhorita entende, né? Eu não posso deixá-la entrar. São as normas.

— Por favor, tente de novo. Ainda é muito cedo, ele não deve ter saído para trabalhar.

— Não mesmo. O portão está quebrado e sou eu quem abre. Edgar não sai antes das sete e meia.

— Ligue de novo, por favor.

O rapaz interfonou mais uma vez.

— Não atende. Talvez esteja no banho — João notou o ar preocupado de Marina. Sentia que ela era uma boa pessoa e precisava subir de qualquer jeito. Mas ele devia seguir as ordens do condomínio, caso contrário seria demitido. Ele pensou, pensou e decidiu:

— Bom, eu tenho de levar o jornal e posso tocar a campainha. A senhorita aguarda mais um pouco?

Marina consultou o relógio. Faltavam dez minutos para as seis da manhã. Mesmo o rapaz a deixando subir e mesmo que o trânsito ajudasse, ela não chegaria em tempo a Congonhas. Denise deveria estar prestes a embarcar. Mas fazer o quê? Ela estava lá no prédio e deveria seguir ordens. No caminho do aeroporto ligaria e deixaria uma mensagem na caixa postal da chefe. Depois aguentaria, por alguns dias, os gritos e impropérios. Ela olhou para João e disse:

— Eu espero.

João chamou outro funcionário e pediu para que ficasse na portaria. Pegou o jornal e subiu pelo elevador de serviço. Ao chegar próximo da porta da cozinha do apartamento de Edgar, notou-a encostada e vislumbrou uma réstia de luz.

— Estranho. A porta está desencostada e a luz acesa.

João olhou para os lados, caminhou até a lixeira ali perto. Voltou e bateu na porta. Nada. Quando foi bater novamente, escutou um grito. João desesperou-se e entrou. Ao ver Edgar caído no chão e com as mãos no estômago, fez um esgar de espanto e terror:

— Minha nossa senhora! Aproximou-se, ajoelhou-se. — O que você fez, Edgar?!

— Eu fiz besteira.

— O que bebeu?

— Ingeri veneno de rato. Ajude-me e leve-me ao hospital.

João lembrou-se de um acontecimento ocorrido anos atrás com um parente. Seus olhos perscrutaram o ambiente e ele viu a lata sobre a mesa. Perguntou rápido:

— Homem de Deus! Foi aquilo que você tomou?

— Sim...

Ele nem hesitou. Meteu o dedo na garganta de Edgar e o induziu ao vômito. Por sorte, o rapaz expeliu rapidamente tudo o que havia ingerido. João foi ao tanque, lavou as mãos e correu ao interfone. Pediu para que o funcionário mandasse Marina subir pelo elevador de serviço, rápido.

Quando ela chegou ao andar e saiu do elevador, teve uma

sensação estranha. Caminhou até a porta aberta e, ao ver o homem caído no chão, apertou o passo.

— O que aconteceu?

— Ele tomou veneno, moça.

— Veneno? Santo Deus!

— Acho que consegui fazer sair tudo, mas precisamos chamar uma ambulância.

Marina esqueceu-se dos sapatos de Denise. Sentiu tremenda compaixão por aquele homem que conhecia somente por telefone. Abaixou-se e perguntou:

— Pode falar?

Ele assentiu de maneira positiva com a cabeça.

— Tem convênio médico?

Edgar fez sinal com a cabeça. Marina acompanhou seus olhos e viu a carteira sobre a mesa da cozinha. Abriu e pegou a carteirinha do convênio. Ligou e chamou uma ambulância.

— Ele precisa de socorro imediato — disse ela.

— O pior já deve ter passado. Eu o fiz colocar o veneno para fora.

João agachou-se de novo e perguntou:

— Há quanto tempo tomou isso?

Edgar olhou para o relógio da cozinha.

— Acabei de tomar. Faz alguns minutos.

Logo depois, a ambulância chegou, e um dos paramédicos pediu a embalagem do veneno e solicitou a presença de um parente para acompanhar Edgar.

Marina já havia ligado várias vezes para o celular de Denise e nada, só caía na caixa postal.

— Denise já deve estar dentro da aeronave — disse para si.

— Ele tem um grande amigo, o Adriano — tornou João —, mas não sei o telefone dele, não.

Edgar pegou na mão de Marina. Estava desesperado.

— Não quero ficar sozinho. Venha comigo.

— Eu não o conheço.

— Por favor!

— Vou tentar mais uma vez localizar sua esposa e...

Ele a cortou, as lágrimas escorrendo pela face:

— Por favor. Não chame a Denise. Não faça isso. Estou com medo. Venha comigo.

O que fazer? Ela estava profundamente abalada e sentiu tremenda piedade pelo rapaz. Marina percebeu como se uma leve brisa tocasse sua fronte. Pareceu escutar nitidamente uma voz suave e amiga:

— Vá com ele.

Marina até olhou para os lados para ver de onde vinha a voz. Só viu os paramédicos, preparando Edgar para o resgate, e João, atônito, no canto da cozinha.

— A senhorita faria a gentileza de acompanhá-lo? Edgar é um bom moço.

— Eu vou sim. Vou ligar para o escritório e informar que vou chegar mais tarde. A minha chefe viajou e não vão precisar de mim. Sinto que devo acompanhar esse rapaz até o hospital.

Outro funcionário do prédio apareceu na porta da cozinha.

— Eu vi a dona Denise sair ontem era bem tarde da noite. Ela estava carregando uma mala e com uma cara de poucos amigos.

— Eles devem ter brigado.

João viu um nome e número de telefone preso a um ímã de geladeira. Era de Maria José.

— Eu vou ligar para a mãe dele e informar que está no hospital. — Ele tirou um bloquinho do bolso e anotou um número: — Ligue e me dê notícias. Espero que ele fique bem e volte logo para casa. Nós gostamos muito desse moço.

Ela fez sinal afirmativo com a cabeça e desceu atrás dos paramédicos. Marina entrou na ambulância e Edgar pegou em suas mãos.

— Obrigado por estar aqui.

Em seguida, ele pendeu a cabeça para o lado e adormeceu.

7

Foi difícil dissimular a raiva. Denise fazia beicinhos, caras e bocas para ocultar o ódio que sentia de Marina naquele momento.

"Ela me paga! Parece que fez de propósito. A hora que chegar ao Rio vou ligar e lhe falar um monte de desaforos. Ela que prepare os ouvidos para os desaforos. Estou com ela por aqui", fez um gesto com a mão próximo ao pescoço. "Segunda-feira eu a pegarei de jeito".

Leandro estava lendo o jornal no assento ao lado. Desviou a atenção ao vê-la fazer o gesto com a mão.

— O que foi que resmungou?

— Nada, querido. Estou pensando na incompetência de uma funcionária.

— A situação está difícil e há muita gente que tem emprego e não honra o cargo que tem.

— Pois é. A minha assistente é muito incompetente. Vou passar-lhe um corretivo na segunda-feira.

Ele sorriu.

— Isso mesmo. Na segunda-feira. Se eu fosse você, só voltaria a ligar o celular depois do horário de expediente. Nada de pensar em trabalho hoje.

— Tem razão. Hoje somos só eu e você.

— Até o fim do dia.

Leandro piscou e voltou a ler o jornal. A comissária de bordo aproximou-se e perguntou a ela:

— Deseja água, café, um suco?

— Quero paz, pode ser? — respondeu, estúpida.

A comissária sorriu sem jeito e fez a mesma pergunta para Leandro. Ele aceitou um copo de café.

— Não precisa descontar a sua raiva em cima da comissária de bordo.

Denise ficava raivosa quando chamavam a sua atenção, mas naquele exato momento precisava aparentar ser a criatura mais dócil da face da Terra.

— Desculpe, querido. É que fiquei brava com a atitude irresponsável da minha assistente. Realmente a aeromoça não tem nada a ver com isso — Denise levantou o rosto e procurou fingir um sorriso: — Desculpe, queridinha. Um suco de laranja, por favor.

Por dentro ela estava se lixando para a comissária. Tinha vontade de se levantar e arranhar o rosto da moça, ou desfazer o coque da pobre coitada. Se escolhera aquele emprego era porque nascera para servir e não sabia fazer outra coisa, conjecturava Denise.

Leandro voltou à leitura do jornal e ela sorriu feliz. Em instantes o avião aproximou-se da cidade. Denise soltou um gritinho de prazer ao ver a ponte Rio-Niterói e a Ilha Fiscal. Num piscar de olhos, já estavam num táxi rumo ao bairro do Flamengo.

Eles se hospedaram num simpático e discreto hotel e descansaram um pouco. Depois de amarem-se e banharem-se foram para a rua.

— Vou seguir seu conselho e manterei o telefone desligado. Ligarei o aparelho somente no fim da tarde ou amanhã. Hoje quero ficar só com você — tornou Denise, colada no braço de Leandro.

— Vamos fazer um belo programa.

Leandro fez sinal para um táxi e pediu que os levasse até o Jardim Botânico.

— Quero que conheça.

Enquanto o motorista fazia o trajeto, Denise admirava a paisagem do aterro do Flamengo. O celular dele tocou.

— Faça como eu — tornou ela. — Não atenda. Desligue.

— Não posso. É lá de casa.

Denise fez ar de mofa.

"Deve ser a esposa aflita, a dondoca querendo saber o que vai servir no jantar", pensou ela.

Leandro se desvencilhou delicadamente dela e pegou o

aparelho. Fez sinal com as mãos para Denise ficar quieta e atendeu, reconhecendo a voz da empregada.

— O que foi, Iara?

— A dona Letícia está desesperada. O Ricardinho caiu do *skate* e se machucou...

A empregada relatou em poucas palavras o pequeno acidente. Ricardo havia se machucado na área de lazer dentro do condomínio e estava no hospital fazendo curativos. Nada de grave. Mas Leandro nem terminou de escutar. Desligou o telefone. Virou-se atônito para Denise:

— Aconteceu um acidente com meu filho.

— Um acidente?

— Sim. Ele está no hospital, parece que não é nada grave.

— Se não é nada grave, melhor sossegar.

— Não posso.

— Ligue depois para a sua esposa.

— De maneira alguma. É meu filho que está no hospital. Preciso ir até lá.

— Mas sua família pensa que você está em São Paulo.

— Dane-se o que pensam. Eu invento uma desculpa. Preciso ver meu filho. Teremos de cancelar a nossa programação. Lamento, Denise.

Leandro falou e pediu para o motorista retornar ao hotel. Desceram e na recepção ele acertou os valores. Perguntou à Denise:

— Quer ficar até quando?

— Por mim iria embora agora mesmo. Qual a graça de ficar sozinha? — disse, num tom seco e irritado.

— Pode aproveitar e fazer bons programas pela cidade. Faremos o seguinte: para compensá-la desse furo, vou pagar mais uma diária. Poderá ficar na cidade até domingo.

Ela fez um muxoxo.

— Tudo bem.

— Prometo que vamos fazer outro programa, num outro fim de semana.

Ele nem a beijou. Pegou a mala que o rapaz trouxera havia poucos minutos e partiu rumo ao hospital. Denise sentiu um ódio surdo brotar dentro de si.

— Desgraçado! Esse pirralho tinha que se machucar logo agora? Por que não caiu, bateu a cabeça e morreu de vez? Que estorvo!

Ela respirou fundo e resolveu, meio a contragosto, aproveitar a cidade. Iria valer-se da estadia paga, do conforto do hotel e partiria no domingo de manhã. Ainda queimava dentro dela uma pontinha de esperança em ver Leandro logo mais à noite.

Denise apanhou um táxi e foi visitar pontos turísticos da cidade. Não tinha a mínima vontade de ir ao Jardim Botânico e ser picada por uma infinidade de insetos. Pensou em pegar o bondinho no Pão de Açúcar.

— É para lá que eu vou — disse para si e para o motorista.

Leandro chegou ao hospital, apresentou-se na recepção, perguntou pelo filho e foi encaminhado para uma sala de espera. Avistou Letícia sentada numa cadeira.

— Oi, Letícia.

Ela levantou delicadamente os olhos. Surpreendeu-se ao vê-lo.

— O que faz aqui?

— Iara me ligou.

— Como veio tão rápido?

Ele mordiscou os lábios, apreensivo e emendou:

— Quando Iara me disse que Ricardo estava no hospital, não hesitei. Peguei um avião e corri para cá.

— Chegou rápido.

— É, cheguei rápido — respondeu ele, meio sem graça.

Letícia nem percebeu a mentira. Estava deveras preocupada com o filho.

— Estou aflita.

Leandro aproximou-se e pegou em suas mãos frias.

— Suas mãos estão geladas.

Ele começou a fazer movimentos delicados sobre suas mãos, a fim de esquentá-las. Letícia sentiu agradável bem-estar. Fechou os olhos por instantes. Como era bom o contato das mãos dele!

Leandro indagou:

— O que aconteceu?

— Ricardinho acordou bem-disposto, tomou café e foi brincar com os amigos do condomínio. Lembra-se do campeonato de *skate* que ele organizou?

— Lembro, sim.

— Pois é. Meia hora depois um dos meninos veio até à nossa casa me avisar do acidente. Fiquei sem saber o que fazer. Imediatamente peguei a bolsa e corri com ele para cá.

— Ele está bem?

— Parece que levou alguns pontos na altura do joelho. É que na hora fiquei desesperada. Era tanto sangue, e você não estava. Se meu pai estivesse aqui... — ela começou a choramingar.

Instintivamente Leandro aproximou-se e apoiou a cabeça dela em seu peito.

— Não fique assim. Eu estou aqui com você.

— Desculpe-me pela fraqueza.

— Chi! Está tudo bem.

Letícia foi tomada por nova sensação agradável. Sentia-se segura ao lado do marido. Amava-o acima de tudo, mas parecia que algo a impedia de uma aproximação maior.

— Canalha! Pensa que nos engana? Pode ludibriar a minha filha doce e ingênua, mas a mim você não engana! — vociferou uma voz masculina.

Leandro sentiu súbito mal-estar. Afastou-se de Letícia e passou a mão pela testa.

— Você está pálido! O que aconteceu?

— Não sei, senti súbito mal-estar.

— Vamos chamar um médico.

— De forma alguma. Vai ver é o estômago vazio. Eu não tomei café da manhã.

Letícia levantou-se.

— Vou providenciar algo para você comer.

Enquanto ela se dirigia à cafeteria do hospital, Leandro continuava com aquele estranho mal-estar repentino.

— Idiota! Eu consigo fazer você passar mal. Você não consegue me ver, não consegue me escutar, não sabe como se defender. Eu vou fazer você sofrer.

Leandro passou nervosamente as mãos pelos cabelos e apoiou os cotovelos sobre os joelhos.

— Eu estava bem até agora. Por que esse incômodo?

O espírito ao seu lado o atormentaria ainda mais, não fosse uma voz conhecida e cheia de amor a afastá-lo momentaneamente daquela sensação ruim:

— Papai!

Leandro olhou para o fim do corredor e avistou o filho. Abriu largo sorriso e, nesse instante, envolvido por uma onda sincera de amor, ficou livre daquela influenciação negativa. Correu e abraçou o menino, enchendo-o de abraços e beijos.

— Ricardinho, meu filho amado, o que aconteceu?

— Estava brincando com meus amigos e quis arriscar uma curva. Foi maneiro! Parada sinistra!

— Filho, eu não entendo essas gírias.

Ricardinho riu.

— Esqueci que você é muito velho! — Leandro riu, meneou a cabeça para os lados, e o filho continuou: — Foi legal, a galera se divertiu, mas aí eu tropecei no *skate* e meti o joelho na cerca do jardim.

— Quantas vezes pedi para você se proteger e usar joelheiras?

— Nem me dei conta. Mas olhe — ele apontou para o curativo —, levei três pontinhos. Não derramei uma lágrima. Sou forte, assim como você.

Leandro o abraçou e o beijou no rosto.

— Você é destemido e forte, como eu. Teve mesmo a quem puxar.

— Vai passar o dia comigo?

— Hum, hum. Vamos para casa, você precisa descansar e...

— Que descansar, que nada! Estou muito bem. O médico recomendou que eu não ande tanto, pelo menos hoje. E subir no *skate* só depois que tirar os pontos...

— Passarei o dia ao seu lado.

— E o trabalho?

— Nada de trabalho hoje. Chega. Até domingo serei seu companheiro.

— Oba! — Ricardo o abraçou. — Vamos assistir àqueles seriados de TV juntos?

— Todos que você quiser.

Ricardo abraçou novamente o pai e, olhando em seus olhos, disse com largo sorriso:

— Você é o melhor pai do mundo!

Letícia aproximou-se com uma bandejinha. Nela havia um sanduíche de queijo quente e um copo com suco de laranja. Entregou-a ao marido.

— Precisa se alimentar.

— Obrigado.

— Mãe, o papai não vai trabalhar mais hoje e vai passar o dia inteiro, quer dizer, o fim de semana todo comigo. Acredita?

Ela afagou-lhe os cabelos sedosos e alourados.

— Acredito, sim.

— Vamos para casa, mãe?

— Tenho de assinar uns papéis e já vamos.

— Vamos juntos — disse Leandro. — Eu vim de táxi e volto dirigindo.

Letícia sorriu. Pegou a chave do carro e a entregou ao marido. Os dois, pai e filho, acenaram com a cabeça e partiram felizes rumo ao estacionamento. Letícia até conseguiu manter bom humor.

O espírito que estava próximo deles resmungou, a certa distância:

— Agora não tenho como me aproximar de Leandro. Quando ele está com Ricardo, eu não consigo fazer nada. Que maçada! — o espírito falou e em seguida desvaneceu no ar.

8

Edgar recebeu tratamento adequado e foi transferido para um quarto. Ficara em observação e fora liberado no fim da tarde. Marina conversou com os médicos e recebeu orientações.

— Seu marido vai ficar bem, sem sequelas. Foi de suma importância ter trazido a latinha do veneno. A minha colega vai conversar com você e lhe dar mais detalhes.

O médico disse e se afastou rapidamente. Marina nem teve tempo de dizer que ela não era casada com Edgar, mas deu de ombros. Uma simpática médica veio ao seu encontro.

— Você é a acompanhante do Edgar?

— Sim, sou.

— Sou a doutora Helma.

— Prazer.

— É necessário eu lhe passar algumas informações.

— Pois não.

Helma indicou uma cadeira ali próximo e ambas se sentaram. De maneira didática, a médica falou:

— Os sintomas, no envenenamento com raticidas que são engolidos, dependem do produto e da quantidade ingerida, graças a Deus, Edgar ingeriu uma quantidade muito pequena. Se a vítima estiver inconsciente, sonolenta ou com crises convulsivas, não se pode, de maneira alguma, induzir o vômito, pelo risco de aspiração pulmonar.

— Como assim? — perguntou Marina.

— O alimento vai para o pulmão, podendo causar broncopneumonia aspirativa.

— No caso dele, que estava consciente...

— No caso do seu marido, como estava consciente, induzir o vômito, posicionando-o deitado de lado, foi a melhor solução. Da maneira como vocês fizeram. — A médica, de uma simpatia sem igual, procurava ser bem didática: — Em casos assim, se possível, é bom identificar o tipo de veneno que foi ingerido e a quantidade. Caso a vítima esteja consciente, como aconteceu com seu marido, só devemos induzir o vômito se os agentes tóxicos forem medicamentos, plantas, comida estragada, álcool, bebidas alcoólicas, cosméticos, tinta, fósforo, naftalina, veneno para ratos ou água oxigenada.

— Não fui eu quem fez isso. Foi o porteiro do prédio. Em todo o caso, como se faz para induzir o vômito?

— Coloque o dedo na garganta da vítima — o modo mais popular. — A seguir, leve-a ao hospital mais próximo, preferencialmente, munida do rótulo da embalagem do veneno. Como você agiu. Ele já havia feito isso antes?

— Não sei.

— Cabe ressaltar que o vômito deverá ser provocado em qualquer tipo de intoxicação em que o dano do ato de vomitar for inferior ao dano provocado pelo produto ingerido.

— Como assim, doutora? Não entendi.

— Nas intoxicações advindas por derivados de petróleo, ácidos e afins não se deve provocar vômito. De qualquer maneira — tornou a médica de maneira jovial — ele ficará até amanhã em observação. Depois, vamos dar alta e eu solicito que ele receba acompanhamento psicológico.

Marina agradeceu as observações e afastou-se.

— Hum, todos aqui pensam que Edgar é meu marido. Que coisa! Pelo menos agora sei tomar providências no caso de algum envenenamento — disse para si enquanto caminhava na direção do quarto. Sorriu ao entrar e vê-lo com aparência melhor.

— Como se sente?

— Muito melhor. O susto passou.

— Ainda bem que chegamos praticamente na hora em que você ingeriu aquilo. Se demorássemos, talvez os procedimentos fossem mais agressivos ou até você não estivesse vivo.

Uma lágrima escapou pelo canto do olho do rapaz. Edgar virou o rosto para o lado, na direção da parede, sentindo enorme culpa.

— Quase destruí a minha vida.

— O que aconteceu?

— Não quero falar sobre isso agora.

— Tem todo o direito de permanecer quieto, afinal, mal nos conhecemos.

— Sempre me atendeu de maneira simpática. Gostava da sua voz quando ligava para falar com Denise lá na empresa.

Marina sorriu.

— Agora me conhece pessoalmente. Sabe que tenho muito trabalho, não posso ficar aqui o tempo todo e, por isso, o João ligou para sua mãe. Ela está por chegar.

— Ele ligou para meus pais? Por quê?

— Eu não sou sua parenta e não nos conhecemos. Como cheguei aqui ao hospital com você, devo permanecer até que chegue um parente ou responsável. Não consegui localizar sua esposa, e João pegou o número de telefone de sua mãe fixado num ímã de geladeira e ligou para ela.

— Falou com Denise?

— O celular dela está desligado.

— Para onde ela foi?

— Viajou para o Rio, a trabalho.

— Por favor, tente localizá-la. Eu gostaria muito de poder falar com ela.

— Farei o possível.

Maria José entrou no quarto e, ao ver o filho conversando e aparentemente bem de saúde, levantou os braços para o alto.

— Graças a minha Nossa Senhora de Fátima! — disse, ainda com um forte sotaque lusitano.

Ela se aproximou da cama, abraçou e beijou Edgar várias vezes no rosto.

— Aposto que isso foi briga com aquela sirigaita! Aposto!

— Mãe... — ele fez sinal com a cabeça e Maria José acompanhou os olhos do filho. Foi naquele instante que ela percebeu a presença de Marina.

— Foste tu quem o acompanhaste?

— Sim, senhora. Prazer — ela estendeu a mão —, sou Marina.

Maria José abraçou-a com carinho e derramou algumas lágrimas. Estava emocionada.

— Salvaste o meu filho!

— Imagine, senhora. Quem o salvou, na verdade, foi o porteiro do prédio. Eu só o acompanhei até o hospital.

— Estiveste ao lado do meu filho quando ele mais precisou. Serei eternamente grata a ti.

— Fiz o que qualquer outra pessoa faria.

— Fez o que qualquer pessoa de bom coração faria — retrucou Fernando, que acabava de entrar no quarto.

O casal encheu Marina de perguntas, e ela ficou até meio tonta com o jeito rápido de Maria José lhe dirigir as indagações. Ela relatou o que a médica acabara de lhe dizer acerca dos procedimentos no caso de ingestão de venenos. Maria José não se conformava. Escutava Marina e balançava a cabeça para os lados de maneira negativa.

Mesmo cravada de perguntas, Marina sentiu-se bem ao lado deles. Percebeu que era uma família unida e havia muito amor e carinho entre os três. Notou a emoção com que Fernando abraçou o filho. E em seguida perguntou:

— Onde está Denise?

— Ela viajou, pai.

— Como assim, viajou?

Edgar deu de ombros. Não queria falar sobre a discussão que tivera com Denise. Fernando estava irredutível.

— Era ela quem deveria estar aqui. A sua esposa. E não uma estranha — ele dirigiu o olhar a Marina e completou: — Desculpe-me a franqueza, mas é uma estranha em nosso seio familiar. A esposa é quem deveria estar aqui ao lado dele.

— Nós brigamos, pai.

— E daí? Brigas entre casais são comuns.

Edgar abriu e fechou os olhos. Suspirou num murmúrio:

— Denise me deixou...

Marina notou que era hora de partir.

— Preciso voltar ao trabalho. E ainda tenho de saber se meu carro vai ficar pronto. Adorei conhecê-los, embora numa situação nada agradável.

— Pois fique — solicitou Fernando.

— Não posso. Mesmo.

A jovem aproximou-se de Edgar e passou delicadamente a mão sobre seu rosto.

— Sente-se melhor?

Ele apertou a mão dela e sorriu.

— Obrigado. Mil vezes, obrigado.

— Fiz o que meu coração mandou.

— Quando estiver melhor, aparecerei na empresa. Tomaremos um café juntos, pode ser?

— Fique bem. Espero que tudo se resolva e você seja feliz.

— Denise vai voltar e tudo vai ficar bem.

Marina não respondeu. Apertou a mão do rapaz e esboçou tímido sorriso. Em seguida, despediu-se dos pais dele.

— Simpatizei muito contigo. Foste o anjo bom que apareceste na hora certa na vida de meu filho. Nunca vou me esquecer disso.

— Até mais, dona Maria José.

— Fica com meu cartão. Vem tomar um chá comigo qualquer hora. Farei pastéis de belém. É receita que está há várias gerações na minha família.

— Tenho trabalhado muito, mas farei o possível para nos vermos e nos conhecermos melhor. Também gostei muito da senhora.

Abraçaram-se e a jovem despediu-se de Fernando. Quando ela saiu do quarto, Fernando soltou um assobio.

— Que bela morena! Conhece-a de onde?

— É secretária da Denise.

— Pobrezinha! Trabalha para aquela cobra? — falou Maria José.

— Mãe!

— Ninguém merece trabalhar ao lado daquela mulher impertinente. Denise é o cão em forma de mulher.

— Você implica com ela. Sempre foi assim, desde o começo do namoro.

— Acaso te lembras de como ela entrou para a nossa família? Tive de aceitá-la. Tu não quiseste fazer aquele teste de DNA e casaste.

— Eu a amava. Nunca suspeitei de seu comportamento.

Maria José prosseguiu:

— A única coisa boa dessa história toda foi que a pobre da Mabel morreu em paz. Lembro-me até hoje da sua fisionomia alegre quando Denise entrou na igreja.

Fernando interveio:

— Deixemos o passado para trás, querida. De que adianta lembrarmos disso tudo agora — e, virando-se para o filho, falou e lhe piscou: — Bonita e simpática essa rapariga que saiu daqui. Gostei muito dela.

— Eu também a achei bem simpática — emendou Maria José.

— Agora nos conte o que aconteceu, sem rodeios — exigiu Fernando.

— Meu pai, não quero falar sobre isso agora.

— Por que não?

— Não é o momento.

— Nada disso. Nada de fugir do assunto. Eu o conheço muito bem. Se está aqui nesta cama de hospital nos deve satisfação. O que aconteceu entre você e sua esposa para tomar atitude tão dramática? Brigaram feio desta vez?

— Ela te deixaste? — indagou Maria José.

Edgar assentiu com a cabeça. Maria José sorriu por dentro.

— Sabia que um dia ela sairia da vida de meu filho!

Depois, com olhos úmidos, Edgar passou a relatar o dia anterior, desde a saída do escritório até o fim da noite, quando Denise batera o pé na sua decisão e afirmara que iria embora para valer.

— Melhor assim. Ela não prestava e...

Fernando fez sinal negativo com a cabeça e ela entendeu o recado. Parou de falar. Edgar estava frágil, as lágrimas escorriam sem parar. Maria José abraçou o filho e o beijou no rosto.

— Acalma-te. Tudo vai ficar bem.

— Será, mãe?

— Claro. Tudo passa. Logo vais para casa, retomar tua vida.

— Assim espero. Desde que Denise volte para mim...

Fernando sentiu pena do filho. Sabia o quanto Edgar gostava de Denise. Sabia o quanto era duro para o filho ter de lidar com essa separação, que para ele, desde o início, estava com os dias contados. Ele só não esperava que o filho tomasse atitude tão dramática.

Maria José fingia consternação e por dentro estava feliz.

— Nossa Senhora de Fátima escutou as minhas preces! Preciso ir à igreja e agradecer a graça alcançada. Denise saiu da vida de meu filho e Edgar vai ser muito feliz. Muito feliz.

9

Denise não estava se sentindo muito confortável em sua estada na cidade maravilhosa. O calor estava praticamente insuportável, e a fila para pegar o bondinho era um pouco extensa. Ela odiava filas. Achava coisa de pobre.

Havia um grupo de turistas japoneses que não entendia patavina sobre as orientações da guia turística. O sol estava muito forte, e ela se esquecera de usar protetor solar ou mesmo de colocar um chapéu. Começava a sentir a pele do rosto e dos ombros arderem.

— Que saco! Estou suando em bicas e morrendo de sede.

Ela saiu da fila e foi até uma barraquinha ali perto. Comprou uma garrafinha de água e, depois de beber uns goles, sentiu-se melhor. Voltou para a fila. Uma senhora bem baixinha, mais baixa do que a média, nanica mesmo, com cara de poucos amigos, disparou:

— Ei! Aonde pensa que vai?

Denise não lhe deu ouvidos. A mulher baixinha continuou, voz meio esganiçada:

— Está furando fila, ô branquela.

Denise voltou o pescoço para trás e mediu a mulher de cima a baixo. Fez muxoxo.

— Está falando comigo?

— Por acaso tem outra branquela furando fila aqui na minha frente?

— Vai te catar! Larga do meu pé, meia-entrada. Eu estava na fila e fui pegar uma garrafinha de água. Voltei ao meu lugar.

— Seu lugar é atrás de mim.

Denise estufou o peito.

— Quero ver se você é mulher para me tirar daqui, seu protótipo de gente. Vai, vem me tirar daqui.

— Olha que eu vou. Sofro de nanismo, sou pequena, mas destemida.

— Vê se se enxerga! Volte para a nave da Xuxa. Não é lá que habitam os duendes e gnomos?

Algumas pessoas riram, outras ficaram constrangidas. Um senhor, tomando as dores da mulher, retrucou:

— Muito feio ofender assim outra pessoa. Ela não é anã, é prejudicada verticalmente.

Denise jogou o rosto para trás, numa gostosa gargalhada.

— Agora anão é prejudicado verticalmente? Anão é anão e ponto final. Essa mergulhadora de aquário está me importunando e ninguém vai me tirar daqui.

A confusão se instaurou. Um grupo defendia a senhora, que, tão logo percebera a atenção recebida pelas pessoas, adotou uma postura de vítima da situação. Mostrou-se ofendida e começou a choramingar. Outro grupo achava um absurdo Denise dirigir-se de maneira tão vulgar a uma pessoa. Era muita falta de educação. E outro grupo achava tudo engraçado. Divertiam-se com as tiradas dela e com os atrapalhados japoneses.

— Ela pode me xingar de branquela e eu não tenho o direito de me defender? Que democracia é essa?

— Branquela, não. Está ficando um pimentão — gritou um.

— Odeio gente grossa — falou uma outra mais atrás.

Denise botou a mão na cintura e balançou a cabeça para os lados.

— Gente nojenta! Odeio povo.

Um homem aproximou-se e murmurou em seu ouvido:

— Tá a fim de sair daqui?

Denise voltou-se para a voz logo atrás de si. Abriu largo sorriso ao ver aquele homem moreno, alto, corpulento.

— Adoraria — respondeu alegre.

— Venha comigo. Daqui a pouco vão querer esfolarem você viva.

Denise percebeu o português errado, mas gostou do rapaz. Falou:

— Não fui eu quem começou a confusão. Foi essa locutora de

radinho de pilha quem começou — e, voltando-se para a mulher, sugeriu: — Por que não enfia a cabeça numa tomada e se mata? Ou por que não se atira do primeiro andar de um prédio? Quer ver que nem vai pagar ingresso para ir ao bondinho? Vão permitir que passe por debaixo da catraca.

O homem a tirou dali. Se Denise abrisse a boca para falar mais um impropério para a pobre mulher, com certeza seria executada sumariamente por um grupo indignado com tantas tolices.

— Vem comigo.

Ela ainda virou para trás e fez uma careta para a baixinha.

Mais adiante, longe do grupo e da confusão, quando ele tirou os óculos escuros e Denise notou o par de olhos esverdeados, não se conteve.

— Meu Deus! Que olhos são esses?

— Meu charme.

— São verdadeiros? — ela levantou uma das mãos e tocou no seu rosto.

— Originais de fábrica!

— Estou impressionada.

— Quando minha fala não seduz, a gente fazemos uso de outros atributos que a natureza deu pra mim de presente.

Ela pegou a garrafinha de água e bebericou. Fingiu não escutar o assassinato que ele cometia com o idioma. Em seguida, passou a mão pela testa suada.

— Obrigada. Se ficasse mais um pouquinho ali, seria esfolada viva.

— Aquelas pessoas não entenderam o seu senso de humor.

— Agradeço a gentileza em me tirar de lá.

Ele estendeu a mão.

— Prazer, Jofre.

— Eu me chamo Denise — ela também estendeu a mão e o cumprimentou. Sentiu agradável sensação ao tocar naquela mão grande, áspera e forte.

— É paulista, certo?

— Como adivinhou? — perguntou ela.

— Pelo sotaque.

— Está tão na cara, ou melhor, na fala, assim?

Ele riu.

— Está. Tem um sotaque gostoso, fala cantando as palavras.

Ela se sentiu lisonjeada.

— Nunca dei atenção ao meu jeito de falar.

— Morei em São Paulo por uns tempos.

— É mesmo?

— E também notei que não é daqui pelo tom da pele. Tu é muito branquinha para ser carioca. Sua pele está avelmelhada.

Ela notou o vermelhão ao redor das alças do vestido.

— Não estou acostumada a pegar sol e esqueci completamente de passar protetor solar.

— Se ficar mais um pouco aqui embaixo do sol, vai ganhar umas bolha pelo corpo.

— Tem razão.

— E esse grupo não quer você por perto. Quer mesmo subir até o Pão de Açúcar, mina?

— Eu não tinha muita opção. Pensei em ir ao Jardim Botânico, mas não quero ser picada por pernilongos. Eu os atraio assim como o mel atrai as abelhas.

— A gente temos muita coisa boa para se fazer na cidade.

— Aceito sugestões.

— Que tal uma volta no meu iate? — perguntou ele, num ar de soberba.

— Iate? — ela indagou surpresa.

— Sim. Iate, tipo esses barco de luxo.

Jofre era um belo tipo, mas não tinha cara de bem-nascido ou postura de um homem endinheirado, como se pessoas com dinheiro tivessem postura diferenciada nos dias atuais. E o português errado, sem concordância, mostrava mesmo que ele não tinha frequentado uma sala de aula.

— Por que a surpresa? Só por conta da minha cor de pele?

— De modo algum. Eu não tenho nenhum tipo de preconceito, muito pelo contrário.

— Ah, bom.

— Quando era mais novinha namorei um rapaz bem mais escuro que você, um negro mesmo.

— E gostou? — perguntou ele, num tom carregado de malícia.

— A-do-rei! Jamais vou me esquecer daquele homem. Alto, forte, musculoso.

— Se continuar falando assim, a gente ficaremos com ciúmes desse cara.

Denise riu e fez charme. Estava gostando desse joguinho de sedução.

— Não fique com ciúmes. Primeiro porque faz anos que eu me relacionei com ele e, segundo, você é muito, mas muito mais interessante que ele.

Jofre riu e piscou.

— Assim está deixando eu amarradão em você.

— Logo de cara? Você é tão rápido assim?

— Somente com mulher que desperta nimim o desejo. A gente se interessamos por você desde o momento que a gente te vimos.

— Estava na fila? — ela nem mais ligava para os erros de concordância. A língua pátria saía esfolada da boca dele, mas Denise estava interessada em outros atributos do rapaz.

Jofre respondia de um jeito diferente. Era como se falasse de outra pessoa. Sempre usava a gente no lugar de eu e conjugava de forma errada na primeira pessoa do plural. Achava que era uma forma de impressionar as pessoas.

— Não. A gente viemos encontrar um amigo e pegar uma encomenda. Moro aqui faiz anos e nunca pegamos o bondinho. Acho que vamos ter de esperar outra oportunidade. Meu carango está logo ali — apontou para um automóvel importado, último tipo.

Denise abriu novo sorriso.

— É meu dia de sorte! — disse para si enquanto o acompanhava até o veículo. Ela entrou e sentou-se. Jofre deu partida e ligou o ar-condicionado. Denise soltou um gritinho de prazer e recostou-se no banco de couro.

— Ar-condicionado! Que delícia!

— Vamos colocar no máximo, mina.

— Aonde vamos?

— Na Marina da Glória. Meu barco está ancorado lá.

— Nunca andei de barco ou de lancha aqui no Rio.

— Se depender de mim vai andar sempre que quiser. E não é barco, é um iate, como esses das novela das oito.

Jofre falou e encostou propositalmente a mão na coxa dela. Denise sentiu um frêmito de prazer.

— Esse homem tem pegada do jeito que gosto. Mais pegada que Leandro até...

10

Letícia pediu para a empregada servir o almoço e em seguida caminhou até a saleta de TV.

— O almoço está servido.

— Agora? — indagou Ricardo.

— Você precisa se alimentar, mocinho.

— Eu e papai estamos assistindo a outro episódio de *CSI — Investigação Criminal*.

— Depois continuam a assistir.

— Ah, mas agora é que o Grissom vai provar quem matou? Espere mais um pouquinho, vai.

— Nada de esperar. Afinal de contas, quem vai dar conta de tanta batata frita que a cozinheira fritou?

— Batata frita? Oba!

Leandro desligou o aparelho de DVD.

— Vamos almoçar, filho. Depois voltamos e assistimos ao restante da temporada.

Ricardo levantou-se e foi caminhando com cuidado até a copa. Leandro levantou-se em seguida e acompanhou-o.

— Devíamos nos reunir mais vezes — sugeriu Leandro.

— Pena que os negócios tomem tanto o seu tempo — finalizou Letícia.

— Preciso estar em São Paulo. É imprescindível que os negócios sejam dirigidos de lá. Além do mais, a fábrica fica no interior daquele Estado. Seu pai, anos atrás, fez um acordo com o governador. Recebeu subsídios, abatimento nos impostos. Não consigo vislumbrar a troca da empresa de lugar.

— Nem cogito isso. São muitos empregados, mais de quinhentos. Há muitas famílias envolvidas.

— Muitas famílias e muitos interesses, até políticos. A Companhia se tornou a número um na fabricação de televisores de plasma e LCD. Também somos imbatíveis na produção de monitores para computador. Estamos derrubando os chineses!

— Eu sei de tudo isso. Papai era homem de visão e transformou uma oficina de reparos de tubos de televisão numa grande empresa, admirada inclusive no exterior. Sei também que por conta dos impostos e outras burocracias é melhor que a administração fique em São Paulo, mas você se desgasta muito, viaja toda semana. Não acho justo.

— Não me faz mal algum. São Paulo fica aqui ao lado. Meia hora de avião e pronto. Eu não me desgasto.

— Todavia, Ricardinho sente muito a sua falta. Sabe, durante a semana, ele comenta que gostaria de tê-lo por perto para ajudá-lo nas lições do colégio. Outro dia queria que você estivesse aqui para assistir com ele ao jogo do campeonato carioca. Pobrezinho, ficou sozinho na sala.

Leandro meneou a cabeça para os lados.

— Eu sinto muita falta dele. Talvez possamos arrumar uma alternativa.

— Qual seria?

— Assim que o inventário ficar pronto, você vai se tornar a acionista majoritária, certo?

— E daí?

— Deverá participar de reuniões importantes. A sua presença será exigida cada vez mais.

— Eu já pensei no assunto e decidi que vou deixar você a cargo disso.

— Não pode, Letícia. A empresa é sua.

— E, de certa forma, é sua também. Você se esforça e se dedica para que a Companhia continue crescendo. Viaja o mundo todo atrás de novas tecnologias, procura dar boas condições de trabalho aos funcionários. Você é um executivo excepcional e merece representar-me no conselho. Confio em você.

Leandro sentiu leve calor no peito.

— Obrigado por confiar em mim, mas eu tenho muitos afazeres. Uma pessoa de confiança poderia tomar seu lugar. Que tal a Mila?

— Ela não precisa. Tem muito dinheiro. Podemos pensar em nos mudar para São Paulo.

— Deixaria de viver na cidade que mais ama na vida? — perguntou ele, surpreso.

— Sim — Letícia encarou-o nos olhos. — Eu faria tudo para manter minha família unida por mais tempo.

— Creio não ser necessário. Eu vou estudar meus compromissos com carinho e prometo que vou ser um pai e marido menos ausente.

Leandro falou e pegou na mão dela. Letícia sentiu os pelos do braço eriçarem. Adorava sentir as mãos sempre quentes do marido. Estava louca de desejo, mas algo a impedia de ser mais carinhosa com Leandro. O que acontecia?

Ela sorriu e o acompanhou até a copa. Sentaram-se e Ricardo falou, enquanto devorava as batatas fritas:

— Amo vocês. Adoro quando estamos os três juntos.

Letícia abaixou os olhos timidamente. Leandro respondeu:

— Eu também gosto muito quando estamos juntos.

Continuaram a conversar até ouvirem a voz de Teresa, mãe de Letícia, vinda da outra sala. Leandro exalou longo suspiro de contrariedade. Não se dava bem com a sogra. Nem com a sogra, tampouco se dava com o falecido sogro.

Não fosse Letícia ter engravidado, o casamento não teria sido consumado. Émerson e Teresa nunca aprovaram Leandro como genro. Teresa queria que a filha se casasse com alguém da alta sociedade e não com um rapaz de classe média. Ela e o marido nunca foram favoráveis ao namoro, porém, quando descobriram a gravidez da filha, ficaram consternados. Como toda família que se encontra presa aos ditames sociais e dá ouvidos aos comentários maledicentes das pessoas, exigiram que sua única filha fosse parar no altar antes de a barriga crescer.

Letícia tinha sido uma menina tímida e quieta, muito reservada, de poucos amigos. Para falar a verdade, amiga mesmo, só a Mila, desde a infância, quando se conheceram na segunda série do antigo primário. Eram como unha e esmalte, e Mila fazia o papel de irmã mais velha e protetora, embora tivessem uma diferença de idade de pouco mais de um ano. Letícia tinha trinta anos e Mila estava com trinta e um anos.

Quando garota, Letícia nunca fora chegada a namoro. Pensou até em se tornar freira, pois não gostava de sair, de paquerar, de se envolver com os meninos, fosse nos bailinhos da escola, fosse nas festas das poucas amiguinhas. Adorava frequentar a igreja e estava sempre comungando.

O prazer sempre fora algo difícil de ela alcançar. No dia em que viu Leandro pela primeira vez, apaixonou-se à primeira vista. Foi incontrolável, uma onda de calor se apoderou de todo seu corpo. Jamais sentira algo igual antes na vida.

Letícia deixou-se seduzir por Leandro e numa festa, depois de muitos goles de champanhe e uma dança de rosto colado ao som de George Michael, aconteceu a primeira intimidade entre ambos. Ela engravidou, eles se casaram e logo depois do nascimento de Ricardinho ela fora perdendo o interesse por sexo. Cumpria o papel de esposa ao menos uma vez por semana. Desde a morte do pai, contudo, era como se ela tivesse perdido completamente o prazer em se relacionar com Leandro. Não se deitava mais com ele e mudara-se para outra suíte.

Teresa entrou e espantou-se ao ver o genro ali sentado.

— Meu Deus! Vai cair um raio sobre esta casa.

— Sobre esta casa, não! Aqui vive uma família feliz.

Ela deu de ombros e retrucou:

— Sei, sei. Você por aqui a esta hora?

— Qual o problema?

— Foi despedido?

— Engraçado. Muito engraçado.

— Para mim é engraçado. Se Letícia quisesse, poderia demiti--lo. Deixou a empresa às moscas?

— Não é bem assim. Há funcionários competentes cuidando do seu patrimônio, Teresa.

— Você respira trabalho vinte e quatro horas por dia. Daí a minha estranheza.

— Para ver como sou bom profissional e bom pai.

— Bom pai, essa é boa. — Ela fez uma careta e beijou o neto: — Como vai, querido? Sente-se melhor?

— Sim, vovó. Bem melhor. Isso foi coisa boba. Semana que vem tiro os pontos e estarei pronto para outra.

— Vire essa boca para lá, Ricardinho — tornou ela, voz ríspida. — Chega de dar trabalho para sua mãe. Olhe como ela está! Coitada. — Em seguida, abraçou a filha: — Meu bebê. Está pálida!

— Que nada, mamãe, estou bem.

— Precisa se alimentar melhor. Está muito magra. Viu a sua foto naquela revista de celebridades? Todas as minhas amigas comentaram que você está muito magra, Letícia. Pensam que está com anemia ou bulimia.

— Quanta bobagem, mãe. Sempre fui magra.

— Quero dar uma olhada no cardápio e ver o que você está mandando fazer. Nunca teve jeito para lidar com a casa e...

Leandro e Ricardo trocaram olhar significativo. Em seguida, levantaram-se. Leandro sugeriu:

— Vou pedir para Iara servir a sobremesa na saleta de TV.

— Depois conversamos, vovó.

Os dois saíram e Teresa continuou:

— Você precisa aplicar um corretivo em seu marido.

— Por quê?

— Ele precisa ficar mais perto de você e de seu filho.

— Eu sei, mamãe. Mas Leandro se esforça. Trabalha bastante.

— Sei o quanto trabalha. Pensa que sou tonta? Somos conhecidos na sociedade. Já ouvi comentários maledicentes sobre o comportamento de seu marido. Lá no clube falam que ele anda de caso com uma morena.

Letícia estremeceu. Não conseguia se relacionar intimamente com Leandro, mas era louca por ele. Amava-o de verdade. O fato de saber que ele pudesse estar supostamente envolvido com outra mulher deixava-a aflita e insegura.

Ela espantou os pensamentos ruins que começavam a se formar na sua mente.

— Bobagens. Essas suas amigas levam uma vida fútil e adoram uma fofoca.

— Bom, onde há fumaça, há fogo. Fique de olho em seu marido.

— Podemos mudar de assunto?

— Está certo. Mês que vem teremos a reunião do conselho. Assim que o inventário ficar pronto...

— Não quero mesmo assumir o conselho.

— Imagine! Você é a herdeira legítima! Eu não tenho tino para os negócios. Nunca tive.

— Eu também não.

— Seu pai sempre disse que você seria a sucessora dele. É importante que alguém do mesmo sangue dê continuidade aos negócios. É a única filha.

— Mas eu não gosto de nada disso. Vou deixar que Leandro tome conta de tudo. Ele é competente e ótimo profissional.

— Vai entregar a empresa de mão beijada para esse homem? E se ele conduzir mal os negócios? E se ele tentar nos enganar e tomar toda nossa fortuna? Sei de casos de conhecidas que, quando se deram conta, já era tarde demais e só ficaram com a roupa do corpo. Pobrezinhas. E ainda foram trocadas por meninas mal saídas das fraldas. Quanta falta de vergonha!

— Leandro é um bom homem. É bom profissional, trabalha com amor. Desde que assumiu os negócios, quando papai morreu, a Companhia só cresceu. Disso você não pode reclamar. As ações da Companhia dispararam na bolsa de valores. Nem a crise financeira as fizeram cair.

— Você tem razão. Não gosto do seu marido, mas ele é bom profissional. Ouço comentários ótimos em relação à sua postura profissional, mas em relação à sua conduta pessoal...

Letícia a cortou com delicadeza.

— Por favor, mamãe. Não quero falar sobre isso.

Teresa sabia o quanto a filha era apaixonada por Leandro. No entanto, estava desconfiada. Algumas amigas juravam ter visto Leandro com outra mulher, em gestos nada profissionais, num restaurante badalado de São Paulo. Ela sabia que ele devia estar aprontando, mas deu de ombros. Para ela os homens eram todos iguais, Émerson também pulara a cerca, algumas vezes, quando eram casados.

Desde que ela continuasse com uma vida confortável e luxuosa, não ligava para as escapadelas do marido. Cada comentário que ela escutava acerca das aventuras extraconjugais de Émerson, Teresa não tinha dúvidas: comprava uma joia bem cara como forma de compensar a traição. Fez uma coleção de joias maravilhosas. Guardava-a num banco, tamanha a quantidade e valor altíssimo. Letícia não era como ela. Nada esperta, acreditava. Achou melhor contemporizar.

— E vai ficar em casa o dia todo? Fazendo o quê?

— Qual o problema? Eu gosto da minha casa, de cuidar da educação do Ricardo. Mês que vem começarei um novo curso. História da arte.

— História da arte? Para quê?

— Para enriquecimento cultural. A Mila vai comigo.

— A Mila. Sempre a Mila. Não tem outra amiga?

— Qual o problema? Você implica com a Mila desde sempre.

— Acho que Mila coloca ideias de jerico na sua cabecinha.

— Não coloca.

— Ela é muito estranha. Não se casou até agora. Será que gosta mesmo de homem?

— Você não existe, mãe. Vou fazer de conta que não escutei esse comentário infeliz.

— Também falam dela no clube. Um pessoa não pode ter um comportamento tão irrepreensível assim. Mila deve ter algum deslize de conduta.

— Não tem. É uma mulher rica, porém leva uma vida discreta, longe dos holofotes. O pai era ator de teatro e a mãe milionária. Ela nunca se deixou levar pela fama dos pais, por conta de ser filha de gente rica e famosa. É uma pessoa de um coração enorme. Uma das pessoas mais adoráveis que conheci na vida.

— Pode ser.

— É uma ótima amiga — Letícia emendou. — Como se fosse uma irmã.

Teresa deu de ombros e continuou, como se não tivesse escutado a filha:

— Não pode fazer ou pertencer a outro círculo de amizades? O pessoal do clube sente sua falta. Perguntam sempre de você. Dizem que veem você mais nas fotos das revistas do que ao vivo e em cores.

— Não gosto de fuxicos. Suas amigas só falam mal dos outros, ou de quem tem mais dinheiro, quem viajou para não sei onde, quem traiu e foi traída... Não, mãe, nossos gostos são bem diferentes.

— Bem que se vê. Você não puxou a mim. É meio caipira. Não consigo imaginar por que as revistas sempre lhe chamam para dar palpites de etiqueta. Justo você! Temos tanto dinheiro e você se veste assim com tanta simplicidade.

— Não sou perua como você. Não gosto de andar cheia de joias. É uma questão tão pessoal! Sou chamada para dar palpites porque sou discreta.

Teresa levantou-se e vasculhou o ambiente com olhar perscrutador, investigativo mesmo, bem ao seu estilo. Tirou e moveu objetos de lugar. Chamou uma das empregadas e mandou mudar um quadro para outra parede.

— Eu gosto do Portinari nesta parede — apontou Letícia.

— Mas fica feio. Não combina com a decoração de que tanto gosto.

— Trata-se da minha casa, mamãe.

— Se tivesse bom gosto, de fato, eu não daria palpites.

Letícia seguia impotente atrás da mãe. Teresa dava ordens, tirava objetos de lugar, pedia para colocar um quadro aqui, mudar outro e assim alterava toda a decoração dos ambientes, metendo-se em tudo. A filha não se atrevia a contrariá-la. Não adiantava tentar argumentar. Teresa não lhe dava ouvidos.

Depois de redecorar a copa e a sala de estar, Teresa avistou um livro sobre o piano. Bisbilhoteira, foi aproximando o rosto na direção da capa, mas Letícia acelerou o passo e o pegou.

— O que é isso?

— Um livro, oras.

— Deixe-me ver.

— Coisa minha, mãe.

— Letícia...

Esse tom na voz de Teresa era desagradável. Letícia suspirou e, ainda com o livro por trás do corpo, falou de maneira delicada:

— Um romance.

— Que romance?

— *Uma história de ontem*.

— Nunca ouvi falar. É tradução de Sidney Sheldon ou de algum outro autor americano?

— Não. É um romance da escritora Mônica de Castro. É um livro muito bom e...

Teresa avançou sobre a filha e tomou o livro de suas mãos. Olhou para a capa e deu um gritinho de indignação.

— Um livro ditado por um espírito? Que maluquice é essa?

Letícia ia falar, mas Teresa fez um gesto intempestivo com a mão, censurando-a de abrir a boca. Em seguida, virou e leu a quarta capa do exemplar.

— Um romance espírita! Que horror!

— Não é um horror, mãe.

— Desde quando você lê esse tipo de bobagem?

— Não é bobagem. Faz bem para mim.

— Não importa o que me diga. Desde quando lê esse tipo de livro?

— Desde que papai morreu.

— O que tem esse livro a ver com a morte de seu pai? Acaso vai trazê-lo de volta?

— Não, claro que não. Mas a leitura tem confortado meu coração. Eu não consigo aceitar o fato de papai ter morrido e tudo ter acabado. É difícil aceitar a morte, tentar me conformar de que nunca mais vou encontrar aquela pessoa que tanto amei na vida.

— É duro, mas é a realidade. Nascemos, vivemos, morremos e ponto final.

— A Mila me deu de presente esse livro para que eu pudesse abrir meus olhos e minha mente e entendesse um pouco mais sobre os mistérios da vida. Eu jamais havia perdido algum ente querido antes. Quando nasci, meus avós já haviam morrido. Por esse motivo, nunca havia me ligado nesses assuntos de morte, de espiritualidade.

— Só podia ter o dedo da Mila aí. Ela está enchendo a sua cabeça de caraminholas, isso sim.

— Este livro traz conforto à minha alma. Desde que comecei a ler, alguns dias atrás, tenho me sentido mais leve e dormido melhor.

— Quanta besteira!

— Não é besteira. É fato.

— Eu não quero vê-la mais lendo esse tipo de romance.

— Esse livro é meu, mamãe. Por favor, dê-me aqui.

— Não, senhora. Este livro vai para o lixo. Esse tipo de leitura só nos faz mal. Faz-nos acreditar em algo fantasioso. Reencarnação é conversa para boi dormir.

Teresa afastou-se e tropeçou sobre algo. Desequilibrou-se e ouviu atrás de si:

— Você está em nossa casa. Exigimos respeito.

Leandro falou e tirou o livro das mãos dela. Entregando-o à esposa.

— Depois que terminar, eu gostaria de dar uma lida. Sempre tive curiosidade em relação aos assuntos espirituais e já ouvi comentários bem positivos acerca dessa escritora. Sabia que ela é carioca como nós?

Letícia abriu franco sorriso. Adorou o marido ter tomado aquela atitude. Abraçou o livro com enorme carinho.

— Isso aqui tem me ajudado a compreender muita coisa. A Mila sempre quis conversar comigo sobre esses assuntos, mas eu não tinha o menor interesse. Depois que papai morreu, bom, comecei a ler aos poucos e estou gostando muito, além de a história ser envolvente e dinâmica.

— Não vou permitir que essas bobagens cheguem aos ouvidos do meu neto — disparou Teresa.

— O que vai ou não chegar aos ouvidos do seu neto cabe a mim e à minha esposa decidirmos — respondeu Leandro de maneira firme. — Do nosso filho cuidamos nós. Agora, por gentileza, se não tem mais nenhum móvel ou quadro para mudar de lugar, favor se retirar. Você está tirando a paz desta casa, para variar.

Teresa sentiu uma raiva muito grande. Quase partiu para cima do genro. Mordiscou os lábios e escutou:

— Atrevido! Desgraçado! Quem esse homem pensa que é? Não pode nos desrespeitar.

Teresa simplesmente repetiu. Foi como se ela tivesse sido tomada por uma força maior, como se aqueles pensamentos, de fato, fossem dela própria.

— Atrevido! Desgraçado! Quem pensa que é?

Letícia e Leandro olharam-se com verdadeiro estupor.

— Mamãe! Que jeito mais grosseiro é esse de falar com Leandro? Como ousa?

Ela caiu em si e vociferou:

— Você está fazendo a cabeça de minha filha contra mim! Quer colocar lenha na fogueira e nos afastar. Você é mau.

Disse isso entre lágrimas, rodou nos calcanhares e saiu, batendo o salto. Letícia aproximou-se do marido e instintivamente o abraçou.

— Tudo bem?

— Tudo. Nunca vi sua mãe agir de maneira tão grosseira.

— Nem eu.

— Nem parecia ela.

— Ela ficou nervosa quando viu o romance espírita.

— Pode ser. Mas ela teve um comportamento para lá de estranho.

— Mamãe está nervosa. Tem amigos interesseiros, não sai daquele clube. Tem uma vida muito infeliz.

— Porque quer. Poderia viajar o mundo, conhecer outros lugares, culturas, travar amizades interessantes ou arrumar um marido. Teresa ainda está em forma e mal passou dos cinquenta anos.

— Também acho.

Leandro olhou para a capa do livro e perguntou, entre sorrisos:

— O livro está lhe fazendo bem?

— Oh, sim. Tenho me sentido menos triste. Pelo menos quando o leio sinto-me muito bem.

— Então, se lhe faz bem, continue lendo.

Ela sorriu timidamente e ele sugeriu:

— Por que não liga para Mila e marcam uma ida ao *shopping*?

— Ricardo pode precisar de alguma coisa.

— Deixe disso. Vá se divertir. Eu não tenho mais nada de trabalho para fazer. Acabei de ligar para São Paulo, chequei meus *e-mails* e encerrei o expediente. Vou passar o fim de semana grudado no Ricardinho, conforme lhe prometi no hospital. Saia um pouco para espairecer.

— Tem razão. Eu vou sair. Mamãe me tirou do sério e preciso dar uma volta. Vou ligar para Mila.

— Faça isso.

— Obrigada.

— Não há de quê. Divirta-se.

Leandro falou e deu uma piscadela. Letícia sentiu um friozinho no estômago. Fazia tempo que o marido não se mostrava tão amável. Ela subiu, entrou no quarto e ligou para Mila. A amiga ficou de passar com o carro e pegá-la no condomínio dali a meia hora.

11

Edgar recebeu alta do hospital e foram-lhe recomendados alguns dias de descanso. Embora não tivesse um histórico de suicídio na família, tampouco houvesse atentado contra a própria vida antes, mesmo assim o psiquiatra do hospital recomendou tratamento psicológico. Sugeriu um acompanhamento terapêutico. O rapaz acabou na casa dos pais, sob protesto.

— Não quero ficar aqui. Tenho a minha própria casa.

— Não tens condições de ficares sozinho, por ora — ponderou a mãe. — Vais ficar conosco o fim de semana todo.

— Fim de semana?

— É. Pedi para a doutora Vanda vir até aqui. Ela é excelente psicóloga.

— Não preciso de terapia. Não sou louco.

— Embora terapia não seja para loucos, o que fizeste foi insano.

— Eu sei. Precisa repetir isso quantas vezes?

— Quantas vezes for necessário para que acordes e despertes para a vida. Chega de sofreres — falou Maria José.

— É difícil. É duro sofrer por amor.

— Vês como precisas de tratamento psicológico? Ninguém morre por amor. Um sentimento tão lindo como esse não pode causar dor ou sofrimento. Ainda não sabes o que significa o amor.

— Sei, sim! — protestou Edgar.

Maria José sabia ser impossível continuar a conversa. Edgar andava irredutível, parecia estar com a ideia fixa na cabeça. Ela perguntou:

— Querias mesmo tirar a própria vida por conta daquela sirigaita?

— Você sempre a chamou de sirigaita. Desde a primeira vez que a viu.

— Eu reconheço uma sirigaita a distância.

— Não fale mal de Denise, mamãe. Ela estava nervosa.

— Nervosa? — bradou Maria José. — Aquela sirigaita é da pior espécie. Nunca simpatizei com ela.

— Fica difícil conversarmos. Denise é boa pessoa. Ela vai esfriar a cabeça e vamos voltar a nos entender.

Maria José ia falar, mas Fernando fez gesto negativo com a cabeça. Acomodaram o rapaz em seu antigo dormitório.

— Descanse, meu filho — tornou o pai. — Tome esse remedinho. É para acalmar seus ânimos. Mais tarde voltamos a conversar.

Edgar assentiu com a cabeça e tomou o medicamento. Em instantes, adormeceu. Fernando tranquilizou a esposa:

— O médico solicitou dar-lhe esse sossega-leão e, em hipótese alguma, o deixemos sozinho. Não sabemos se ele voltará a cometer desatinos.

— Estou indignada. Meu filho, um homem tão bom e correto, tão amável, deixar-se cair em tristeza por essa mulher. Eu fico irritada com essa falta de amor-próprio de nosso miúdo.

— Edgar é humano, feito de carne e osso. Tem sentimentos. Sempre foi apaixonado por Denise.

— Isso não é amor, é praga.

— Talvez agora ele comece a refletir sobre sua vida. Um acontecimento desses sempre faz a pessoa parar para pensar na própria vida.

— Nosso filho ainda não encontrou o amor.

A empregada apareceu no corredor e avisou:

— O enfermeiro está lá embaixo.

— Pode mandar subir.

Em poucos instantes um rapaz alto e forte, vestido de branco, subiu as escadas, dobrou o corredor e cumprimentou Fernando e Maria José. Em seguida, eles o acompanharam ao quarto. Edgar dormia placidamente.

— Deixem comigo. Estou acostumado com esses casos. Vou cuidar do seu filho.

— Agradecida.

Eles desceram as escadas e foram para a biblioteca.

— Não me conformo.

— Com o quê?

— Meu filho ter de ser vigiado vinte e quatro horas. Pode?

— É preciso — respondeu Fernando.

— Será mesmo?

— É duro entendermos essa sandice, mas Edgar tentou matar-se. Não pode ficar sozinho e precisa de acompanhamento terapêutico.

— Vou ligar para a doutora Vanda.

— Ela não virá logo mais à noite?

— Quero que venha logo — Maria José consultou o relógio de pulso: — Não a acho muito convencional, mas parece que resolve os casos. Lembras da filha do reitor da universidade?

— E como esquecer? Foi abandonada pelo noivo uma semana antes do casamento.

— Um escândalo na época.

— Lembro-me bem. Foi um escândalo que tomou conta das revistas de mexericos por muito tempo.

— Pois bem. A menina ficou num estado de dó, nem comia, tamanha tristeza. Depois de algumas sessões com a doutora transformou-se em outra mulher. Hoje está casada, tem dois filhos lindos e vive muito bem ao lado do atual marido. É uma mulher feliz.

— Tem razão, quanto mais cedo, melhor. Ligue sim. Nosso menino precisa de nossos cuidados.

Maria José assentiu com a cabeça. Pegou o cartão na bolsa e discou para o consultório da psicóloga.

***

No fim da tarde do mesmo dia, Denise estava em outra sintonia. Sentada numa cadeira, fechou os olhos, respirou o ar puro e abriu os braços para a imensidão do mar azul.

— Isso aqui é o paraíso.

— É uma delícia.

— Nunca me senti tão leve, tão bem!

— O pôr do sol é deiz.

— É mesmo?

— Hum, hum. Você vai adorar.

Jofre sorriu e entregou-lhe uma taça de champanhe. Ela bebericou e coçou o nariz.

— As bolhas do champanhe me fazem cócegas.

— Você é um espetáculo de mulher.

— Obrigada pelo elogio tão direto.

— É casada, certo?

— Era. Eu me separei recentemente — mentiu. — Faz alguns meses. Em breve vou assinar os papéis da separação e serei uma mulher livre.

— Já é livre.

— Pelos olhos da lei ainda sou casada, mas não quero mais vínculos com meu ex-marido.

— Tem filhos?

— Não tivemos.

— Gosta de crianças?

— Gosto de ver, bem de longe.

Jofre riu e disse num tom irônico:

— Também não gosto muito de crianças. Elas são um pé no saco.

— Combinamos em alguma coisa.

— Faz o que da vida?

— Sou executiva da Dommênyca.

Jofre soltou ligeiro assobio.

— Uau! É a loja de eletrosdosmésticos mais famosa do Brasil.

— É, sim. Crescemos a olhos vistos. Nosso concorrente mais próximo está a anos luz de distância. Somos os melhores. Eu me orgulho do meu trabalho.

— Bem que a gente achávamos que te conhecia de algum lugar. Você já deu entrevistas na televisão, não?

— Sim. Às vezes apareço no noticiário noturno de alguma emissora. Agora com essa crise econômica, sempre sou requisitada para entrevistas.

— Essa crise vai passar?

— Como tudo na vida.

— Uma mulher como você precisa de homem pra quê? Aliás, as mulheres estão ficando cada vez menos dependentes de nóis.

Denise sorriu.

— Nem tanto. Ainda precisamos muito dos homens.

— Será?

— Eu pelo menos preciso de um.

— Isso me deixa animado.

Trocaram olhares significativos. Denise bebericou mais do champanhe e procurou mudar o rumo da conversa. Estava interessadíssima em Jofre, mas queria se fazer de desinteressada e difícil.

— O que é essa medalhinha no seu peito?

Jofre pegou a medalhinha e a beijou.

— É Santo Antônio, padroeiro da minha cidade. Quer dizer, da cidade que eu escolhi e me acolheu como filho.

— Qual é?

— Duque de Caxias.

— Não conheço pessoalmente, mas já ouvi falar. É um município situado na Baixada Fluminense. Sabia que a cidade deve seu nome ao patrono do Exército Brasileiro, Luís Alves de Lima e Silva, o Duque de Caxias, nascido naquela região?

— A gente não sabíamos.

— Fica longe daqui, não?

— É só pegar a Linha Vermelha e num pulo chegamos. Meus amigo tudo moram lá. Mudei pra cá fazem alguns anos.

— E o que você faz?

— Trabalho com importação e expo... Com comércio de carnes.

— Tem escritório próprio?

— Sim. Meu escritório fica em Duque de Caxias. Como tenho muitos dos negócios espalhados pela cidade, tem veiz que fico em São Conrado. A gente temos uma bela cobertura com piscina.

Os olhos de Denise brilharam de cobiça.

— Cobertura com piscina?

— Com piscina e cascata! Mandei instalar dois peixe dourados que gospem água. Lindos!

Denise tentou imaginar os tais peixes. Logo notou que Jofre podia ser rico, mas tinha um gosto para lá de duvidoso. Era só notar o colar pesado ao redor do pescoço, a pulseira de ouro no pulso, o relógio excessivamente chamativo, além dos tropeços no idioma... Mas e daí? Ele era um charme e ela estava gostando de sua companhia.

— É casado?

Jofre deu uma risadinha bem sapeca.

— Tive uns rolo, se é que me entende, mina. Tenho dois filhos espalhados por aí. Pago pensão pras mulheres.

— Não tem contato com eles?

— Não. Já disse que acho criança um pé no saco. Aconteceu e eles nasceram. Elas acharam que iam mi prender por conta da barriga. Qual nada. A gente não somos de ficar preso em mulher. Quer dizer, só quando a mulher interessa.

Ele disse e piscou para Denise. Ela estava leve por conta da taça de bebida. Sorriu e não disse nada.

Jofre podia ser brega e vestir-se de maneira cafona e espalhafatosa, mas era um bonito mulato na casa dos trinta, corpo atlético, tórax bem desenvolvido e, naquela hora da descida do sol, seus olhos pareciam duas pedras preciosas que faiscavam de desejo.

Denise levantou-se e desequilibrou-se. Ele foi rápido, aproximou-se e a tomou nos braços. Foi inevitável. Beijou-a com sofreguidão, demoradamente. Denise percebeu-se tonta, tamanho prazer que sentira.

— Você beija muito bem. Muito bem.

— Não viu nada. Fazemos outras coisas bem melhores do que beijar.

— Mesmo? — indagou ela de maneira provocativa.

— Vem — convidou ele, fazendo sinal com os olhos na direção do quarto que ficava na parte de baixo da embarcação de luxo.

Denise desceu com Jofre e amaram-se por horas a fio. Até que seus corpos cansados, suados e satisfeitos pelo ato sexual sentiram-se fatigados. Dormiram a sono solto e só acordaram quando a noite ia alta.

Jofre voltou com o iate até a Marina da Glória e deixou Denise em terra firme.

— Lamento não poder acompanhá-la. Ainda temos negócios a tratar.

— Adoraria vê-lo de novo.

— Quando volta pro Rio?

— Não sei ao certo, trabalho muito.

— E o outro fim de semana?

— Não me recordo de algum compromisso na semana que vem. Em todo caso vou checar minha agenda e...

Ele a cortou com delicadeza. Apanhou a bolsa dela, pegou o celular e apertou alguns números.

— Aí está marcado o meu número particular. Só pra pessoas especiais. Liga pra gente a hora que quiser.

Denise adorou a atitude. Sentiu um calorão apoderar-se do seu corpo e um desejo incontrolável por Jofre. Ela abanou o rosto.

— Adorei o dia. Pensei que fosse ficar ali, no meio daquela gente idiota, e acabei tendo um dia para lá de especial. Você foi meu salvador da pátria.

— A gente podemos ser tudo o que você quiser.

— Além de tudo, é um sedutor nato.

— Você merece tudo de bom que podemos ofertar.

— Assim fico envaidecida.

— É para ficar. Estamos ao seu dispor.

Jofre a beijou novamente com volúpia. Denise sentiu as pernas tremerem e nova onda de desejo a dominou. Precisava se recompor. Afastou-se com delicadeza e despediram-se.

Ele voltou para seus negócios e ela tomou um táxi até o hotel. Pegou a chave na recepção e subiu. Entrou no quarto, despiu-se e se jogou na cama grande e confortável.

"Estou tão feliz!"

Denise virava-se para um lado e para outro da cama. Abraçou-se a um travesseiro macio.

"Não consigo imaginar tudo o que me aconteceu desde ontem. Briguei com Edgar, deixei-o de uma vez por todas. Pensei que fosse ter um dia adorável ao lado do Leandro e acabei conhecendo Jofre. Como a vida é divertida!"

Em instantes, recapitulou tudo, desde a saída de casa na noite anterior, passando pela expectativa de um dia feliz ao lado de Leandro e o término da noite, completamente saciada nos braços de Jofre.

"Esse homem é até melhor que Leandro. Deve valer mais a pena investir nele. Ou nos dois. Vou levando as histórias paralelamente. O que importa é que eu me dê bem e nunca seja passada para trás. O resto que se lixe!"

Ela gargalhou, levantou-se e foi tomar uma gostosa chuveirada.

12

Horas antes, naquela tarde, Letícia arrumara-se com capricho. Colocara um vestido florido, colar de pedras, sandálias, fizera um rabo de cavalo. Estava animada, mas de repente sentiu uma onda de tristeza. Foi rápido demais, assim, num instante. Ela começou a bocejar, sentiu um pouco de tontura e jogou-se numa poltrona perto da penteadeira.

— Que vida triste — disse num gemido enquanto se abanava com as mãos.

Ela não percebeu, mas um espírito aproximou-se e murmurou em seus ouvidos:

— Sua vida é triste por conta desse canalha. Leandro não a merece.

Letícia sentiu ligeiro desconforto. Era como se aquela voz viesse de sua própria cabeça. Argumentou:

— Leandro é bom pai.

— Mas não é bom marido.

— Ele é bom marido. Se eu sentisse um pouco mais de prazer, talvez pudéssemos voltar a ser um casal apaixonado e feliz.

— Nunca! Jamais! — esbravejou a voz.

O suor começou a escorrer pela sua testa.

Iara bateu na porta. Letícia mandou-a entrar. Ela viu a patroa sentada na poltrona, branca como cera. Preocupou-se.

— O que foi, Letícia? Está passando mal?

— Nada demais, Iara. Um leve desconforto.

— Mesmo?

— Sim. Não estou acostumada com ventilador. Você ligou para o técnico vir consertar o ar-condicionado?

— Ele virá logo mais à tarde. Ligou agora há pouco para confirmar o horário.

— Ai que bom. Ao menos vou dormir bem esta noite.

— Quer um copo de água? Um refresco?

— Não. Vou sair.

— Subi para avisar que Mila a está aguardando no carro.

— Ótimo.

— Peço para ela subir?

— Não será necessário, Iara. Estou de saída.

Ela falou, levantou-se, apanhou a bolsa grande sobre uma cômoda e desceu. Despediu-se do filho e do marido.

— Você está pálida e com suor escorrendo pela testa — observou Leandro.

— É o calor.

— Quer um copo com água, mamãe?

— Não, meu querido. Sinto pequeno desconforto. Coisas do calor. Como pode? Eu nasci no Rio e nunca me habituei com o calor.

— Tem certeza? — perguntou Leandro.

— Tomei um banho rápido e me arrumei depressa. Logo passa.

Leandro beijou-a na face e continuou ao lado do filho, assistindo aos seriados. Ela respirou fundo, colocou os imensos óculos escuros e saiu. Entrou no carro de Mila.

— Amiga, que cara é essa?

— Que cara?

— Eu a conheço desde que nascemos.

— Dá para perceber?

— Mesmo atrás desses óculos gigantescos nota-se que está pálida.

— Não sei.

— Vamos, diga-me, o que foi?

— Um torpor, uma sensação desagradável. Acho que é o calor.

— Calor?

— Hum. Hum. Está fazendo mais de quarenta graus! A sensação térmica chega a mais de cinquenta.

— E por acaso estava na Sibéria? A vida inteira sentiu esse calor.

— O ar-condicionado do quarto está quebrado. Providenciei o conserto e só tenho usado ventilador de teto.

— Calor nada! Você não está com boa aparência.

— Acho que exagerei no almoço. Estou me sentindo meio melancólica.

— Isso está me cheirando à interferência espiritual.

— Tudo para você é interferência espiritual.

— É o que estou sentindo.

— Que coisa, Mila.

— Tirando a preocupação com o Ricardinho e o hospital, como tem sido o seu dia?

— Normal. Senti-me mais segura quando o Leandro apareceu. Tudo correu bem, eles estão na sala assistindo a DVDs de seriados americanos, que Ricardo adora.

— Que mais?

— Minha mãe esteve há pouco em casa, tivemos uma discussão boba por conta do livro que você me deu, mas nada que pudesse me abalar. A bem da verdade, eu até estava me sentindo muito bem.

— Nenhuma indisposição, nada?

— Nada.

— Pois vejamos: você estava bem, não tinha nada e de repente começou a suar frio, passar mal, ter repentes de humor...

— Talvez tenha sido a presença de minha mãe. Ela foi muito estúpida com o Leandro. Nunca a vi tratá-lo tão mal.

— Está acostumada com esse tratamento entre eles desde sempre.

— Você não estava lá para ver.

— Teresa nunca engoliu seu casamento. Tinha planos para você se casar com aquele rapaz, herdeiro da siderúrgica.

— Minha mãe queria que me casasse com qualquer homem, exceto Leandro.

— E o que mais?

— Hoje notei que ela falou com ódio. Muito ódio. Minha mãe é uma pessoa difícil, mas nunca a vi tão transtornada.

— Já lhe disse que sinto algum espírito rondando a sua casa.

— Será?

— Tenho estudado os fenômenos mediúnicos com seriedade e afinco. Olho para a sua casa e sinto uma coisa esquisita.

— Mesmo?

— Afirmativo. Agora mesmo, esperando você, notei que havia uma sombra próxima ao jardim — apontou para o local.

— Não gosto nem de ouvir falar.

— É para o seu bem. Ao menos você toma consciência dessa realidade, estuda, aprende.

— Para quê? — indagou Letícia, sem ânimo.

— Para se defender e afastar esse espírito com essas energias nocivas que estão perturbando você e seus familiares.

— Somos pessoas de bem.

— E qual o problema?

— Por que um espírito nos atrapalharia?

— Porque estamos rodeados de espíritos. Os nossos olhos não os veem, mas isso não quer dizer que eles não existam. Se não os vemos, precisamos saber como lidar com esses seres, principalmente os negativos, que carregam ódio no coração, entende?

— Entendo. É que me dá medo.

— Se se propuser a ler e entender do assunto, aposto que o medo vai se dissipar.

Letícia abraçou a amiga.

— Oh, Mila. Confio tanto em você! Se me diz que está sentindo um espírito nos rondando, é porque deve ser verdade.

— Pois sim, minha querida.

Mila deu partida e saíram do condomínio. Logo ganharam a avenida das Américas. Mila dirigia com atenção.

— O que mais quer saber? Pode perguntar.

— O que mais percebe?

— Posso ser sincera? De verdade?

— Claro que pode! Nunca houve segredos entre nós duas.

— A minha intuição diz que seu pai está por perto.

Letícia remexeu-se no assento e tirou os óculos escuros.

— Não fale nem por brincadeira uma coisa dessas!

— Acho que o doutor Émerson está por aqui. Em espírito, claro.

— Não é possível. Eu cremei o corpo do meu pai. Ajudei a fechar o caixão. Peguei suas cinzas e as espalhei no mar. Não pode ser.

— Você cremou o corpo físico do seu pai, o corpo de carne. O espírito continua mais vivo do que nunca.

— Não me disse certa vez que quem morre vai para outras dimensões?

— Por certo.

— Meu pai com certeza não está mais entre nós.

— Depende.

— Como depende? A pessoa morre e vai para um mundo de luz ou para o Umbral, certo? Você é quem disse.

— As coisas não são tão fáceis assim. Estudar sobre os mistérios da vida e mais, sobre o que ocorre depois da morte do corpo físico é assunto complexo que exige estudo, muito estudo. Tem espíritos que depois da morte do corpo físico ficam aqui na Terra. Geralmente, eles não conseguem fazer a passagem para o lado de lá, pois estão presos à família, têm assuntos pendentes, estão aflitos, querem dizer um adeus, dar uma comunicação ou mesmo não têm consciência de que estão mortos.

— Meu pai deve estar num bom lugar. Num plano superior, como se diz. Era ótimo pai.

— E um péssimo sogro. Lembra-se das brigas homéricas que ele tinha com Leandro?

— Eles nunca se bicaram. Mas isso não é motivo para afirmar que o espírito de papai esteja por perto, e ainda por cima nos influenciando de maneira negativa. Se estivesse, com certeza estaria me ajudando e não me atrapalhando. Eu e papai éramos muito ligados.

— É relativo. Émerson pode estar enxergando coisas que você não vê.

— Como assim?

— Os espíritos têm uma capacidade formidável de perceber nossos pensamentos, por exemplo. Além disso, quando estão vagando pela Terra, geralmente se encontram em desequilíbrio emocional, o que os torna mais amargos e perturbados. Eles ficam tomados por uma energia densa, pesada. Quem é sensível percebe logo a presença deles. É algo forte e perturbador.

— Tudo é muito novo para mim. Nunca quis me interessar por religião ou espiritualidade. Fui batizada na Igreja Católica, depois fiz primeira comunhão. Aos poucos fui me afastando da missa, dos eventos ligados à Igreja. Deixei de frequentar a missa de domingo e, às vezes, rezo em casa.

— A oração é importante, não importa se temos ou não algum tipo de religiosidade. Mas só a oração não basta para que fiquemos livres dessas influências negativas.

— O que sugere? — indagou Letícia bastante interessada.

— Nunca é tarde para começar a estudar e tentar entender essa fantástica relação entre os mundos.

— Desde que me deu aquele romance espírita, tenho pensado na possibilidade concreta de continuação da vida, tenho repensado as desigualdades sociais...

Letícia falou e Mila desacelerou o carro. O sinal num dos cruzamentos da avenida das Américas ficou vermelho. Pararam próximo à faixa de pedestres e logo duas crianças aproximaram-se com balas e chicletes nas mãozinhas sujas e maltratadas. As duas dentro do carro fizeram sinal negativo com a cabeça e elas se afastaram, indo em direção a outro veículo tentar vender os produtos.

— É disso que falo, amiga — Mila apontou para as crianças. — Por que elas estão aí, largadas nas ruas, sem abrigo, sem direito à educação e sem um teto decente para morar? Por que não estão na escola recebendo ensino, aprendendo a ser cidadãs, recebendo amor e carinho de seus pais ou responsáveis?

— Fruto da desigualdade social.

— Ao menos acredita em Deus?

— Por certo! Por mais que não seja tão religiosa como antes, acredito numa força que rege nosso mundo.

— Se Deus, ou essa força, rege a vida e nos trata a todos de maneira igual, por que essas crianças estão levando uma vida dura e triste e seu filho está em casa, no aconchego do lar, ao lado do pai, rodeado de amor e carinho e com toda sorte de conforto e cuidados? Ricardinho nasceu em um lar abençoado, tem o amor dos pais e essas crianças estão aí, passando fome, desprotegidas, talvez órfãs ou convivendo com pais violentos. Por quê?

Letícia sentiu um aperto no peito. Não sabia o que responder. Abriu a janela do carro e fez sinal com uma das mãos para uma das menininhas. A pequena se aproximou e abriu largo sorriso.

— Quer um saquinho de bala, tia?

— Claro. Quanto custa?

— Um real o pacote.

— Quantos anos tem?

— Nove.

— Não deveria estar na escola?

A garota sorriu com ironia.

— Eu não posso ter esse luxo.

— Por que não?

— Tenho de trabalhar.

— Sua mãe não a colocou na escola?

— Não tenho mãe nem pai. Eu e meus três irmãos somos criados pela minha avó, que é doente. Tenho de ajudar a comprar comida e remédio. Vovó disse que Deus não paga as contas nem manda comida ou remédio lá do céu.

Letícia sentiu-se muito triste. Se Deus tratava a todos da mesma maneira, por que deixaria aquela criancinha tão indefesa largada no mundo, correndo o risco de passar fome, frio ou sofrer abusos? Começou a entender um pouquinho do que Mila estava lhe falando. Abriu a bolsa e entregou para a pequenina uma nota de dez reais. Os olhos da menina brilharam emocionados.

— Tudo isso para mim?

— É.

— Vai levar toda a caixa de balas?

— Vou sim — Letícia pegou a caixa com as jujubas.

A menina saiu correndo, feliz da vida, mostrando às outras crianças a nota de dinheiro. O sinal ficou verde e Mila deu partida.

— Tudo bem, você vai me dizer que o governo não ajuda, que as crianças merecem cuidados, atenção especial etc. No entanto, vamos olhar a situação com olhos mais espirituais e racionais, desprovidos de emoção.

— Essa cena de há pouco me cortou o coração.

— Se nascemos e morremos uma única vez, por que essa menininha tem de viver tão pobremente e o seu filho tem direito a tudo?

— Seria uma grande injustiça viver uma vez só.

— Percebe? Já que somos iguais perante a vida, todos deveríamos nascer, viver e morrer da mesma forma.

— Isso não acontece. Eu mesma não me conformo com essas crianças abandonadas.

— Claro que podemos fazer alguma coisa para ajudá-las a ter uma vida melhor. Podemos criar organizações, ajudar na educação, fazer várias ações humanitárias que possam dar uma possibilidade de vida mais positiva e um futuro prazeroso para essas crianças. Mas o que quero dizer é que elas não estão vendendo balas num sinal fechado somente por uma questão de desigualdade social. Isso existe, mas o problema é muito mais complexo e profundo.

— Já pensei nesse assunto algumas vezes. Tenho conhecidas que mal se relacionam com seus pais. Eu, por outro lado, perdi o meu que tanto amava.

— Acontece com todos nós. Parece que somos todos iguais, mas na verdade não somos. Somos semelhantes, contudo jamais seremos iguais.

— Isso é fato.

— Nossa vida pode ser parecida, Letícia, entretanto, é carregada de significados muito particulares e únicos. A minha vida, as minhas experiências, minhas alegrias e dores são muito importantes para mim, e talvez não sejam importantes para você, contudo elas vão moldar o meu espírito, de acordo com a trajetória de minha vida aqui no planeta.

— Amiga, você é tão mais esclarecida do que eu!

— Eu sempre me interessei pelo assunto.

— Sinto até vergonha de ser tão tosca na questão espiritual.

— Eu comecei a pensar no assunto desde pequena. Não me conformava de ter perdido meus pais tão cedo.

— Também pudera. Mal havia nascido quando seus pais morreram naquele acidente horrível[2].

— Eu era um bebê, tinha acabado de nascer e meu pai precisava fazer uma apresentação, acho que recebeu convite para uma peça. Minha mãe deixou-me com minha tia. Era para ser assim. Como cresci sem conhecê-los, parece que tudo foi mais fácil. Talvez se os tivesse perdido na adolescência, ou mesmo na fase adulta, os sentimentos tivessem sido diferentes.

— Como aconteceu comigo. Dói muito a perda de meu pai.

— É, com você foi diferente. No fim das contas, cresci rodeada de muito carinho. Meus tios foram ótimos e fizeram o possível para eu não sentir tanto a falta dos meus pais.

— Houve momentos em minha vida que eu achei muito injusto você ter ficado órfã.

— Não enxergo como injustiça. Tenho plena convicção de que meu espírito quis passar por essa experiência a fim de valorizar a família. Hoje não damos mais valor aos pais, aos entes queridos, aos laços de sangue que nos unem. Não temos mais respeito por aqueles que nos deram a vida, que nos deram a chance de reencarnar e amadurecer o nosso espírito por meio de uma série de ricas experiências que só a vida na Terra é capaz de nos oferecer.

— Nunca sentiu falta dos seus pais?

— Sim. Muitas vezes, mas nunca me revoltei. Quando titia me deu de presente *O Livro dos Espíritos*, de Allan Kardec, fiquei maravilhada. Mais de mil perguntas e respostas esclareceram muitas das dúvidas que eu carregava em meu íntimo.

— Leu o livro e tudo se resolveu? Todas suas dúvidas foram dissipadas? Acreditou sem ter provas?

— Aí é que você se engana. Na adolescência, minha tia me deu de presente livros que comprovam cientificamente a reencarnação.

2 O acidente em que os pais de Mila desencarnaram ficou conhecido como a Tragédia de Tenerife — trata-se do maior acidente da história da aviação até hoje registrado. Ocorreu em terra, em 27 de março de 1977, quando dois aviões — um holandês e outro americano — chocaram-se no aeroporto localizado na Ilha de Tenerife, no Arquipélago das Canárias, Espanha, matando 583 passageiros (N.A.).

— Só encontrou respostas nos livros? Qualquer um pode escrever o que quiser e publicar. Isso não me convence.

— Já mocinha, eu reencontrei meu pai.

— Como assim? Ele morreu e...

Mila a cortou com delicadeza. Sorriu:

— Eu tive um sonho, muito embora tenha sido tão vivo aquele encontro, que depois de muito estudar tive a certeza de que saí do corpo físico para me encontrar com ele. Faz um bom tempo que aconteceu, mas parece que foi ontem.

— Nunca me contou isso.

— Você nunca perguntou, oras.

— Não queria tocar no assunto e vê-la triste. Sabe que é como uma irmã para mim — disse Letícia, apertando delicadamente a mão da amiga.

— Também gosto muito de você, como uma irmã.

— Esse assunto não me entristece.

— Não? — perguntou Mila surpresa.

— De maneira alguma — Letícia interessou-se. — Como foi esse sonho?

Mila sorriu ao recordar-se da primeira vez que sonhara com o pai.

— Meu pai estava muito bem no sonho. Explicou-me que seu espírito decidira desencarnar naquele acidente. Afirmou que nós três — eu, ele e minha mãe — havíamos traçado esta vida antes de nascermos, prevendo esses acontecimentos.

— Voltou a reencontrá-lo, quer dizer, a sonhar outras vezes?

— Faz muito tempo que não sonho com ele. Papai tem sua própria vida, vive numa outra dimensão.

— Se eu pudesse acreditar nisso!

— É só abrir sua mente e seu coração para as verdades da vida. Quando acreditamos que a vida continua após a morte, parece que nosso coraçãozinho fica menos apertado. A saudade é grande, ela nunca vai nos abandonar, mas não há desespero ou revolta. Temos plena convicção de que vamos reencontrar nossos entes queridos quando a nossa jornada terminar neste mundo. Tudo é uma questão de tempo.

— Acha mesmo que estou sofrendo interferência espiritual?

Mila assentiu com a cabeça.

— Seu pai está rondando sua casa... Não tenho dúvidas.

— O que faço?

— Mantenha bons pensamentos. Estude mais a respeito do mundo dos espíritos. Precisa aprender a lidar com o invisível.

— Não tenho livros. Só aquele romance que você me deu.

— Vou comprar *O Livro dos Espíritos* e *O Livro do Médiuns* para você.

— Não precisa, não. Eu os compro.

— Quero lhe dar de presente. Estou com uma forte intuição de que esses livros vão ajudá-la bastante a compreender tudo o que diz respeito à espiritualidade e você vai aprender a lidar com essas energias.

— Obrigada, Mila. Vou ler com carinho e enchê-la de perguntas. Prepare-se.

A amiga sorriu.

— No que puder esclarecer, será um prazer ajudá-la. Aproveite e converse com Leandro a respeito. Ele me parece uma pessoa de mente aberta para esses assuntos.

— É, sim. Disse-me que quer ler *Uma história de ontem* tão logo eu o termine.

— Parece que estão se reaproximando. Estou certa?

Letícia suspirou contente.

— Precisamos conversar sobre isso. Tenho sentido enorme desejo de me entregar a ele.

— Pois se entregue. É seu marido.

— Eu quero, mas depois não quero. Parece que há duas Letícias.

— Conversou com seu analista?

— Sim.

— Temos a tarde toda para conversar. Chegamos.

Mila entrou no estacionamento do *shopping*, colocou o carro numa vaga e logo estavam entretidas entre vitrines e sacolas de compras.

13

Mais um episódio do seriado CSI chegou ao fim e Ricardinho sentiu fome. Sugeriu ao pai:

— Vamos fazer um lanche?

— Mesmo? Tem fome?

— Bastante!

— Isso é bom sinal.

— Acho que foram os pontos no joelho que abriram meu apetite.

Leandro passou delicadamente as mãos pelos cabelos do filho.

— Vou pedir para a Iara fazer um lanche para nós.

— Não, pai. Vamos os dois até a cozinha. Aprendi a fazer um sanduíche muito maneiro. Vem comigo.

Ricardo foi puxando o pai até a cozinha. No caminho, Leandro quis ir ao banheiro.

— Vai na frente e num minuto estarei na cozinha.

— Está certo, pai.

Leandro entrou no lavabo e Ricardo foi até a cozinha. Iara estava na área de serviço. O menino abriu a geladeira, pegou alguns frios e o pote de maionese. Colocou-os sobre a bancada próximo da pia e, ao virar-se, viu nitidamente uma forma humana, embora meio esfumaçada, quase transparente, encostada na porta do armário.

A forma humana estava constrangida. Não queria ser vista. Ricardo sorriu e cumprimentou:

— Oi, vovô. Como está?

Émerson sentiu um nó na garganta. Era a primeira vez que o menino lhe dirigia a palavra.

— Você pode me ver?

— Posso.

— Já me viu aqui na sua casa antes?

— Já.

— Por que nunca falou comigo?

— Porque achava que era coisa da minha imaginação. Na semana passada vi um filme na televisão sobre espíritos chamado *O Sexto Sentido* e perdi o medo de falar com você. Percebi que sou igual ao garoto do filme. Como tem passado? — perguntou Ricardinho, com tremenda naturalidade.

— Estou bem.

— Eu soube no filme que aqueles que morreram e continuam aqui no planeta têm coisas mal resolvidas, assuntos pendentes. É isso?

O avô ia responder, apesar de estar atônito, contudo, Leandro entrou na cozinha.

— Falando sozinho, filho?

— Não, pai.

Leandro olhou ao redor e não viu ninguém.

— A Iara não está na cozinha.

— Mas meu avô está. Quer dizer, estava. Sumiu.

— O quê?

— É. O vovô estava aqui. Começamos a conversar, mas você apareceu e ele sumiu.

— Deve estar brincando. O seu avô morreu. Faz um tempinho.

— Eu sei, né, pai? Fui ao velório e ao crematório. Eu me lembro. Mas o espírito dele está vivo.

Leandro assustou-se com a desenvoltura do filho. Ricardo falava com naturalidade desconcertante. Pego de surpresa, indagou:

— O que ele lhe disse?

— A conversa estava engrenando quando você chegou. Agora só vai aparecer de novo quando ele quiser.

— Vou tirar você desta casa, seu cretino — sussurrou o espírito.

Leandro sentiu os pelos dos braços eriçarem e um arrepio na espinha, além de uma sensação pesada no estômago. Ele não escutou a frase, mas sentiu a presença de Émerson na cozinha.

— O vovô disse alguma coisa no seu ouvido e partiu. O que foi que ele disse?

— Não sei, não escutei nada.

Leandro tentou disfarçar o incômodo.

— Eu não queria que você assistisse àquele filme na televisão. Viu no que deu? Ficou impressionado.

— Fiquei nada. O filme me ajudou a entender algumas coisas.

— Que coisas, Ricardo?

— Depois vamos conversar mais sobre o assunto.

O menino falou, pegou a bandeja com os sanduíches e foi para a sala. Leandro estava boquiaberto com a naturalidade com que o filho entabulara aquela conversação surreal.

Quando Letícia chegasse mais à noite, ele contaria sobre essa estranha conversa do filho e a sensação ruim que se apoderara de seu corpo. Leandro espantou os pensamentos desagradáveis com as mãos. Acompanhou Ricardo até a sala.

A noite chegou. Letícia e Mila entraram na casa carregadas de sacolas de compras. Leandro e Ricardo brincavam no *video game*.

— Acho melhor ir para minha casa.

— Imagine, Mila. É nossa convidada para o jantar.

— É noite de sexta-feira.

— Você não gosta de sair nessas noites. Sempre me disse que sextas e sábados devemos ficar em casa ou ir à casa dos amigos, pois os lugares todos estão sempre lotados.

Mila riu.

— Tem razão. Os bares, restaurantes e cinemas ficam apinhados de gente. Prefiro o aconchego do lar e um filminho, uma pipoca. Passei da idade de enfrentar filas e mais filas.

— Assim nunca vai encontrar um bom partido.

— Que nada! Viu como fui paquerada no *shopping*?

— Mas não deu trela.

— Não me interessei por nenhum deles. Sinto que na hora certa eu vou encontrar um homem que me desperte os sentimentos mais puros e verdadeiros. E isso poderá acontecer na rua, no trânsito, na fila do supermercado. Eu não preciso estar em lugares cheios de gente para me apaixonar. E, de mais a mais, as mulheres de nossa idade estão muito competitivas. Até brigam por homem, veja só!

Letícia riu.

— As mulheres estão perdendo a vergonha. Estão mais atiradas.

— Eu não tenho pressa de nada. No momento certo vou encontrar o homem de minha vida.

— Você fala com tanta propriedade. Sempre me disse isso desde a adolescência. Namorou poucos meninos.

— É o meu jeito. Eu sinto que na hora certa eu vou saber.

— Eu quero muito que você seja feliz, Mila.

— Eu também quero, de coração, que você se acerte com o Leandro. Formam um lindo casal. Eu sempre apostei na relação de vocês.

— Pois é. Eu também.

— Lembre-se de nossa conversa no *shopping*. Deixe seu orgulho de lado. Abra seu coração e tente se entender com seu marido.

Letícia deixou as sacolas de compras sobre um sofá e abraçou a amiga.

— Não sei o que seria de mim sem você. Obrigada.

Mila emocionou-se e a beijou no rosto.

— Sou feliz por compartilhar sua amizade.

— Podemos jantar e depois assistimos a um DVD. Tenho vários títulos na sala de TV.

— Você tem aquele filme — Mila coçou o queixo — *O Melhor Amigo da Noiva*, com o Patrick Dempsey?

— Se tenho? Claro. Adoro esse ator. Ele é um gato!

— Queria arrumar um namorado assim, no estilo dele, sabe?

— Ótimo. Escolhemos o filme. É uma comédia romântica deliciosa. Depois, faremos baldes de pipocas. Se ficar muito tarde, você dorme no quarto de hóspedes.

— Combinado. Vou ficar.

— Assim me ajuda a espantar algum fantasma, caso apareça.

— Não estou sentindo nada.

— Não disse que foi impressão?

Leandro deixou o filho jogando sozinho e foi ao encontro delas.

— Como foi a tarde? Divertiram-se?

— Bastante — tornou Letícia. — Compramos umas besteirinhas. Coisas de mulher.

— Um batom, um par de sandálias — prosseguiu Letícia.

Leandro passou a língua pelos lábios, nervoso.

— O que foi? Está apreensivo.

Mila sorriu e foi caminhando para outra sala.

— Fiquem à vontade.

— Não — sugeriu Leandro. — Fique. Acho que você pode me ajudar a entender o que aconteceu aqui nesta tarde.

— Alguma coisa com nosso filho? — perguntou Letícia preocupada.

— Sim. Mas não se desespere, não é nada grave, creio.

— O que aconteceu?

Ele fez sinal para elas se afastarem da saleta de TV. Entraram na sala de jantar e Leandro cerrou as portas de correr. Começou a contar o episódio surreal:

— No meio da tarde, Ricardo sentiu fome e propôs fazermos um lanche. Fui ao banheiro primeiro e quando entrei na cozinha ele falava sozinho.

— Sozinho?

— Sim. Disse-me que estava conversando com o avô.

— Como assim? — perguntou Letícia, sem entender.

— Ele me afirmou que estava conversando com o espírito do seu pai.

Letícia levou a mão à boca.

— Não pode ser!

— Ele falou com naturalidade. Afirmou se tratar do espírito do avô.

— Ricardinho teve muitos amiguinhos imaginários na infância, mas depois dos sete anos tudo se acalmou.

Mila interveio.

— Ricardinho tem sensibilidade apurada.

— Mas ele é muito novo, Mila.

— E daí? Geralmente nessa idade a criança começa a despertar sua sensibilidade.

— Você mesma disse que é perigoso uma criança desenvolver mediunidade. Falou isso lá no *shopping*.

— Forçar uma criança é perigoso. No entanto, no caso do seu filho, é natural, espontâneo. Ricardinho não é bem uma criança. Tem doze anos. Depois do jantar, vamos fazer o Evangelho no Lar.

— Como assim?

Mila sorriu.

— O Evangelho no Lar é uma prática comum entre os espíritas. Trata-se de uma reunião familiar, em torno do livro *O Evangelho Segundo o Espiritismo* ou outro que tenha mensagens que discutem os textos sagrados como *Pão Nosso* ou *Fonte Viva*[3]. Todos se sentam ao redor da mesa e é feita uma prece. Depois, inicia-se uma leitura de algum trecho do Evangelho ou de um dos livros citados. Fazem-se comentários, debate-se e encerra-se com nova prece. É simples, dura entre quinze e trinta minutos.

— E serve para quê?

— Para manter a casa protegida pelos espíritos de luz, para afugentar o lar de espíritos que queiram nos perturbar. Daí precisarmos fazer essa reunião uma vez por semana, preferencialmente no mesmo dia e horário.

— Gostei — disse Leandro.

— Hoje, depois que fizermos nossas orações e estivermos protegidos e amparados pelos amigos espirituais, vou ler algumas partes de *O Livro dos Médiuns* e tirarei suas dúvidas, na medida do possível — disse Mila.

— Bem que você insistiu em me comprar os livros hoje.

— A minha intuição não me engana, amiga.

— Eu sou a culpada disso.

— Por que diz isso, Letícia?

— Eu deixei Ricardinho assistir a um filme na televisão semana passada. Ele ficou radiante.

Leandro emendou:

— Fui eu quem o deixou assistir a esse filme sobre espíritos. O menino ficou impressionado.

— Calma. Não é isso, não — tornou Mila com amabilidade na voz. — Ricardo tem doze anos de idade. Geralmente a sensibilidade começa a despertar por volta dessa idade, entre doze,

---

3 Trata-se da conhecida coleção do espírito Emmanuel, psicografada por Francisco Cândido Xavier, comentando os textos sagrados. Os quatro volumes são: *Caminho, Verdade e Vida; Pão Nosso; Vinha de Luz* e *Fonte Viva*. Publicados pela FEB, são ideais para a prática do Evangelho no Lar (N.A.).

treze anos. Seu filho é muito esperto, inteligente. O filme somente despertou e aguçou sua sensibilidade. A leitura e compreensão dos livros que comprei, ao contrário do que você imagina, vão ajudá-lo a entender melhor o mundo invisível que nos rodeia.

— Não sei ao certo. Tenho medo. Falar de espíritos, mexer com os mortos...

— Ninguém está aqui mexendo com os mortos — emendou Mila. — Estamos falando sobre uma eventual comunicação com alguém que não se encontra mais neste mundo. Só isso.

— Mas Ricardinho assustou-se? — indagou Letícia ao marido.

— De forma alguma. Falava naturalmente. Parecia que o avô estava vivo, na frente dele. Não vi nada, contudo senti um arrepio estranho, uma sensação desagradável.

— Você não viu, mas Émerson esteve aqui — e, virando-se para Letícia: — Não lhe disse que percebi uma presença estranha no seu jardim esta tarde?

— Foi.

— Agora tenho certeza de que era o espírito do seu pai.

— Se vocês vissem Ricardinho falar com ele! Foi de arrepiar!

— Émerson nunca gostou de você, Leandro — tornou Mila. — Quando o espírito desencarna, quer dizer, quando deixa o corpo físico, torna-se mais sutil e mais sensível às irradiações de pensamentos das pessoas. Dessa forma, as emoções do desencarnado se fundem às do encarnado ou encarnados ao seu redor. Se você é feliz aqui no planeta, ao morrer vai sentir muito mais felicidade. O mesmo ocorre com a raiva e mágoa. As emoções se agigantam fora do corpo físico. Daí necessitarmos ter alto grau de equilíbrio emocional.

— Se tudo isso é verdade, por que ele esteve aqui?

— Não sei ao certo. Cada caso é um caso. Depois do jantar vamos fazer o culto do Evangelho no Lar. Deixaremos o filme para outro dia, amiga.

— Vou colocar Ricardinho para dormir mais cedo e...

— Qual nada! — protestou Mila. — Ele deve estar presente. Quanto mais cedo entender do assunto, melhor.

— Ele é muito novo.

— Engana-se, minha amiga. Seu filho pode aparentar ser jovenzinho, entretanto seu corpo físico abriga um espírito maduro que viveu muitas e muitas vidas.

— Não sei. Esses assuntos sempre me deixaram nervosa.

— Não tem por que ficar nervosa. Quanto mais souber acerca do mundo espiritual, mais fácil aprenderá a lidar com os espíritos e as energias que deles emanam, permitindo receber as vibrações salutares dos amigos invisíveis e defender-se das energias perniciosas daqueles que não a querem bem.

— Vou falar com Iara para colocar mais um prato à mesa.

— Eu vou conversar com o Ricardo.

— O que vai perguntar a ele, Mila?

— Nada demais. Quero saber como foi essa visita do avô, mais nada.

— Está sentindo a presença do meu sogro?

— Estou, Leandro. Émerson está por perto.

— E agora?

— Temos de saber o que ele quer.

14

Edgar abriu e perpassou os olhos pelo ambiente, tentando imaginar onde se encontrava. Avistou uma figura alta e forte sentada logo à sua frente.

— Eu morri?

— Não, por que pergunta? — indagou o enfermeiro.

— Não sei onde estou, e você está todo de branco...

— Está na casa dos seus pais.

O rapaz passou as mãos pela testa. Lembrou-se de tudo.

— Essa não! Eu não queria vir para cá.

— Tinha de ser assim — o enfermeiro levantou-se, aproximou-se da cama e mediu a pulsação. Em seguida, perguntou: — Como se sente?

— Bem.

O enfermeiro tocou uma sineta e em instantes Maria José apareceu na soleira. Correu até a cama do filho.

— Como andas, minha criança?

— Melhor, mãe. Melhor.

— Sentes fome?

— Não.

Edgar ajeitou o corpo e sentou-se na cama. Maria José apoiou os travesseiros entre suas costas e a cabeceira da cama.

— Precisamos conversar.

— Não quero conversar, mãe.

— A doutora Vanda está lá embaixo. Chegou há pouco.

— Quem é essa?

— Uma psicóloga. Ela é muito *gira*! — disse Maria José animada, usando a expressão portuguesa que significa legal, bacana, interessante. E emendou: — Vai ajudá-lo e...

Edgar cortou a mãe secamente.

— De maneira alguma! Recuso-me a falar com uma psicóloga.

— É importante. É bom conversar com um profissional e receber tratamento adequado.

— Tratamento? Acaso me acha louco?

— Não, todavia o que tentaste fazer não é normal.

— Foi um ato desesperado. Não vai mais se repetir.

— Ela vai ajudar-te a equilibrar teus sentimentos, dominar tuas emoções.

— Não quero.

Maria José levantou-se e exalou profundo suspiro.

— Na minha casa mando eu! Estou farta de ver-te nesse estado. A Vanda vai subir e tu vais, ao menos, conversar um bocadinho com ela, nem que seja por um minutinho.

— Mas...

— Nada de mas! Não te encontras em teu juízo perfeito. Eu tomo as rédeas e, enquanto estiveres em casa, vai ser assim, como eu quero.

Ela falou, virou-se de maneira abrupta e saiu do quarto. Logo a psicóloga entrou e encostou a porta.

Vanda era uma mulher de presença, muito simpática. Tinha um semblante tranquilo; andava e vestia-se elegantemente. Fez uma mesura com a cabeça para o enfermeiro e este retirou-se do quarto.

Ela aproximou-se da cama e sentou-se numa cadeira. Sem tirar os olhos dos de Edgar, cumprimentou-o.

— Como vai?

Ele fez cara de pouquíssimos amigos.

— Vou indo.

— Sente-se bem?

— Hum, hum.

— Precisa de alguma coisa?

— Quero sossego. Não preciso de nada.

— Por que tentou o suicídio?

A palavra era muito forte para ele. Sabia ter atentado contra a própria vida, no entanto, a palavra suicídio não lhe caía bem aos ouvidos. Era como se se sentisse fraco, impotente, um nada. Edgar percebeu sua face avermelhar-se.

— Eu não tentei nada.

— Não?

— Foi um momento de fraqueza. De repente, quando eu me dei conta do ato insano, estava lá, caído no chão. Ainda bem que não aconteceu nada.

— Descreva-me os seus sentimentos em relação a Denise.

— Como?!

— O que você sente por sua esposa?

Ele se revirou nervosamente na cama. Abaixou os olhos.

— Eu amo a minha mulher. Amo-a com todas as minhas forças.

— Tem certeza?

— Claro. Denise é a mulher da minha vida. Sem ela não sei viver.

— E se tivesse de viver sem ela? Como seria?

— Não imagino. Ela vai voltar. Foi uma briguinha à toa. Ela me ama. Vai voltar e tudo vai ser como antigamente.

— Você já parou para pensar que não existe relação perfeita, e sim a relação possível?

— Mas a minha relação é perfeita! — disse Edgar sem dar atenção ao comentário.

— Vamos imaginar o pior. Suponha que ela não volte.

Edgar falou num tom acima do normal.

— Ela vai voltar!

— Calma. Estou conversando com você.

— Não quero conversar com você. Por favor, retire-se.

Vanda não disse nada. Meneou a cabeça para cima e para baixo, fez algumas anotações num bloquinho, guardou-o na bolsa e levantou-se. Saiu do quarto e em seguida o enfermeiro entrou.

Edgar começou a chorar e gritar por Denise. O rapaz teve de lhe aplicar um sedativo. Vanda desceu e sorriu para Maria José e Fernando.

— Ele está muito resistente, mas vai mudar.

— Tens certeza, Vanda?

— Absoluta.

— Estou nervosa. Edgar gritou contigo.

— É normal. Ele está se sentindo fraco e impotente. Não quer demonstrar sua fraqueza e acredita piamente que a esposa vai voltar para ele.

— Mas sabemos que não vai.

— Não sei — tornou Fernando. — Essa rapariga bem que pode querer voltar. Denise é temperamental e manipuladora.

— Não vou permitir — protestou Maria José. — Essa mulher não vai mais se aproximar do meu filho.

— Vamos aguardar — retrucou Vanda. — Eu sinto que o ciclo entre seu filho e Denise ainda não terminou. Ele tem uma dependência emocional muito grande em relação a ela. Talvez com o tempo ele mude.

— Vais ajudar-nos, não?

— Farei o possível. Retornarei amanhã de manhã.

— Obrigada, Vanda.

Eles se despediram e a psicóloga foi embora.

— Acha mesmo que ela é boa?

— Tenho as melhores referências, Fernando. Vanda vai ajudar nosso filho. Eu sinto isso — disse Maria José, enquanto levava a mão ao peito.

***

Depois de um jantar leve e descontraído, Letícia convidou a todos para irem ao escritório. Era uma mistura de biblioteca com escritório, local que Leandro usava nos fins de semana para seu trabalho.

O cômodo era todo em tons claros, móveis modernos e bem distribuídos. Havia duas poltronas e um sofá de dois lugares, bem confortáveis. Mais ao canto havia uma mesa redonda para reuniões, com quatro cadeiras. Mila fez sinal para sentarem-se.

— Aqui está perfeito. O ambiente exala tranquilidade.

Leandro saiu e voltou em seguida com uma bandeja. Nela havia uma jarra com água e quatro copos. Mila indicou que ele colocasse a bandeja sobre a mesa.

— Eu gosto muito daqui — ponderou Leandro. — É o meu cantinho predileto quando estou sozinho na casa. Aqui trato de alguns assuntos da empresa e, vez ou outra, sento-me com Ricardinho e lemos algum livro juntos.

— É. Papai e eu lemos em silêncio e depois paramos e

discutimos o texto. Acabamos de ler *Quintessência*, de Jorge Desgranges. É um livro maneiro, e eu sabia que o Santiago não tinha cometido aquele crime horroroso. Não é, pai?

— É, sim. No momento estamos fazendo a análise de *Dom Casmurro*, de Machado de Assis.

— Você conhece o livro, Mila? — indagou Ricardo.

— Conheço. É um clássico da literatura brasileira. Aprecio demais os livros de Machado, mas você não é muito jovem para ler e entreter-se com esse tipo de leitura?

— Imagine! Eu tenho quase treze anos. Sou praticamente um homem.

Todos riram. Letícia o abraçou e o beijou no rosto.

— Esse menino é diferente. Sei que todas as mães dizem o mesmo de seus filhos, entretanto, Ricardo tem uma sensibilidade ímpar. Ele se diverte com a leitura de um clássico nacional, assim como se diverte com o *video game*.

— Gosto de muitas coisas.

— E qual o seu parecer em relação ao livro do Machado de Assis? — indagou Mila com os olhos brilhantes e curiosos.

— Eu acho que a Capitu não traiu o Bentinho. Ele se deixou levar pela maledicência dos outros. Ela é pura e apaixonada pelo marido. Meu pai acha que ela traiu o marido. Ficamos horas discorrendo sobre o tema, não é papai?

Leandro abriu largo sorriso.

— É. Ricardo tem razão. Divagamos e imaginamos o pensamento dos personagens.

Mila sorriu e conversaram sobre outros livros de Machado. Sentaram-se à mesa e ela pediu que fechassem os olhos.

— Vamos nos desligar de tudo o que conversamos até agora. Deixemos o assunto dos livros de lado, as conversas do jantar. Vamos respirar e soltar o ar bem devagar.

Eles a obedeceram. Ela continuou:

— Agora vamos fazer a prece inicial.

Mila fez sentida prece de abertura. Em seguida, leu um trecho de *O Evangelho Segundo o Espiritismo*. Discutiram o tema, fizeram uma prece por eles, pelos familiares e amigos. Pediram proteção para a casa e, se algum espírito ali estivesse, que recebesse auxílio dos amigos ali presentes. Terminaram com nova prece e marcaram de se reunir no mesmo dia da semana seguinte, no mesmo horário.

— Estou sentindo uma agradável sensação — disse Letícia.

— Eu também — emendou Leandro. — Devemos fazer essa reunião mais vezes.

— Interessante seria vocês se reunirem ao menos uma vez por semana e fazer o que fizemos. O Evangelho no Lar nos fortalece, ajuda a manter a harmonia, além de os espíritos amigos virem e nos inspirarem coisas boas. Embora o recomendado seja fazer a reunião com pelo menos duas pessoas, em casa eu faço sozinha.

— Venha fazer aqui conosco também — pediu Ricardo.

— Adoraria participar. Senti-me muito bem.

Todos concordaram afirmando com a cabeça.

— Agora vamos tomar a água. Ela está fluidificada[4].

Em seguida, Mila tirou de sua bolsa um livro de capa verde, com o título em dourado. Foi Ricardo quem leu.

— *O Livro dos Médiuns*. O que é isso?

— Esta obra foi escrita por Allan Kardec, o codificador do espiritismo. Já ouviu falar?

O menino fez um gesto afirmativo com a cabeça.

— Conheço-o. Não sei de onde, mas já ouvi falar.

— *O Livro dos Espíritos* trata dos fundamentos da doutrina. É um livro rico em ensinamentos. Já *O Livro dos Médiuns*, lançado alguns anos depois, é uma espécie de guia que Kardec escreveu para ajudar as pessoas a lidar com a sensibilidade. Segundo o autor — Mila correu os olhos no texto — seu objetivo consiste em indicar os meios de desenvolvimento da faculdade mediúnica, tanto quanto o permitam as disposições de cada um, e, sobretudo, dirigir-lhe o emprego de modo útil, quando ela exista.

— A leitura parece bem agradável. Ele é repleto de perguntas e respostas.

4 Na maioria das ocasiões, são os espíritos que fluidificam a água; no entanto, a água também pode ser magnetizada pelos encarnados, sendo necessária, por parte do médium, a realização de preces e a imposição das mãos sobre o recipiente em que se encontra a água (N.A.).

— Isso mesmo, Ricardinho, do mesmo modo que *O Livro dos Espíritos*.

— Às vezes acontece algo estranho comigo, sabe Mila?

— Como o quê, por exemplo?

— É como se eu já conhecesse esse livro. Parece que eu já o li. É como o sonho que tenho com uma moça linda. Ela me leva até um teatro cheio de jovens da minha idade. Todos ficam sentados e em silêncio. Dos alto-falantes sai uma melodia linda, que nos inspira a introspecção. É feita a leitura de uma pergunta retirada de *O Livro dos Espíritos*. — Ricardinho fez um sinal afirmativo com a cabeça. — Já sei! É do sonho que conheço esses livros!

— É mesmo? — indagou Leandro.

— Sim, pai. Alguém voluntariamente se levanta, lê a resposta e um professor nos explica melhor, caso a gente não entenda.

— Você sai do corpo físico e vai até uma colônia espiritual destinada a estudos mediúnicos — complementou Mila.

— Puxa, que legal!

— Nunca nos contou antes, filho — disse Leandro.

— É tão natural, pai. Isso acontece já faz um bom tempo. Eu não comento porque a mamãe fica nervosa. Não gosta que eu fale sobre espíritos.

— Porque não é assunto para garotos de sua idade. Você tem que brincar com seus amigos, jogar *video game*...

— Não concordo. Vovô me disse que você sempre foi medrosa.

Letícia sorriu ao lembrar-se do pai. Émerson dizia que a filha era medrosa, insegura, e ele estaria sempre por perto para ampará-la.

— Papai falava isso com frequência. Mas ele morreu. Eu o cremei.

— Já conversamos sobre isso, amiga — ponderou Mila. — O que morreu foi o corpo físico do seu pai. O espírito está vivo. É eterno.

— Repito que acho tudo fantasioso demais.

— Vamos aproveitar e fazer uma breve leitura de *O Livro dos Médiuns*? — perguntou Mila de maneira jovial.

Todos assentiram. Ricardinho sorriu animado. Mila abriu o livro e, por coincidência, tratava da mediunidade das crianças. Ela leu boa parte das perguntas e discutiram sobre o tema. Leandro interessou-se e tomou o livro das mãos dela. Leu:

— Mas há crianças que são médiuns naturais, seja de efeitos físicos, de escrita ou de visões. Haveria nesse caso o mesmo inconveniente?

— Não. Quando a faculdade espontânea se manifesta numa criança, é porque isso pertence à sua própria natureza e a sua constituição é adequada. Não se dá o mesmo quando a mediunidade é provocada e excitada. Observem que crianças que têm visões geralmente pouco se impressionam com isso, é o caso de Ricardinho com o avô — ponderou Mila. — As visões lhe parecem muito naturais. A criança lhes dá pouca atenção e geralmente as esquece. Mais tarde, a lembrança lhe volta à memória e é facilmente explicada, se ela conhecer o espiritismo[5].

Letícia interessou-se e cravou Mila com outras perguntas. Na medida do possível ela foi respondendo, intuída pelos amigos espirituais ali presentes por conta do Evangelho no Lar, e assim mantiveram o ambiente com energias positivas ao redor.

— Está vendo, mãe? Nunca forcei nada. E não sou mais criança.

— Ricardo tem razão. Nem nós, tampouco ele, procuramos por esse assunto. O espiritismo tem entrado em nossa vida de maneira natural. Eu sempre fui simpático à doutrina, contudo, acho que devemos procurar estudar e entender melhor o assunto.

— Tenho medo — ponderou Letícia.

— Por isso devemos estudar, querida — replicou Mila. — Conforme estudamos e compreendemos melhor o assunto, o medo naturalmente se dissipa. Existe muita crença ruim acerca da morte. Precisamos mudar nossos conceitos em relação a ela.

— Tem razão. E por falar em morte, vovô está na porta do escritório — falou Ricardo, num tom natural.

---

5 Mais detalhes sobre a mediunidade das crianças, ler *O Livro dos Médiuns*, capítulo 18, Inconvenientes e perigos da mediunidade — Influência do exercício da mediunidade sobre a saúde, sobre o cérebro e sobre as crianças, em especial a questão 221 por completo. Tradução enriquecida de notas explicativas, feita pelo professor José Herculano Pires (1914-1979). LAKE — Livraria Allan Kardec Editora (N.A.).

Letícia levou a mão ao peito. Sentiu um misto de excitação e medo.

— Onde está? Eu não o vejo.

— Está ali na soleira — apontou o garoto. — Tem um moço simpático ao lado dele. Está falando que veio buscar o vovô.

Mila e Leandro olharam para a porta e nada viram. Mila sentiu leve torpor. Percebeu que o espírito de Émerson estava ali. Ricardo continuou:

— Ele não pode ficar porque disse que a energia da sala não permite. Disse que é uma energia diferente da que ele pode suportar.

— Seu avô não deve estar bem. O que ele quer? — indagou Mila.

Ricardo ficou olhando para a porta e fez sinal positivo com a cabeça.

— Está falando que está por aqui, continua tomando conta de minha mãe, mas, infelizmente, vai ter de partir.

— Ele não vive mais neste mundo. Não foi chamado para ir para outro local?

— Foi, mas está resistente. Está dizendo que, agora que vamos nos reunir toda semana para fazer orações, ele não mais poderá ficar na casa.

— Vamos orar por ele.

Ricardo fez sinal negativo com a cabeça.

— Não vai adiantar.

— Por quê? — perguntou Leandro.

— Ele gargalhou e disse que orações não vão ajudar. Quer que mamãe abra os olhos. Ricardo espremeu os olhos e perguntou — O quê? Como? Tem certeza, vovô? Isso que diz é muito grave. Ah, que pena.

— O que foi?

— Ele sumiu com o outro moço. Foram embora.

— O que ele disse? — perguntou Leandro.

Ricardinho falou com a maior naturalidade do mundo:

— Que você tem uma amante.

15

Fazia semanas que Leandro não retornava as ligações de Denise. Ela estava nervosa e irritada. Jamais homem algum havia deixado de ligar. Era sempre ela quem sumia. Sempre. Estava perdendo a concentração no trabalho. Durante uma importante reunião de negócios sua mente estava em outro lugar. Inácio a chamou por mais de três vezes:

— Denise, o que acontece?

Ela voltou a si e perguntou, sem jeito:

— O que foi? Desculpe-me. Estava com a cabeça longe daqui.

— Bem longe, eu percebi.

— Desculpe mesmo, Inácio, onde estávamos?

Ele leu a minuta do contrato e ela assentiu.

— Está certo. Vou fazer pequena anotação e pedir para Marina digitar dez por cento.

— Excelente. O departamento financeiro não vai perceber essa diferença?

— Mantive a mesma porcentagem, mas diminuí a margem de lucro da empresa. Estou vendendo nossos produtos para aquela outra empresa, por valor abaixo do mercado. Depois você nos revende por preço bem maior e me repassa meio a meio o lucro. E, obviamente, o Evaristo, chefe da contabilidade, recebe bom dinheiro para maquiar os balancetes. Sem a ajuda dele seríamos pegos facilmente.

— Confia mesmo nesse homem?

— Ele ganha um bom salário, mas é homem ganancioso e sem escrúpulos profissionais. Do jeito que gosto. Pode confiar em mim.

— Se você diz isso, eu acredito.

— Vou mandar redigir dessa forma. Depois, entrego o contrato para o contador. Vamos ganhar um bom dinheiro com essas cláusulas adulteradas.

— Muito dinheiro. Garanto que sua comissão será bem maior. Vou fazer de você uma mulher rica. A rede Dommênyca é tão forte que não vai perceber essa mordidinha no seu lucro.

— Não mesmo. Como você é advogado de confiança da empresa, há anos, tudo fica mais fácil. E quero ficar rica para gastar os tubos na Daslu. Quero viajar sempre de primeira classe. Odeio viajar na classe econômica, espremida entre aquela gente sem educação. Dinheiro me dá uma sensação muito grande de poder. Adoro ter poder sobre as situações, sobre as pessoas! Quero comprar meu casarão no Jardim Europa e sair daquele maldito *flat*.

— Não está feliz no *flat*? Você mesma o recomendou aos meus clientes chineses.

— Lembranças desagradáveis.

Inácio aproximou-se e passou o braço pelos ombros dela.

— O que está acontecendo com você?

— Nada.

— Eu a conheço bem, sua danada! Desde a semana passada tem conversado pouco, a sua fala tem sido monossilábica. Nossas reuniões eram animadas, discutíamos preços, e agora você mal abre a boca. Concorda com tudo. Não discute mais com os outros advogados. Soube aí na empresa que você se separou, é esse o problema?

— Qual nada! A separação foi um bálsamo para mim. Deveria ter me separado do Edgar há muito mais tempo. Eu me casei com ele por conta de uma herança ridícula deixada pela minha tia.

— A casa do Pacaembu.

— Que estava caindo aos pedaços. Vendi por uma ninharia. Apliquei o dinheiro, mas eu sou uma mulher cara. Gastei em roupas, carros último tipo. Não sobrou nada.

— E por que então... — Inácio sorriu malicioso. — Hum, tem outro na parada! Está apaixonada por outro e ele sumiu, desapareceu. Estou certo no meu diagnóstico?

— Não é questão de estar apaixonada. É o desplante mesmo.

Estou me sentindo usada e descartada. Está tão na cara assim?

— Se está!

— Não sei o que fiz. Leandro não retorna minhas ligações. Sumiu do mapa. Ninguém me passa a perna desse jeito.

— Eu sabia que você e Leandro estavam juntos.

— Como? — Denise fuzilou o colega com os olhos. — Sempre fui muito discreta.

— Eu percebo as coisas. Você era muito dócil ao lado dele. Negociava sempre com um largo sorriso nos lábios. Algumas vezes percebi seus pés roçando nos dele por debaixo da mesa de reuniões. E, de mais a mais, sou homem experiente e sei das coisas.

— Tomei um belo pé do Leandro. Não esperava que fosse acontecer dessa forma.

— Tenho a impressão de que você nunca foi rejeitada. Estou certo?

— Eu?! — ela jogou a cabeça para trás e deu sonora gargalhada. — Imagine! Sempre dei as cartas, constantemente fui mulher que sabia das coisas e deixava os homens se arrastando aos meus pés. Nunca senti o que estou sentindo. Quer dizer, anos atrás senti um pouquinho desse desplante e acabei com o carro do sujeito.

— Está sentindo o gosto amargo da derrota.

— Isso me dá um ódio! Tenho vontade de esganar o Leandro.

— Estava muito envolvida com ele?

— Um pouco. Mas vamos deixar esse assunto de lado.

— Vamos nada. Eu posso ajudá-la.

— De que maneira?

— Nunca pensou em vingança?

— Como assim?

— Vingança, o mesmo que desforra, vindita, castigo, punição...

Denise sorriu diabolicamente.

— Hum, gostei!

— Precisa dar uma lição nesse homem.

— Castigo, punição... Muito me interessa. Leandro merece uma punição.

— Vamos almoçar? Eu pago. E aproveito para lhe dar dicas de vingança.

— Isso me anima. Não sou de ficar para trás. Bem que preciso dar uma saída. Não quero comer aqui no refeitório da empresa. Estou enjoada da comida e de olhar para a cara desses funcionários incompetentes.

— Vamos almoçar num restaurante badalado nos Jardins. Poderemos conversar e esticar o papo.

— Combinado.

Bateram na porta e Denise pediu para entrar. Era Marina.

— Está na hora do almoço e...

— Por falar em incompetência, olha quem aparece — falou Denise, fuzilando a assistente com o olhar.

— Deseja alguma coisa, Denise?

— Sim, que você suma da minha frente.

Inácio interveio:

— Não pode tratar sua assistente assim. Tenha modos.

— Estou ainda engasgada com o não comparecimento da senhorita lá no aeroporto.

— Eu lhe expliquei o que aconteceu. Faz semanas.

— Mesmo que faça anos eu nunca vou me esquecer.

— Não tive culpa. Não podia deixar seu marido ali, largado, necessitando de ajuda.

— Devia, sim. Devia deixar Edgar morrer. Aquele fraco, idiota, merecia esse fim. E por que foi se meter em assuntos de família? Tinha de acompanhá-lo ao hospital?

— Foi preciso.

— Sei. Mais uma dessas e eu a coloco no olho da rua.

Marina não moveu um músculo, continuou olhando Denise nos olhos.

— Vou almoçar. Precisa que eu redija o contrato agora ou pode ficar para quando eu retornar?

— Pode ser na volta do almoço — tornou Inácio. — Denise está com a cabeça quente. Prometo que vamos sair e na volta ela estará mais calma.

Marina fez uma mesura com a cabeça e saiu. Fechou a porta e fungou.

— Essa mulher me tira do sério.

— Vai ver a menstruação dela desceu — sussurrou Elisa, a secretária da diretoria.

— É grossa, estúpida, grita. E insensível. O marido quase morreu e ela não está nem aí. Ainda por cima fica em reuniões fechadas com o doutor Inácio. Não gosto dele. Sinto que é um tremendo vigarista, isso sim.

— Eu também não gosto dele, Marina. Tem cara de safado, no mau sentido mesmo. Não me inspira confiança, mas fazer o quê? Os donos o idolatram, assinam tudo o que ele entrega. Confiam nele de maneira cega. Quer saber? Melhor não nos ligarmos na energia que dele emana.

— É um tremendo salafrário. E me olha com aquele olhar de homem babão, sabe? Como se quisesse me comer viva. Não gosto de homem assim.

— Vamos almoçar?

— Vamos, sim.

— Deixemos eles de lado.

— Um pouco difícil, né, Elisa? Eu trabalho o dia todo ao lado dessa mulher. Passo mais tempo ao lado dela do que ao lado de minha mãe.

— Por isso, devemos manter um bom clima no ambiente de trabalho. Passamos muitas horas aqui dentro.

— Horas demais, confesso.

— Quanto menos falarmos deles, melhor. Sabia que, quando falamos mal de alguém, nós nos ligamos negativamente a essa pessoa e a energia dela fica no nosso campo energético, na nossa aura[6]?

— É mesmo, Elisa?

— É. Tem mais: quando alimentamos sentimentos negativos, a nossa aura fica com uma coloração escura, meio marrom. Eu percebo isso nas pessoas e posso garantir que a sua, por exemplo, é dotada de cores claras.

— E é bom sinal?

— Por certo. Cores claras significam que você tem uma boa saúde emocional, bons pensamentos, sabe?

6 A aura é um elemento etéreo, imaterial, que emana e envolve seres ou objetos; é um atributo inerente aos seres vivos. Há quem diga que vê a aura de seres vivos, e a forma e a cor da aura refletem o estado físico, mental e emocional da pessoa (N.A.).

Elisa foi discorrendo naturalmente sobre o assunto enquanto ambas se dirigiam ao refeitório da empresa, no primeiro andar do prédio. Pegaram a bandeja, escolheram a comida, apanharam um copo de suco e sentaram-se ao lado de outros funcionários.

— Você está com a aparência tão boa! O que tem feito, Elisa?

— Exercícios.

— Se eu tivesse tempo! O trabalho e a pós-graduação me consomem.

— Tempo a gente arruma, é só querer. Agora pratico corrida. Adoro correr. Quer dizer, sempre sonhei em participar de uma maratona, mas preciso ainda de muito treino. Fiz amizade com um grupo muito bom. A gente se reúne três vezes por semana no parque do Ibirapuera.

— Adoraria fazer algum exercício físico.

— Correr não custa nada. Você não paga e ainda melhora seu condicionamento físico, sua saúde e faz boas amizades. As pessoas são muito simpáticas.

— É tão bom assim?

— Se é, menina! Eu não movia um músculo para fazer nada. Agora sou viciada em corrida. Chova ou faça sol.

— Percebi mesmo a mudança no seu corpo. Está mais magra, mais durinha, a pele está com mais viço.

— O exercício físico melhora e fortalece a nossa autoestima.

— Interessante. Se eu morasse perto do parque, talvez encarasse esses exercícios ao ar livre.

— Isso é desculpa, Marina. Onde você mora?

— Moro no Tatuapé. No outro lado da cidade.

— Não me diga! Somos vizinhas. Eu moro no Jardim Anália Franco.

— Do lado de casa, maneira de dizer.

— No começo foi difícil. Depois me acostumei a dormir mais cedo e acordar mais cedo ainda. Acordo lá pelas cinco da manhã, me arrumo, não pego nada de trânsito. Depois da corrida venho direto ao vestiário da empresa. Estamos a dez minutos do parque.

— E podemos usar o vestiário?

— Sim. O chuveiro daqui é muito bom. Tomo banho, me

arrumo, tomo meu café aqui no refeitório e em dois minutos estou na minha sala. Não é o máximo?

— Puxa, Elisa, você me animou.

— Vamos sair no sábado e fazer um passeio no *shopping*? Compramos *short*, camiseta e um bom tênis. O resto é com você.

— Sinto que o exercício físico poderá tirar todo esse estresse que tem sido a minha vida. Além dos problemas de casa, sou obrigada a engolir essa mulher — fez sinal apontando na direção da sala de Denise.

— Você precisa mesmo do emprego?

— E como! Sou eu quem paga todas as contas de casa. Minha mãe é doente.

— Não tem aposentadoria?

— Não. Ela foi doméstica por muitos anos, e naquele tempo as empregadas não tinham direito a nada, nem carteira assinada. Entramos com os documentos no INSS para ela receber um salário-mínimo. É pouco, mas ajuda nas despesas.

— Tem algum parente próximo, um irmão?

Marina lembrou-se de Jofre e fez muxoxo.

— Tenho um irmão — ela abaixou o tom de voz — e vou lhe confessar: ele é um tremendo marginal.

— Marginal no sentido de sacana ou no sentido de bandido?

— De bandido mesmo. Jofre cresceu torto, como se diz, aprontou muito, foi preso, encaminhado para a Febem e fugiu. Nunca mais nos vimos. Alguns anos atrás mandou um dinheiro para minha mãe. Acho que ele é metido com tráfico, sabe, Elisa?

— Bom, melhor se manter afastada dele. Mas, quando se lembrar do seu irmão, mande vibrações positivas.

— Difícil.

— Tente. As pessoas não percebem, mas as nossas vibrações chegam até elas.

— Jofre nunca gostou de mim.

— Problema dele.

— Tampouco gosto dele.

— Tudo bem. Mas, quando ele aparecer em sua mente, envie-lhe vibrações de paz, ao menos. Vai ajudá-la a ficar afastada das energias ruins dele. Se ficar ligada negativamente no seu irmão, vai atrair coisas ruins para seu lado.

Marina bateu três vezes na mesa do refeitório.

— Deus me livre e guarde!

— Precisa ter outra postura diante da vida, Marina.

Marina desconversou:

— A assistência médica da empresa é muito boa. Minha mãe é doente e usa muito o convênio médico.

— Concordo com você. Nosso plano de saúde é excelente, um dos melhores do mercado. Ainda bem que pudemos incluir nossos pais como dependentes.

— Eu não posso, no momento, pedir as contas. Preciso aguentar essa jararaca da Denise. Gosto da empresa, dos funcionários, o ambiente de trabalho é muito bom. O único problema é a chefe. Só isso.

— Se o problema é só em relação à Denise, precisa aprender a ser impessoal.

— Como assim?

Elisa sorriu.

— Mudar a postura diante das situações. Eu faço sempre isso, seja aqui, com amigos ou familiares. Ser impessoal é escutar o problema do outro sem entrar no problema, entende?

— Mais ou menos.

— É escutar sem se envolver emocionalmente com o outro. Dessa forma, ficamos mais lúcidos e equilibrados para ajudar a encontrar uma saída para a situação, geralmente desagradável e, por estarmos envolvidos com ela, não enxergamos soluções práticas.

— Você tem um jeito tão interessante de falar. Sinto-me bem ao seu lado.

Elas terminaram o almoço, tomaram o elevador e encontraram colegas de outras áreas. Entabularam conversação animada e, por ora, Marina esqueceu-se das grosserias da chefe e animou-se em acompanhar Elisa nas corridas matinais, além de se interessar pelo assunto da impessoalidade.

16

Denise e Inácio entraram no restaurante apinhado de gente e sentaram-se numa mesa mais ao fundo, que os deixava em privacidade e em liberdade para tratar de assuntos de foro íntimo.

O garçom aproximou-se.

— Queremos duas cervejas bem geladas.

— Denise, eu posso beber porque vou para casa, encerrei o expediente. Mas você vai voltar à empresa.

— Para aguentar aqueles tolos, nada como uma boa cerveja gelada. — Ela encarou o garçom e ordenou: — Traga logo duas cervejas e dois copos bem gelados. Vá, corra!

O rapaz se afastou meio sem graça. Enquanto ela e Inácio aguardavam a bebida, disparou:

— Estou possessa. Ninguém me deixa assim. O patife do Leandro me deixou feito boba naquele fim de semana lá no Rio.

— Faz semanas. Eu sou partidário da vingança, mas quer mesmo perder tempo com Leandro?

— Quero. Ele tem de me dar explicações, exijo satisfações. Ele pensa o quê? Que me encontrou na rua, na sarjeta, no lixo?

— Está nervosa. Acalme-se.

O garçom voltou com a bandeja e dois copos bem gelados. Em seguida, despejou delicadamente a cerveja em cada tulipa. Denise pegou a sua, bebericou e estalou a língua no céu da boca.

— Está divina.

— Esquecemos de brindar.

— Não tem problema, Inácio. — Ela encostou a sua tulipa na dele: — Um viva à vingança!

Inácio esboçou um sorriso sinistro.

— Um brinde à vingança.

Fizeram o pedido, o garçom se afastou e ela prosseguiu:

— O babaca tem um filho e é Deus no céu e o filhinho na Terra. Ficou de me ligar no dia seguinte e sumiu, desapareceu.

— Pode ser algum problema de família — tornou ele, em tom jocoso, somente para provocá-la. Denise não percebeu e continuou:

— Que nada, Inácio. Cheguei ao *flat* depois da viagem e não havia um resquício do Leandro. Nem sombra. Mandou um funcionário da empresa ir lá e pegar tudo. Levou até o aparelho de barbear. Não deixou nada. Ele não é homem de verdade. Não teve coragem de ir sozinho e me enfrentar. Mandou um motoboy durante o dia, depois de uma semana desaparecido, e, sorrateiramente, solicitou que o garoto pegasse suas coisas e sumisse.

— Vai ver voltou para a esposa. Afinal de contas, não é comum ser casado com uma mulher bonita e carismática feito Letícia. Ontem mesmo seu nome foi citado por uma atriz famosa como símbolo de simpatia, bondade e generosidade.

— Ai que ódio. Essa Letícia se faz de santa, mas para mim não passa de fachada.

— Não é fachada. Ela é benquista pela sociedade. Uma mulher bonita, fina, requisitada para dar dicas de etiqueta...

— Pare, Inácio! Assim me irrita. Sei que é advogado, mas precisa ser advogado do diabo? Está do meu lado, ou não?

— Claro que estou.

— Pois pare de falar bem dessa mulher. Letícia não gosta de sexo, é frígida, além de ser uma dondoca fútil e cheia de regras rígidas de etiqueta. Para que precisamos de etiqueta nos dias de hoje? É um salve-se quem puder. Vivemos num outro século. Cada um por si.

— Esse é o seu ponto de vista.

— Meu e de toda pessoa esperta. Ninguém mais tem um pingo de civilidade. Este país está de pernas para o ar. Não há respeito, nada.

— Tem alguma coisa aí. Quer que eu investigue? Eu tenho amigos espalhados pelo mundo todo.

— Conheço bem seus amigos — replicou ela, fazendo mesura com as mãos.

— Poderemos descobrir o que aconteceu. Ninguém muda assim de uma hora para outra.

— Faria isso por mim, Inácio?

— Você é minha amiga. Está me tornando um homem rico. O que você quiser eu faço.

Denise pegou o celular da bolsa e teclou. Caiu na caixa postal.

— Está vendo? Leandro não atende às minhas chamadas. Deve ter trocado o número do celular. Não é possível!

— Claro que eu vou ajudá-la.

— Entre em contato com Leandro.

— Vou pensar numa maneira. Eu mal o conheço. Não somos íntimos.

— Sei lá. Arrume uma desculpa.

— O que vou dizer? Como vou entrar num assunto tão íntimo?

— Tem razão. Procurá-lo assim, sem mais nem menos, é ridículo. Vai fazer eu me passar por carente e magoada.

— Deixe comigo. Passe o número do celular dele para mim. Eu sou mestre em arrancar confidências sem que as pessoas desconfiem. Sou um manipulador de primeira.

— Obrigada, Inácio. Sabia poder contar com você.

Em seguida, o garçom aproximou-se com os pratos e ambos voltaram a atenção para a comida. Na hora de pedir o café e a conta, Inácio sorriu de maneira maliciosa.

— O que foi? — indagou Denise, tentando acompanhar os olhos de Inácio.

— Não viu?

— O quê? — perguntou ela, sem entender.

— Seu amado acaba de entrar.

— Edgar? Aqui?

Inácio deu gostosa gargalhada.

— Não. Leandro acaba de entrar no restaurante.

Ele fez um sinal com os olhos e Denise acompanhou. Ao avistar Leandro ela quase teve uma síncope. E não é que o filho da mãe estava mais lindo do que nunca? O terno escuro, de corte impecável, deixava-o parecido a um lorde inglês. Os cabelos estavam curtos e sua aparência estava ótima.

Além de tudo isso, estava abraçado a uma linda mulher, que despertava e atiçava o desejo dos homens e a admiração das mulheres ao redor. Houve até garçom que disfarçou para apreciar aquela socialite carioca tão famosa colada ao bonitão.

Denise sentiu uma raiva sem igual. Levantou-se de maneira abrupta. Inácio levantou em seguida e tentou segurá-la.

— O que vai fazer?

— Tirar satisfações com esse patife.

— Não vai ser assim que você vai resolver a situação.

— Eu vou resolver do meu jeito — bradou ela ensandecida.

— Por favor, não faça cenas — implorou Inácio.

Denise nem deu ouvidos. Estava cega de ódio. Desvencilhou-se de Inácio e apertou o passo até o casal. Disse em alto e bom tom:

— Quem Leandro pensa que é?

17

Voltando um pouquinho nas semanas anteriores a essa tarde, assim que Ricardo verbalizara as palavras de Émerson, o ambiente tornara-se constrangedor.

— É verdade, pai? — perguntou o menino, sem jeito.

— Seu avô nunca simpatizou comigo. Está de brincadeira, isso sim.

— Pode ser.

— Seu avô continua entre nós?

— Ele falou, riu e sumiu com um rapaz bem simpático. O rapaz mandou um beijo para a Mila.

Mila se emocionou e lembrou-se imediatamente do pai. Sorriu e indagou com naturalidade:

— Você sabe se ele vai voltar?

— Não sei se ele vai aparecer de novo.

Leandro deu um sorrisinho amarelo, sem graça. Encarou Mila e ela percebeu sua angústia. De súbito ela se levantou e disse de maneira alegre:

— Bom, terminamos por hoje. Ricardinho, fique com *O Livro dos Espíritos* e, se aparecer alguma dúvida, anote-a num caderninho. Na semana que vem retomaremos a reunião e nossos estudos, o que acha?

— Eu acho maneiro!

— Que bom!

— Sinto-me pronto para começar a estudar os mistérios da vida. Ainda bem que você está me dando essa força.

O rapazinho pegou o livro das mãos de Mila, beijou-a no rosto e, sem perceber o clima tenso entre Leandro e Letícia, perguntou a eles:

— Vamos assistir a mais um episódio de CSI?

— Creio que fizemos muito esta noite — ponderou Letícia. — Melhor você se recolher, deitar-se. O dia foi cansativo, você enfrentou hospital. Amanhã assistiremos a quantos episódios você quiser, certo?

— Tem razão, mãe. A bem da verdade, estou cansado. Você me acompanha até o quarto?

Letícia fez gesto afirmativo com a cabeça. Ricardo despediu-se de Leandro e Mila. Subiu abraçado à mãe. Leandro aproximou-se de Mila.

— Desculpe-me pelo ocorrido. Jamais poderia imaginar uma coisa dessas, uma situação tão vexatória e...

Mila o cortou com gesto suave.

— Em briga de marido e mulher ninguém mete a colher, diz um sábio ditado. Eu não tenho nada que ouvir, você não precisa se desculpar.

— Você é a melhor amiga de minha esposa.

— Sempre serei. Eu vou estar sempre ao lado de Letícia, embora isso não queira dizer que eu vá destratá-lo por algum motivo. Não tenho nada a ver com a vida íntima de vocês. Ambos são adultos e têm condições de resolver seus problemas.

— O que faço?

Ela pegou delicadamente em seu braço e disse, voz amiga:

— Diga a verdade. Abra seu coração.

— Tenho medo de perdê-la.

— Pois diga isso a ela. Aproveite que Émerson foi tirado aqui da casa. O ambiente está em harmonia, foi higienizado pelos espíritos amigos. Mesmo com essa notícia tão constrangedora, a paz ainda reina nesta casa. Se você ama Letícia de verdade, abra seu coração. Aproveite o clima de paz. Não esconda nada.

Ele a abraçou e percebeu uma lágrima escorrer pelo canto do olho.

— Você é uma grande amiga. Não tenho palavras para agradecê-la.

— Não tem de quê. Vou ao lavabo retocar a maquiagem e depois irei embora. Com licença.

Mila saiu e Leandro deixou-se jogar pesadamente sobre uma

poltrona. Colocou as mãos sobre a cabeça e cobriu o rosto.

— Meu Deus, por que fui deixar as coisas chegarem a este ponto?

Enquanto ele se lamentava, Émerson dava gargalhadas do lado de fora da casa.

— Agora começarei a destruí-lo — disse com um misto de sarcasmo e fúria.

O espírito de aspecto jovem e esbanjando simpatia, que o tirara da casa minutos antes, foi enfático:

— Posso saber a piada?

— Que piada?

— Não sei, mas se você está rindo tanto, só pode ser de uma piada. E das boas.

Émerson fechou o cenho. Encarou o rapaz de cima a baixo com olhar investigativo.

— Quem é você? Por que entrou na casa?

— Tive condições de interceder assim que terminaram de fazer o Evangelho no Lar. O ambiente transmitia paz e serenidade. Daí pude entrar, tirar você e deixá-los em paz, por ora.

— Nunca o vi por aqui antes.

— Prazer, meu nome é Leônidas — disse o espírito, enquanto estendia a mão para Émerson. Este retribuiu o aperto de mão e inquiriu:

— O que faz aqui? É servo dos chamados espíritos de luz?

— Trabalho para eles, sim.

— Tem algum parente no condomínio?

— Sou amigo da família — apontou para a casa.

— Nunca o vi antes. Eu, sim, pertenço a essa família.

— Pertencia quando vivo. Agora não pertence mais.

— Leônidas, Leônidas — Émerson coçou o queixo — nunca ouvi esse nome quando estava vivo. A não ser que seja um parente do Leandro.

— Tenho ligações afetivas com Leandro e Ricardo.

— Só podia ser! Bem que desconfiei dessa cara de anjo. Quer me afastar daqui, não?

— Não preciso fazer isso. A própria vibração energética da

família o mantém afastado. Já notou que quando os três estão em harmonia, você mal consegue chegar próximo da porta da casa?

— É verdade, porém a harmonia dura pouco. Eu tenho poder sobre minha filha. Ela acata todas as minhas sugestões.

— As coisas vão mudar, pode apostar.

— O que quer dizer?

— Que eles se amam e esse sentimento é mais forte do que qualquer negatividade, não importa de onde e de quem venha.

— Oras, bolas!

— Você não vai mais atrapalhar a paz desta casa.

— Eu?! Atrapalhar?

— Toda vez que entra na casa cria confusão.

— Como ousa me dar ordens, seu moleque?

Leônidas permanecia calmo e sereno. O sorriso jamais saía de seus lábios.

— O que falou para seu neto...

Émerson o cortou secamente:

— Falei a verdade, oras!

— Não foi para criar desarmonia na vida do casal?

— Foi. Eu tenho de afastar Letícia desse pulha.

— Eu me preocupo com o que acontece a essa família. A sua atitude não foi das mais simpáticas.

— Eu digo a verdade para minha filha e sou acusado de atrapalhar a paz?

— Não deve se meter na vida dos outros.

— Trata-se da vida da minha filha! Leandro é que deveria pensar mil vezes antes de traí-la. Mil vezes! — bradou.

— Às vezes, a omissão é a melhor saída. Às vezes, não estamos preparados para escutar a verdade.

— E viver na mentira? Olha — Émerson passou a mão pela cabeça —, você não deve ser do lado da luz, não. Fala tanta barbaridade!

— Não falei em mentira, mas em omissão do fato. Deixar de falar não tem a ver com mentir.

— Sou partidário da verdade.

— É mesmo?

— Sempre.

— E o que me diz de sua última vida no planeta?

— O que tem a minha última encarnação a ver com este assunto?

— Foi permeada tão somente pela verdade?

— Claro que foi.

— Ah, foi? — indagou Leônidas, curioso.

— Fui um pai amoroso, marido exemplar, trabalhador.

— Pai amoroso, eu concordo. Já em relação a ser um marido exemplar... Você sempre deu suas puladas de cerca. Não era sincero com sua esposa.

— Não admito que remexa assim a minha vida. Na minha época as coisas eram diferentes.

— Entendo.

— Construí um império. A Companhia é uma das únicas empresas do país com excelente reputação no exterior. Deixei a minha família muito bem. Teresa vai morrer rica e Ricardo, se quiser, nunca vai precisar trabalhar.

— Concordo com quase tudo o que disse. De fato, foi um empresário de sucesso, sua empresa gerou muitos postos de trabalho e ajudou a melhorar a economia do país. Contudo, foi, de fato, marido exemplar?

— Absolutamente! Uma ou outra traição, nada demais. Coisas de homem.

— E qual a diferença entre as suas puladas de cerca e as de Leandro?

— É completamente diferente. Nada a ver. Leandro é casado com a minha filha. Mexeu com minha família, arrumou briga.

— Você só enxerga o que lhe convém, Émerson Theodoro Ferraz.

— Ei, cuidado no tom de sua voz, ô espírito de luz. Pensa que pode falar assim comigo?

— Por que não?

— Minha morte foi anunciada em todas as emissoras de TV, em horário nobre!

— Sei de muitas coisas a seu respeito.

Émerson deu novo olhar investigativo sobre o moço, de cima a baixo.

— Sabe o quê?

— Algumas coisas.

— O que deu nos jornais por conta de minha morte? Eu era figura conhecida, todo o país sabia da minha vida.

— Por exemplo, sei que teve um filho fora do casamento e nunca quis saber dele.

— Eu?!

— Sim.

— Mentira — tentou defender-se, Émerson.

— Pode mentir para o mundo, mas não para a sua consciência. Eu consigo ler os escaninhos de sua alma.

Émerson estremeceu. Leônidas falou com uma firmeza estonteante. Parecia mesmo que ele era capaz de perscrutar e vasculhar a alma de Émerson.

— O que quer dizer com isso?

— Você dormiu com uma de suas empregadas. Ela engravidou e teve um bebê. Você procurou abafar o caso, afastou-a de casa, deu-lhe dinheiro para ficar quieta e sumir de seu caminho.

— E ela sumiu mesmo.

— Sumiu porque tinha medo de você. Ela sentiu-se humilhada. A mulher era pobre, tinha outro filho, como não aceitar a sua oferta? Para onde ela iria? Morar embaixo da ponte, e, ainda por cima, grávida? Aceitou seu dinheiro, claro. Você era rico e ela sentiu medo de enfrentá-lo. Comprou uma casinha e continuou tendo uma vida honesta.

— Ela poderia ter abortado e ficado com o dinheiro.

— Foi escolha dela ter o filho.

— Quem me garante que o filho nasceu? Ela pode ter perdido a criança.

— Não perdeu.

— Pode ter se deitado com outros homens. Quem garante que eu sou o pai?

— Você bem sabe que ela não saía com ninguém. Vivia para o trabalho e para o filho.

— Pode ser.

— Você nunca se interessou pela filha bastarda. Só teve olhos para Letícia.

— Aquilo foi um acidente — esbravejou Émerson.

— Acidente? — perguntou Leônidas, impávido.

— É. Foi um acidente, um desvio de rota. Não usávamos preservativo naquele tempo. Não havia tantas doenças sexualmente transmissíveis. Ela me deu bola e transamos. Umas vezes. Mais nada. Foi puro acidente.

— Acidente?

— É.

— Acidente é quando batemos o carro, escorregamos numa casca de banana e tropeçamos. Fazer um filho fora do casamento não é acidente.

— Nem sei se a criança sobreviveu. E, além do mais, faz muitos anos. Por que você veio me perturbar com esse assunto agora?

— Porque você só quer saber de Letícia. E se sua outra filha estiver viva e passando necessidades? Nunca parou para pensar nisso?

— Não! — bramiu Émerson. — Nunca parei e nunca vou parar. Você estragou a minha noite.

— Estamos aqui para conversar.

— Eu não quero mais conversar com você. Voltarei em outro momento.

Émerson falou e sumiu no ar. Leônidas deu de ombros. Fez estranho sinal com a mão esquerda voltada para o alto, e logo dois guardiões do astral apareceram na sua frente.

— Pois não, chefe — disse um.

— Quero que fiquem de sentinela e vigiem a casa até o fim da madrugada. Durante o dia quero dois sentinelas rondando o condomínio. Não quero nenhum espírito estranho aqui por perto. Pelo menos nos próximos dias. Vocês sabem por que estou aqui?

— Sim, sabemos. Pode deixar com a gente. Vamos limpar a casa das energias negativas e ficar de prontidão. Qualquer problema avisaremos imediatamente.

— Obrigado.

Leônidas despediu-se dos guardiões e partiu para a sua colônia espiritual.

18

Dentro da casa, Letícia fazia o que podia para disfarçar o choque daquele comentário do filho. Num primeiro momento suas pernas falsearam e ela sentiu falta de ar. Procurou recompor-se de maneira rápida. Dotada de elegância natural, conduziu Ricardo até seu quarto, sem deixar que o menino notasse qualquer traço de contrariedade em seu semblante.

— Mãe, o que o vovô disse é verdade?

— Sobre o quê?

— Sobre papai ter uma amante? Eu não acredito nisso.

— Eu tampouco.

— Será que escutei direito? Pode ser que ele tenha dito outra coisa, talvez amoque. O som parece com o de amante.

Letícia esboçou um sorriso.

— Amoque? Nem sei o que é.

— Amoque é o mesmo que amouco. Quer dizer mau humor.

— Como sabe dessas coisas?

— Aprendi com as palavras cruzadas. Gravei esse nome.

— Pode ser.

— É, vai ver vovô quis dizer que papai é dotado de mau humor. Não é?

— Sim, meu querido — Letícia afagou seus cabelos anelados e o beijou na testa. — Agora precisa dormir. Amanhã eu prometo que vamos assistir a todos os episódios de CSI.

— Jura?

— Prometo — ela fez uma cruz com os indicadores e os beijou.

— Eu amo muito você e papai. Somos uma família feliz.

Letícia teve vontade de abraçar o filho e chorar. Ricardo tinha um coração puro. Ele ainda não entendia nada do mundo dos adultos. Respirou fundo e o beijou novamente na testa.

— Também o amo demais. Mais que tudo. Boa noite.

— Boa noite, mãe.

Despediram-se, ela se afastou e desceu.

Mila e Leandro estavam sentados na sala de estar, sem trocar uma palavra. Letícia sorriu para a amiga:

— Importa-se se não assistirmos ao filme com o Patrick Dempsey hoje?

— De forma alguma, querida.

— Eu pediria que você fosse para sua casa. Quero ter uma conversa com Leandro.

— Estava esperando você descer para me despedir.

Mila levantou-se e despediu-se de Leandro. Letícia acompanhou-a até a porta.

— Você está bem? — inquiriu Mila.

— Não. Estou aturdida.

— E Ricardo?

— Deitou-se e me parece bem. Ele acha que entendeu errado, que o avô disse outra palavra.

— Se quiser, eu fico.

— Não, querida. Preciso conversar a sós com o Leandro.

— Não prefere esfriar a cabeça, descansar e conversar amanhã ou num outro momento?

— De jeito nenhum.

— É um assunto delicado, Letícia.

— Se eu não falar agora, vou ficar entalada, perturbada e não vou pregar o olho a noite toda. Fizemos orações e a casa está em paz, não é mesmo? Preciso falar com ele para que a paz continue reinando. Você me entende?

— Pensando assim, você tem razão. Para que deixar para amanhã?

— Trata-se de nossa vida íntima. Não posso mais ficar calada.

— Se acha melhor assim... Quer dizer, Ricardinho está engatinhando para a adolescência, pode ser mesmo que escutou errado, fez confusão com o que o avô disse e...

Letícia a cortou com delicado gesto de mão.

— Por favor, Mila. Você é minha melhor amiga. Uma irmã para mim. Não me faça eu me sentir mais idiota do que estou me sentindo. Meu filho não faria um comentário assim tão vil à toa. Ricardinho é ingênuo ainda. Ele tem um coração puro e talvez tenha mesmo se confundido ou queira acreditar que ouviu errado. Mas nós duas somos adultas. Sabemos o que ocorre. Minha mãe já tinha me alertado que amigas lá do clube viram Leandro ao lado de outra mulher.

— São mexeriqueiras, fofoqueiras. Não pode ligar para esses comentários. Você é uma pessoa pública e sabe que seus passos são vigiados pelo mundo todo. Somos pessoas conhecidas da sociedade. Qualquer deslize aparece imediatamente.

— Por isso você tem uma vida discreta. Eu deveria fazer o mesmo.

Mila passou delicadamente a mão sobre o ombro de Letícia.

— Somos diferentes. Você tem um carisma excepcional e é benquista. Eu gosto de ficar anônima. Em todo caso, saiba que o espírito de seu pai está perturbado. Pode ter inventado e provocado. Sabe que os dois nunca se deram bem. Converse com Leandro.

— Pode deixar — elas se abraçaram e Letícia sorriu — Prometo-lhe que não vou fazer barraco. Não é do meu feitio.

— Estarei vibrando positivamente por ambos. Sei que Leandro e você têm muito o que conversar. Espero que se entendam de uma vez por todas.

— Obrigada. Boa noite.

Letícia esperou Mila entrar no carro, dar partida e sair. Depois, fechou a porta e caminhou vagarosamente até a sala de estar. Leandro estava ainda sentado, tamborilando nervosamente os dedos sobre uma mesinha lateral.

— Importa-se de conversar comigo na biblioteca?

— Vamos, sim.

Ele se levantou e acompanhou a esposa. Letícia entrou no cômodo, fez sinal para ele entrar e se sentar. Em seguida, ela fechou a porta e sentou-se próximo do marido, mantendo relativa distância.

— O que tem a me dizer? — perguntou, encarando-o nos olhos.

Leandro não sabia o que falar. Sentia o ar lhe faltar, o rosto arder em chamas. Tinha mesmo vontade de que um buraco se abrisse ali mesmo e ele pudesse ser tragado e sumisse, sem ter de enfrentar a esposa. O que fazer? Ele tinha medo de contar a verdade e perdê-la. Amava Letícia e não queria, de maneira alguma, ferir seus sentimentos.

Uma voz amiga sussurrou em seu ouvido:

— Conte a verdade.

Leandro registrou as palavras, porém estava com medo. Muito medo.

— Se eu lhe contar a verdade, meu casamento vai acabar. Letícia não vai me perdoar — falou para si em pensamento.

— Seja verdadeiro. Não fuja. Fale com seu coração.

— Não sei se devo.

— Ela vai entender.

Ele respirou fundo e começou a falar, desviando o seu olhar do dela.

— Eu poderia dizer que Ricardinho escutou errado, estava delirando, ou usar de outras desculpas esfarrapadas. Poderia inventar histórias e daríamos o caso por encerrado.

— Quero que me diga a verdade. Só isso.

— Bom — Leandro procurou forças para continuar. A voz estava entrecortada pela emoção, mas ele assim mesmo prosseguiu: — Tudo começou quando seu pai morreu...

Num relato verdadeiro, com a voz muitas vezes embargada, repleta de sinceridade, Leandro falou sobre o desinteresse de Letícia por ele, as desculpas que arrumava para não terem intimidade. Contou tudo sobre seu envolvimento com Denise, sem esconder absolutamente nada.

— Ela não é minha amante. Eu nunca quis ter uma. Eu me encontrava com ela porque você não me queria. Eu me senti perdido, largado. O seu desinteresse muito me machuca porque prova que você não gosta de mim. Fiz votos na casa de Deus e sempre desejei ficar ao seu lado até que a morte nos separasse.

Letícia sentiu um nó na garganta. Ela o amava acima de tudo, porém não conseguia explicar o que acontecera desde a morte do pai. Era como se houvesse uma grande barreira que a impedia de aproximar-se do marido. O simples toque de Leandro a deixava enjoada. Achava isso tudo natural, pois ela nunca fora uma mulher de ardentes desejos.

No início do casamento ela até que se deitava com o marido com certa regularidade. Mesmo assim, era um tormento para ela. Conseguia disfarçar e logo em seguida virava-se e procurava esquecer o ato sexual e dormir. Quando o pai morreu, Letícia não conseguia nem mais disfarçar a falta de desejo como também nascera, nessa mesma época, a súbita repulsa ao menor contato com Leandro.

Émerson aproveitara-se dessa certa falta de libido da filha e passara a influenciá-la de maneira a não mais se relacionar com Leandro. Ele vinha fazendo isso havia dois anos, desde que morrera e descobrira que seu espírito estava mais vivo do que nunca. Ao perceber que a filha acatava a sua aversão como se fosse dela própria, urrou de felicidade. Afinal, seu real desejo era separar Letícia de Leandro. Tinha muita raiva do genro, sem motivo aparente.

Leandro achegou-se a ela, ajoelhou-se e finalmente a encarou:

— Letícia, escute. Sou homem e tenho vontades e desejos. Você foi me repelindo, fazendo eu me sentir um lixo. Eu a amo e sempre quis me relacionar tão somente com você. Posso jurar que Denise nunca significou nada para mim. Nada. Eu amo você. Se me der uma chance, prometo-lhe ser o melhor marido do mundo e...

Ele não conseguiu terminar de falar. As lágrimas escorriam incontroláveis e sinceramente Leandro mostrava estar arrependido. Se pudesse voltar no tempo, nunca teria se envolvido com Denise.

Letícia relutou o quanto pôde, contudo, amava o marido. De verdade. Havia sido criada com tantos condicionamentos errados acerca da sexualidade que achava a intimidade algo ruim, sujo e pecaminoso. Fora criada sob os ditames da Igreja. E, na sua religião, sexo fora do casamento era um tremendo pecado. Como ela se deixara envolver e engravidara antes de se casar, sentia que tinha cometido grave pecado e Deus um dia a julgaria.

O seu analista a ajudava a livrar-se dessas crenças e mostrava que ela deveria deixar-se guiar pelo sentimento de amor. Letícia mordiscou os lábios e, ao ver aquele homem apaixonado ali agachado, chorando e dizendo que a amava, não resistiu. Abaixou-se e o abraçou com força.

— Desculpe, querido. Eu fui uma tola.

— Não diga isso.

— Estava afastando você de mim e iria perdê-lo.

— Desculpe-me. Jamais quis ferir seus sentimentos.

— O meu afastamento estava contribuindo para destruir nossa família. Eu o amo tanto!

— Verdade?!

— Você não tem ideia do quanto eu o amo, Leandro.

— Mas nunca demonstrou.

— Eu tenho aprendido. Quero mudar para melhor. Você é o homem da minha vida!

Os dois abraçaram-se e beijaram-se com sofreguidão, misturando beijos e lágrimas. Leandro e Letícia sentiam os corpos estremecerem, tamanha emoção.

— Você me perdoa?

— Eu?! — perguntou ele, atônito.

— Sim.

— Eu é que preciso de seu perdão. Prometo-lhe que vou ser mais paciente. Sei que sou ótimo pai. Também quero ser um ótimo marido.

— Você sempre foi um marido exemplar, de conduta irrepreensível.

— Eu falhei. Cometi adultério.

— Não pense dessa forma. Adultério seria se você se deitasse comigo e com outra. Eu não queria me deitar com você. Acabei empurrando-o para os braços de outra.

— Fui um fraco.

— E eu fui intransigente — finalizou Letícia. — Sou mulher, de carne e osso, e também sinto desejos. Eu estou aprendendo a lidar melhor com minha sexualidade. Tenha paciência comigo.

— Oh, minha querida. Eu a amo! Amo!

Leandro a beijou novamente nos lábios. Não falaram mais nada. Levantaram-se. Ele estendeu o braço e ela tomou sua mão. Subiram até o quarto em silêncio e fecharam a porta.

— Vamos deitar e dormir um pouco. Foi uma noite muito difícil — tornou ele.

Letícia sorriu maliciosamente.

— A noite mal começou...

Ela falou e foi desabotoando o vestido de maneira sensual. Leandro mal podia acreditar no que via. Abriu largo sorriso e abraçou a esposa.

— Eu a amo. Muito!

— Eu também o amo. Demais!

Foi a primeira vez que Letícia entregou-se totalmente ao marido. Sem repúdios, sem medo. De corpo e alma. Foi uma noite inesquecível de prazer e reconquista, para ambos.

19

Depois que espíritos guardiões e sentinelas passaram a fazer ronda, Émerson não podia mais se aproximar da casa de sua filha, todavia podia influenciar negativamente as pessoas ao seu redor. Quer dizer, podia influenciar as pessoas que eram invigilantes, que não tomavam conta dos próprios pensamentos.

Era uma questão de afinidade energética. Se a pessoa tivesse uma cabeça boa e estivesse ligada no bem, com bons pensamentos, ele não conseguia estabelecer nenhum tipo de influência. O contato ou a influência eram nulos. Se a pessoa tivesse uma cabeça cheia de dúvidas, preocupações e negatividades, tornava-se prato cheio para que Émerson pudesse transferir, por meio dessa vibração pesada, toda a sua ira.

No Rio de Janeiro ele tinha algum domínio energético sobre Teresa. Sua esposa era mulher fútil e deslumbrada. Teresa era muito ligada nas aparências e vivia dentro de um mundo de regras rígidas de comportamento. Seguia à risca todas as grandes cartilhas de etiqueta. A palavra dos outros era muito mais forte do que a palavra dela própria.

De certa maneira ela se tornara escrava dos comentários maledicentes dos outros. E também agia dessa forma. Adorava falar mal de alguém e fofocar sobre a vida alheia. Não por maldade. Teresa fora criada assim e acreditava que falar mal de alguém era algo absolutamente natural. Afinal de contas, todas as suas amigas também agiam dessa forma.

Por isso era muito fácil mesclar suas energias com as de Émerson para atazanar a vida de Letícia e Leandro. Ocorre que desde o incidente com o romance espírita, Teresa evitava visitar a filha.

Sempre a distância, Émerson perseguia o casal. Estava possesso. Dissera para a filha — por intermédio do neto — que o marido a traía e agora os via juntos, abraçadinhos e cheios de amor para dar. Tentava emitir vibrações de desconforto, mas elas iam e se desmanchavam no ar ao se aproximar do casal.

— Não pode ser! Se eu fosse dado a beber, talvez estivesse alucinando. Depois que revelei a verdade e o caráter duvidoso do meu genro, parece que minha filha está mais ligada a ele! Eu não entendo. Confesso que não entendo. Estão mais unidos do que nunca. Deveriam estar separados, isso sim!

Estava ele perambulando nas proximidades do condomínio, alguns dias depois, quando leu o pensamento do motorista. O rapaz iria levar a filha e o genro até o aeroporto. Ele não teve dúvidas. Esperou-os entrar no carro e em seguida transportou-se até a área de embarque do Santos Dumont. Meia hora depois, Émerson viu os dois saírem do carro rumo ao balcão da companhia aérea. Pareciam dois enamorados.

O espírito irritado tentou aproximar-se, mas uma barreira energética o mantinha a alguns metros de distância. Mesmo assim escutou-os:

— Confesso que abrir meu coração, falar a verdade, foi a melhor coisa do mundo. Lavei a alma.

— Eu também, querido.

— Eu a amo e sempre vou amá-la. Minha vida não tem sentido sem você por perto.

Letícia abriu largo sorriso.

— A minha também não.

— Nascemos um para o outro.

— Acho que Mila me ajudou muito mais que o analista. Eu me machucava emocionalmente para não ter prazer. Eu também sempre o amei. Fui a culpada por ter feito você se aninhar nos braços de outra.

— Não diga isso.

— Vamos ser verdadeiros. Eu sempre senti desejo por você, mas algo dentro de mim evitava a aproximação. Entendo que você deve ter se sentido rejeitado.

— Perdi minha autoestima. Passei por períodos difíceis. Eu a amava e não podia tê-la. Imagina o sofrimento?

— Claro que imagino. Como também acredito que você possa sentir a minha angústia toda vez que tinha de me deitar ao seu lado.

— Faz parte do passado. Quero tê-la sempre!

— Agora pode. Sempre vai me ter.

— Eu sou o homem mais feliz do mundo. Nada vai atrapalhar a nossa união.

Beijaram-se com carinho e Émerson quase explodiu de raiva.

— Maldição! Mil vezes maldição! Como Letícia pode se deixar levar pelas palavras desse cretino? O que eu fiz de errado? Ela deveria estar odiando esse homem.

— Não está. Muito pelo contrário.

— Eu tentei abrir o olho dela. Revelei ao meu neto a verdade. Não entendo. Sinceramente, não entendo.

— Eu disse que não seria fácil.

Émerson por um momento perdeu o contato com a filha e o genro. Olhou para Leônidas e falou com desdém:

— Ah, você de novo. O tal espírito de luz.

— Por que não vai cuidar dos seus sentimentos, meu amigo?

— Por que não vai cuidar da sua vida? — rebateu Émerson.

— Não entendo por que se preocupa com pessoas e com um mundo que não lhe pertence mais.

— Eu pertenço a este mundo.

— Como? Me diga.

— Hã?

— Consegue interagir e participar? Não. Você só consegue atrapalhar as pessoas com a sua energia de desequilíbrio. Por que não vem comigo para um tratamento?

— Nem mil vezes morto! Daqui não saio. Aliás, estou perdendo-os de vista. Preciso saber aonde os pombinhos estão indo. Até.

Leônidas deu de ombros. Vislumbrou um halo de luz violeta e o projetou em direção a Leandro e Letícia. Desejava o bem-estar do casal.

Na chegada a São Paulo, Leandro hospedou-se com a esposa

num luxuoso hotel. Ele era benquisto pelos funcionários, tinha carisma e era muito simpático. Letícia era figura conhecida e também benquista. Não fizeram reserva, o hotel estava lotado, contudo não foi difícil para que lhes arrumassem rapidamente uma excelente suíte. Leandro cochichou algo no ouvido do gerente do hotel. O rapaz sorriu e fez sinal afirmativo com a cabeça. Em seguida, Leandro conduziu a esposa até o bar.

— Não podemos subir?

— Ainda não. As camareiras estão arrumando. Quer tomar um refresco, um drinque?

— Um suco de tomate.

Leandro fez o pedido no bar e meia hora depois subiram para a suíte.

Quando Letícia entrou no quarto, seus olhos amendoados brilharam emotivos.

— Como fez tudo isso?

— Pedi ajuda aos funcionários.

Havia um balde de prata, finíssimo, com gelo e champanhe sobre uma das mesinhas de cabeceira. Um lindo vaso com rosas amarelas e brancas fora colocado sobre uma mesa lateral. O quarto estava agradavelmente perfumado e sobre a cama havia uma pequena caixa de veludo.

— Não vai abrir?

Ela sorriu e correu até a cama. Sentou-se e abriu a caixinha, mãos trêmulas de emoção.

— Oh, Leandro, é lindo!

Letícia levantou-se e o beijou emocionada. Era uma corrente de ouro com dois menininhos também feitos do mesmo material. Num estava escrito com amor, Leandro, e no outro, com amor, Ricardo.

— Que coisa mais linda!

— Foi ideia minha e de nosso filho. Para você estar sempre conosco.

Leandro pegou a corrente e delicadamente colocou sobre o pescoço da esposa. Letícia fez gesto delicado e levantou os cabelos acima da nuca.

— Pronto. Agora você está cercada pelos dois homens de sua vida.

Ela riu e o beijou com ternura.

— Por falar em dois amores, preciso ligar para Iara, saber se Ricardinho chegou da escola, se ele não se acidentou novamente...

— Por certo. Ligue para casa enquanto eu ligo meu *notebook*. Preciso responder a alguns *e-mails* do pessoal do escritório.

Foi na hora do almoço que ambos decidiram ir ao restaurante ali perto. Entraram sorridentes e abraçados. Letícia estava se sentindo a mulher mais feliz do mundo e exalava uma energia inebriante, contagiosa, gostosa, que naturalmente atraía a atenção das pessoas. Não parava de passar os dedos sobre as miniaturas em seu pescoço.

Denise deixou Inácio falando sozinho e caminhou de maneira abrupta, batendo o salto com força. Quase derrubou o garçom que passava ao lado. Feito um tufão, foi cortando as mesas até parar na frente de Leandro.

Ele a olhou de cima a baixo e fingiu não conhecê-la. A atitude só contribuiu para Denise querer matá-lo de tanto ódio. Disse com voz tremendamente irritadiça e quase esganiçada:

— Como vai, Leandro?

— Oi — falou ele com a voz fria e lacônica.

— Temos reunião amanhã.

— Não quero tratar de negócios agora.

— Estamos tentando ligar e você não atende. Precisamos acertar alguns detalhes antes.

— Olha, eu não participo mais dessas reuniões. Um funcionário competente será designado para tratar do assunto — ele retirou um cartão e anotou um nome. — Ligue para a Companhia e procure por este funcionário. Garanto que será prontamente atendida.

Denise espumava de ódio. Mediu Letícia com olhar odioso.

— Eu sou Denise.

Com a maior delicadeza do mundo, Letícia respondeu:

— Prazer. Eu sou Letícia, esposa de Leandro.

— Ele já falou de mim?

— Querida, vamos para a nossa mesa. O *maître* está chamando — emendou ele, tentando evitar dissabores.

Letícia fez uma mesura negativa com as mãos.

— Imagine, querido. Já vamos — e, virando para Denise, respondeu de forma natural — Leandro já falou de você. Eu sei de tudo.

— Tudo o quê? Quero saber!

— Tudo sobre o envolvimento de vocês dois.

— Mesmo? — perguntou Denise, acreditando que Letícia estivesse blefando por pura educação.

— Sim, tudo. Sei que Leandro se deitava com você, por exemplo. Sei que foram amantes por um período. Mas agora ele não vai se deitar mais com você.

— Ele não pode me largar assim, sem mais nem menos. Eu tenho sentimentos — mentiu.

— Não acredito. Soube que estava casada quando teve um caso com meu marido.

Denise fechou os punhos para conter a raiva.

— Eu faço um escândalo! Vamos todas parar nos jornais. Não teme pela sua reputação? — arriscou.

— Nem um pouco.

— As pessoas podem rir de você.

Letícia deu de ombros.

— Não me importo com o comentário dos outros. Não me importo com os seus comentários. Tudo o que me interessa é que eu viva em paz com meu marido e meu filho. Mais nada.

Denise alteou o tom da voz:

— Eu disse que faço um escândalo! Vou naqueles programas vespertinos que adoram espinafrar a vida das pessoas. Conto tudo sobre meu envolvimento com Leandro.

Letícia meteu-lhe o dedo em riste. Encarou-a nos olhos. Denise recuou o passo.

— Eu não tenho medo de você.

— Não?! Duvido.

— Faça um escândalo que eu faço outro. Vamos ver de que lado as pessoas vão ficar: do meu lado, que sou uma mulher de bem, ou do seu lado, sua víbora — Letícia abaixou o tom de voz:
— Vá procurar outro homem para se deitar, sua vadia!

Denise levantou a mão, porém Leandro foi mais rápido e a segurou no ar.

— Se encostar um dedo em minha mulher eu não sei do que sou capaz.

— Solte-me, seu cretino!

— Por favor, saia da nossa frente, suma da nossa vida.

— Se continuar a se comportar de maneira inconveniente, vamos à polícia dar queixa.

— De nada vai adiantar.

— Acaso não tem dignidade? — perguntou por fim Letícia, de maneira surpreendentemente firme. — Vá procurar as pessoas da sua laia.

— Vocês me pagam! Seus ordinários.

Denise falou e saiu pisando duro. Nem esperou por Inácio. Chegou à porta do restaurante, passou na frente de outros clientes e gritou com o manobrista para pegar seu carro. No estado de fúria em que se encontrava, bateu boca com clientes. A fim de evitar mais confusão, o manobrista correu e passou o carro dela na frente. Denise entrou, bateu a porta com força e acelerou feito uma desvairada, cantando os pneus.

Dentro do restaurante, já sentados, o *maître* perguntou sem graça:

— Está tudo bem?

— Sim.

— Peço desculpas em nome de toda nossa equipe. Lamentamos o incidente — continuou o *maître*.

— Não se preocupe. Estou bem. Já passou — falou Letícia.

— O almoço será por conta da casa.

— Imagine — protestou Leandro.

— Fazemos questão.

Alguns minutos depois uma simpática garçonete trouxe um buquê de rosas e o entregou para Letícia.

— Em nome de todos os funcionários do restaurante, dona Letícia.

— Oh, são lindas! — ela aspirou o perfume suave das rosas. — Obrigada. De coração.

— Admiramos muito a senhora. É uma honra servi-la. Com licença.

A moça fez uma mesura com a cabeça e retirou-se.

Leandro sorriu e pousou as suas mãos sobre as da esposa.

— Você é uma mulher carismática, uma mulher que exala bondade. Sinto tanto orgulho de você, minha querida.

— Estou emocionada com o carinho dessas pessoas que mal conheço. Quanta gentileza!

— Você foi forte. Corajosa.

— Nunca pensei que tivesse de passar por uma situação dessas.

— Nem eu. Você foi espetacular. Foi digna.

— Fiz tudo isso guiada pelo meu coração. Não quero ninguém atrapalhando a nossa vida daqui por diante, nem essa mulher, nem minha mãe, nem ninguém. Mila sempre me falou que somos responsáveis por tudo o que nos acontece. Agora começo a entender o significado disso. Se não formos firmes e claros, as pessoas não nos entendem.

— Você se fez respeitar. Denise é mulher agressiva e vingativa.

— Mas não deixa de ser uma mulher como qualquer outra. Nem ela, nem ninguém, poderá ser mais forte do que o amor que sinto por nós.

Ele levou delicadamente a mão dela até os lábios e beijou-a.

— Obrigado por tudo. Eu a amo.

Longe dali, Émerson era pura alegria. Estava tão feliz! Encontrara uma parceira na cidade. Denise dava largas a todo pensamento vil que ele emitia.

— Eles não prestam! — esbravejou ela, depois de cortar um veículo à sua frente e parar sobre a faixa de pedestres, assustando os passantes.

Émerson, sentado no banco do passageiro, mexia a cabeça para os lados.

— Não! Ele é que não presta. Letícia não tem nada a ver com isso.

Denise registrava a fala do espírito como se fosse dela própria. Repetia em alto som:

— É, a mulher foi meio dura, mas caiu na lábia dele. Leandro não presta. Ele é que é o safado da história.

— Precisamos dar uma lição nele.

— Isso. Preciso dar uma lição nele — repetia ela.

Enquanto ela praguejava, Émerson se contorcia de felicidade.

— Mais uma aliada!

20

Os dias passados na casa dos pais fizeram muito bem a Edgar. Algumas semanas depois ele estava de volta às suas atividades rotineiras. O amigo Adriano fez questão de pegá-lo e levá-lo até seu apartamento.

— Não precisavas te incomodar. Eu e Fernando faríamos isso.

— De maneira alguma, dona Maria José. Eu e Patrícia queremos levar seu filho para a casa dele.

— Está tudo arrumado?

— Sim. Conversamos com a Délis. Ela fez uma bela faxina, escondeu porta-retratos. Deixou o apartamento bem arrumadinho, sem rastros aparentes de Denise.

— Edgar vai se lembrar de tudo o que aconteceu assim que colocar os pés lá dentro.

— Precisa entender que seu filho não pode fugir da realidade — tornou Patrícia com a voz doce, porém firme.

— Meu filho não é um fujão. Foi abandonado por aquela mulher. Vanda muito o ajudou na recuperação, mas ainda sinto que Edgar precisaria ficar mais um pouco conosco.

— Ele precisa ir para sua própria casa, ter contato com as suas coisas. Ele não é mais um garoto e precisa tomar as rédeas de sua vida.

— Ela tem razão — disse Fernando ao entrar na sala. — Nosso filho precisa voltar a ter uma vida normal.

Maria José ficou um tanto contrariada. Acostumada sempre a ditar as regras e proteger o filho, sentiu que não tinha como argumentar. Sempre tivera forte ascendência sobre Edgar e, nesses dias em que ele ficara em sua casa, ela pôde novamente exercer as funções de mãe superprotetora.

— Podemos passar essa noite ao lado dele.

— Negativo, Maria José. Edgar precisa enfrentar sozinho a realidade dos fatos.

Patrícia interveio:

— O apartamento agora está com uma energia boa. Antes de vir para cá eu passei lá e conferi o serviço da empregada. Depois, fiz sentida prece para que Edgar volte a ser feliz naquele lar abençoado. Seu filho vai se recuperar prontamente.

— Energia boa? Que história é essa de energia? — perguntou Maria José, interessada nas palavras doces daquela moça tão simpática.

— O apartamento está com bom astral — respondeu Patrícia. — O ambiente está agradável. A gente sente paz e serenidade quando entra. Posso tentar explicar. A senhora gostaria de me ouvir?

— Por certo.

— Vou subir e ver se Edgar está pronto — disse Adriano.

— Eu o acompanho — tornou Fernando.

Patrícia sorriu e conduziu Maria José até o sofá. Sentaram-se lado a lado.

— Dona Maria José, algum tempo atrás uma amiga me convidou para jantar em sua casa. Aceitei o convite, pois ela é uma pessoa ótima, bem-humorada, uma companhia muito agradável. Aproveitaríamos para matar as saudades também.

— Continues.

— Quando eu estava pronta para sair de casa, ela me ligou pedindo para desmarcar o jantar. De uma hora para outra ela ficou com dor de cabeça, mal-estar, quebradeira...

— Assim, de repente?

— De repente. Num estalar de dedos.

— Pobrezinha. Deve ter tido um mal-estar súbito.

— Por acaso, a senhora já se sentiu tomada por um desconforto, sem motivo aparente?

— Sim.

— Já aconteceu de estar bem, alegre, disposta e, numa questão de horas ou até minutos, ficar irritada, ou como se diz popularmente, de bode?

— Afirmativo.

— Já sentiu aquela coisa esquisita no quarto, como se fosse uma presença, sendo que estava sozinha?

— Acontece muitas vezes. Penso ser Fernando passando no corredor e não há ninguém. Chego até a sentir arrepios e calafrios pelo corpo.

— Tanto a senhora quanto eu sentimos essas coisas porque a natureza nos deu a sensibilidade, a amplitude de percepção. Dona Maria José, já percebeu como a senhora é uma pessoa sensível?

— Que eu saiba, assuntos ligados à sensibilidade são características de médiuns, fenômenos espíritas, Centro Espírita, não?

— De forma alguma. A sensibilidade é uma característica do ser humano. Tanto eu, como a senhora, seu marido e o meu, seu filho, enfim, todas as pessoas neste mundo a têm. Compreenda que todos nós temos sensibilidade, e algumas pessoas têm a sensibilidade mais aguçada que outras, só isso. Ninguém é melhor ou pior por ter essa qualidade mais forte. Só é diferente!

"Não existe o mais burro ou o menos burro, mas aquele que se prontifica a estudar, entender, absorver conhecimentos, e aquele que não gosta muito de dar atenção ao estudo, sendo que a inteligência também está aí para todo mundo. Vejo muito isso acontecer no meio acadêmico.

E com a sensibilidade não é diferente. Se passar a dar mais atenção à sua sensibilidade, a como sente as coisas e as pessoas, o mundo vai lhe dar o alimento para que essa característica cresça em você. Tudo em que colocamos atenção, tudo o que estimulamos dentro de nós, acaba crescendo, sempre. Isso me fez perceber como todos nós somos sensíveis."

— Isso é verdade, miúda. Não quero que meu filho pegue as energias perniciosas daquela mulher. Gostaria de evitar um mau maior. O meu coração está tão apertado!

— Edgar precisa tornar-se emocionalmente forte. Só dessa maneira vai se livrar das influências de Denise. Ele tem seus amigos, a mim e Adriano, tem seu Fernando e tem a senhora, que é uma mulher de fibra, inteligente, determinada e boa.

Maria José emocionou-se. Abraçou-a com carinho.

— Tuas palavras tocam fundo a minh'alma.

— É porque falo também com o coração.

— Que Deus nos abençoe para que possamos ajudar o meu filho!

— Todos vamos nos fortalecer com isso. Pode acreditar.

Logo ouviram passos na escada e Edgar descia acompanhado do pai. Adriano vinha logo atrás, carregando pequena mala. Ele sorriu e disse:

— Bom, acho que está na hora de eu partir.

Ele abraçou a mãe. Maria José beijou-o nas bochechas com carinho.

— Sabes que esta casa é tua.

— Claro que sei, mãe. Agradeço imensamente a hospitalidade, o carinho e a dedicação que me dispensou nestas últimas semanas.

— Volte sempre que quiseres.

— Obrigado, mãe. Tudo vai ficar bem.

— Juras?

— Prometo. Juro.

Maria José procurou retribuir o sorriso. Queria e desejava o melhor para seu filho, mas seu coração de mãe não acreditava na melhora súbita de Edgar. No entanto, depois da conversa agradável com Patrícia, resolveu não falar. Abraçou-o com carinho, beijou-o novamente na face e finalizou:

— Que Deus te acompanhes, meu filho!

Em seguida, Edgar abraçou-se ao pai e saiu. Entraram no carro e o trajeto transcorreu agradável. Chegaram ao prédio bem no finzinho da tarde. O porteiro abriu largo sorriso ao vê-lo no banco de trás do carro.

— Seja bem-vindo, Edgar.

O rapaz abriu a janela e acenou.

— Hum, o portão foi arrumado. Até que enfim.

— Sim, Edgar. Está tudo em ordem.

— Obrigado, João.

— Não tem que agradecer, rapaz.

Edgar saiu do carro e foi até o porteiro. Abraçou João e o agradeceu com sinceridade tocante.

— Você salvou a minha vida.

— Que nada! — respondeu ele, meio sem jeito, desacostumado a receber esse tipo de tratamento.

— Muito obrigado por tudo.

João não respondeu, tamanha emoção. Edgar deu as costas e entrou no carro. Adriano desceu a rampa da garagem. João disse para si:

— Esse homem merece uma mulher de coração tão nobre quanto o dele. Espero que a dona Denise suma de vez da vida dele. Que ela nunca mais apareça por aqui. Que Deus a mantenha afastada desse rapaz.

Dentro do apartamento, Edgar sentou-se no sofá.

— A casa está arrumada e perfumada do jeito que eu gosto.

— Délis veio ontem. Deixou tudo em ordem. Há até uma travessa com berinjela à parmegiana na geladeira. É só esquentar no micro-ondas.

Ele esboçou leve sorriso.

— Délis sabe do que gosto. Adoro esse prato.

— Só que tenho uma notícia chata — emendou Patrícia.

— O que foi?

— Délis disse que não vem mais.

— Por quê? — perguntou Edgar. — Sempre nos demos tão bem!

— Ela recebeu uma proposta de trabalho em outra casa. Parece que é uma família dos Jardins, bem rica. Ela vai ganhar bem mais do que ganhava como diarista.

— Se for para o melhor da Délis, ótimo.

— Se quiser — disse prontamente Patrícia — posso perguntar para minha empregada se ela tem algum dia de folga.

— Você cuidaria disso para mim?

— Claro, Edgar. Somos seus amigos.

— É que a Denise é quem cuidava desses assuntos. Agora não sei como fazer. Sinto-me meio perdido ainda.

— É natural. Logo você aprende. É bom aprender a gerenciar a casa, as compras, as coisas.

— Não sei. Denise é quem fazia tudo. Tudo.

Adriano percebeu que o assunto ficaria pairando sobre Denise. Procurou dar outro rumo à conversa: — Pois bem, campeão.

— Diga!

— Quando vamos retomar nossas corridas no parque?

Edgar olhou para o teto, pensativo.

— Não sei. Estou parado há semanas. Não sei se quero voltar.

— Nada disso — protestou Patrícia. — Você precisa se exercitar. Está um pouco cheinho.

Edgar tinha pavor de voltar a engordar e ser aquele bolachão que fora na adolescência. Preocupou-se:

— Acha mesmo que engordei?

Adriano assentiu com a cabeça.

— Acho, sim. Mas nada que a retomada da rotina de exercícios, da corrida principalmente, para você voltar logo à forma antiga.

— Então vamos recomeçar amanhã.

— Gostei de ver. Senti firmeza — respondeu o amigo.

— Logo cedo vamos correr e depois vou trabalhar. Quero estar com boa aparência ao chegar na empresa.

— Você está com bom aspecto. Um tanto melancólico, mas no geral está bem.

— Sinto saudades de Denise. Onde foi parar o porta-retrato de nosso casamento? — ele se levantou e foi até uma pequena cômoda.

Adriano e Patrícia entreolharam-se.

— Délis o guardou — falou o amigo.

— Não gosto que mexam nas minhas coisas. Onde ela colocou o porta-retratos?

— Meu amigo, por favor...

Patrícia silenciou o marido.

— Deixe, Adriano. Eu vou pegar. A Délis me disse onde o guardou. Volto num instante.

Ela saiu na direção dos aposentos e Adriano sentou-se ao lado do amigo.

— Edgar, não quero mais vê-lo sofrer.

— Eu preciso falar com Denise.

— Para quê?

— Que seja uma vez só. Se ela não me quiser, eu juro que

nunca mais vou procurá-la, mas eu tenho o direito de saber o que aconteceu.

— Ela o abandonou. Ponto final.

— Cadê a notificação do juiz?

— Que notificação?

— Se ela quis mesmo separar-se de mim, por que não fui notificado ou intimado? Faz semanas que tudo aconteceu e pelo que consta ainda somos legalmente casados.

— Tem razão. Se a separação for mesmo definitiva, Denise deveria já ter entrado com pedido de separação consensual.

— Como assim?

— O casal por consentimento mútuo requer a dissolução da sociedade conjugal estabelecendo, no seu caso, a partilha de bens.

— Ela não deu sinal de vida. Nada. Acho que vai voltar para mim. Eu sinto isso.

Adriano ia falar, porém Patrícia entrou na sala, trazendo o porta-retratos.

— Aqui está.

Os olhos de Edgar brilharam emocionados. Pegou o objeto e o levou ao encontro do peito. Depois, beijou a foto.

— Adoro esse retrato.

— Lembro-me bem, afinal fui seu padrinho de casamento.

— Foi o dia mais feliz da minha vida.

— Você terá outros dias felizes, meu amigo.

— Eu sei. Pode ser.

— Precisa de mais alguma coisa? — perguntou Patrícia.

— Não, meus queridos. Está tudo bem.

— Mesmo?

— Sim. Podem acreditar em mim. Eu gostaria de ficar sozinho. Tudo bem?

— A doutora Vanda afirmou que você está se recuperando maravilhosamente bem — ponderou Adriano.

— Estou fazendo três sessões por semana. Logo ela me disse que vamos passar para duas, depois para uma sessão, até eu receber alta.

— Fico feliz que esteja cuidando de sua cabeça.

— Vocês também têm vida. Vão cuidar dos seus afazeres.

Patrícia consultou o relógio.

— Temos hora marcada no dentista.

Adriano levantou-se e o abraçou:

— Amanhã, às seis da manhã.

— Contem comigo. Amanhã, às seis da manhã estarei no parque, no mesmo local.

— Não deixe de ir.

— Nosso grupo aumentou — disse Patrícia.

— É mesmo?

— Sim. Temos outros corredores. Os velhos amigos de corrida estão com saudades de você.

— Amanhã mataremos as saudades — ele se virou para Adriano e perguntou: — As pessoas sabem por que sumi por uns tempos?

— Não. Dissemos que você teve de fazer uma viagem de negócios e voltaria em breve.

— Fomos discretos — tornou Patrícia.

Edgar sorriu e a abraçou.

— Você é muito legal, Patrícia. Obrigado por tudo, viu?

— Gostamos de você. Não é isso que os amigos fazem?

Eles se despediram. Depois de fechar a porta, Edgar correu até o telefone e ligou no celular de Denise. Deixou um recado curto, porém carregado de saudades. Em seguida foi tomar uma ducha.

— Ai que saudades de Denise...

21

Marina acordou bem cedinho, como vinha fazendo havia algumas semanas. Levantou-se bem-disposta. Espreguiçou-se, foi até o banheiro, fez a toalete e colocou a roupa do trabalho cuidadosamente num cabide. Em seguida, vestiu a roupa de ginástica que comprara com a ajuda de Elisa. Olhou-se no espelho e gostou do que viu:

— Meu corpo está mais fino, mais torneado. A corrida tem me feito tremendo bem. Vale a pena.

No começo tinha sido difícil programar-se para dormir cedo e acordar mais cedo ainda. Na primeira semana sentiu-se muito cansada. Chegava em casa, jantava e mal conseguia estudar as matérias da pós-graduação. Ela foi perseverante e na terceira semana já estava totalmente adaptada aos novos horários. Sentia-se mais leve, com mais pique para tudo.

— Ainda bem que posso contar com Elisa — disse para si enquanto se preparava para sair.

Elisa passava em sua casa às cinco e quinze da manhã, segundas, quartas e sextas-feiras. Chegavam ao parque pouco antes das seis da manhã. O grupo do qual elas faziam parte era diversificado, composto por homens e mulheres de várias idades. Todos tinham em comum a vontade de manterem-se saudáveis, cultivarem uma amizade sincera, conservando sempre a simpatia e o alto-astral.

Marina terminou de fazer sua malinha, foi até a cozinha, tomou um iogurte e comeu uma fruta. Encheu sua garrafinha de água e passou no quarto da mãe para lhe dar um beijo de despedida.

— Daqui a pouco tem remédio para tomar. Não esqueça.

— Pode deixar, minha filha. Mas por que tem de sair tão cedo?

— Para me exercitar e ficar com boa saúde.

— Entendi o recado. Não quer ficar doente como sua mãe.

— Não foi o que disse. Você não é doente. Está assim mais pelo seu lado emocional. O médico disse que precisa fazer pequenas caminhadas, tomar um pouco de sol, ver gente. Você vive trancafiada nesta casa.

— Mas e a violência? Esta cidade não é a mesma de anos atrás. Tudo é perigoso.

— E vai ficar encarcerada, vendo TV o dia todo? Isso não é vida, mãe.

— E o que vou fazer? Tenho medo de sair.

— Por isso é que a sua pressão sobe. Está sempre tensa, nervosa.

— E não é para menos! Cadê seu irmão que sumiu e nunca mais entrou em contato conosco?

Marina virou os olhos.

— De novo esse assunto?

— É meu filho.

— Belo filho.

— O que posso fazer? Esquecê-lo?

— Sim, esquecê-lo. Ele não se esqueceu de nós?

— Sinto que existe algo estranho.

— Não há nada de estranho, mãe. Essa é a verdade. Você não enxerga a realidade porque não quer. Quantas e quantas vezes lhe disse que Jofre não quer saber de nós?

— Como pode falar com tanta propriedade?

— Porque nunca gostou de viver aqui. Nunca se deu bem comigo. Não queria trabalhar, tampouco estudar.

— E se ele estiver doente, precisando de algo?

— Não acredito.

— Você podia tentar ter notícias dele.

— Você não aprende mesmo! Se Jofre quisesse contato, teria mandado o endereço certo naquele envelope.

— Vai ver escreveu errado, o pobrezinho. Ele tinha dificuldade em juntar as letras.

— Porque não estudava. Nunca teve vontade de aprender.

— Não fale assim do seu irmão. Ele não conseguia aprender porque era desnutrido. Eu não o alimentava direito. Éramos muito pobres.

— Bobagem, mãe. O Jofre adorava cabular aula. Não sei por que o defende tanto.

— Ele é meu filho. Ficou bravo comigo e partiu.

— Como assim?

Consuelo mordiscou os lábios. Não tencionava abrir a boca. Pelo menos não naquele momento.

— Um dia eu e seu irmão tivemos uma discussão feia. Ele ficou muito nervoso, bravo mesmo. Disse-me que ia embora. E foi.

— E nunca mais voltou.

— Sinto pena de mim mesma — falou tristemente Consuelo.

— Sentir pena de si mesma é julgar-se incapaz de mudar os fatos ao redor.

— O que fazer para mudar?

— Mãe — Marina sorriu de maneira jovial, segurou as mãos de Consuelo e tornou com a voz amável: —, cada um neste planeta tem sua necessidade, está aqui para cuidar da sua evolução.

— Acha que preciso tomar um passe?

— Pode ajudar, contudo saiba que tratamento espiritual dá alívio, mas não resolve o problema. Perceba, mãe, é a sua vida que está doente e não você.

Uma lágrima escapou pelo canto do seu olho. Consuelo fora uma mulher forte e destemida no passado. Trabalhara duro na cidade grande. Mas a vida não lhe sorriu. O filho sumira de casa por culpa dela, acreditava.

Desta feita ela se entregara ao desânimo e estava sempre com um probleminha de saúde aqui, outro ali. Acreditava que estava ficando velha e isso era algo natural.

— Eu gostaria de mudar, Marina. Sinceramente. Mas não consigo.

— Precisa mudar seu jeito de encarar os fatos. Está na hora de aproveitar o tempo que tem e fazer uma higiene mental, mexer no seu subconsciente. A higiene mental altera a frequência das ondas mentais, mexendo com as ideias e promovendo mudanças positivas no pensamento.

— Não sei se conseguiria. Estou velha.

— Nunca é tarde para mudar.

— E as dores que sinto nas pernas?

— Os médicos não encontraram nada que justificasse essas dores. A fisiologia da doença está ligada à estrutura do pensamento. A mente é composta de milhares de conceitos. Ligue-se em pensamentos positivos, pense num corpo sadio, alimente sua alma com bons pensamentos. Isso vai ajudá-la a mudar. E, evidentemente, se você andasse um pouco mais, se exercitasse, talvez o inchaço pudesse ter chances reais de diminuir.

Consuelo pendeu a cabeça para cima e para baixo.

— Está certa. Preciso promover mudanças.

— Fico feliz que queira mudar.

— No entanto, se você arrumasse alguém...

— De novo essa história?

— É. Se o Erivaldo não tivesse rompido o namoro...

Marina respirou fundo e pediu forças para não estourar. O dia mal estava começando e ela tinha de ouvir toda essa ladainha do passado. Aproximou-se da mãe.

— De uma vez por todas, vamos ser francas. Quero encerrar esse assunto agora. Eu não amava o Erivaldo. Eu gostava muito dele. Namorávamos desde a adolescência quando eu era empacotadora do supermercado. Depois, ele se apaixonou pela Elisete e se casou. Tiveram filhos. São felizes.

— Ele não podia ter desfeito o noivado.

— Qual nada. Noivado é coisa superada, antiga. Colocamos o anel mais por convenção social. Creio que ele queria casar porque se sentia responsável por estar tantos anos ao meu lado. Erivaldo foi sincero, mãe. Aprecio pessoas sinceras.

— Nunca mais você se apaixonou. Nunca mais saiu com outro rapaz.

— Porque ainda não apareceu um rapaz que desperte os meus sentimentos. Na hora certa, no momento certo, quando eu estiver preparada, tudo vai acontecer naturalmente.

— Fico feliz que pense assim. Pensei que não quisesse mais saber de envolvimento afetivo.

— Eu tenho muitas coisas para fazer, mãe. Tenho trabalho, estudo, exercícios... — Marina passou delicadamente a mão sobre o rosto cansado de Consuelo. — Não foi fácil recomeçar, mas estou aqui. Depois, isso já faz alguns anos.

Ouviram uma buzina. Era Elisa.

— Preciso ir. Deixemos esse assunto enterrado lá no passado, de uma vez por todas. Entende que não fui abandonada pelo meu ex-noivo?

— Entendo, sim.

— Não fiquei com nenhum trauma e, caso apareça alguém, só para seu registro, mais uma vez vou avisá-la: vou me deixar envolver, sim.

— Vou rezar para você encontrar um bom homem.

— Reze para você ficar boa, isso sim.

Marina falou, beijou a mãe e saiu.

Consuelo remexeu-se nervosamente na poltrona. Marina havia dito algo no meio da conversa que de certo modo a deixara profundamente perturbada: "aprecio pessoas sinceras".

"Fui sincera com Jofre e ele sumiu. Se eu fizer o mesmo com Marina e lhe contar a verdade, será que ela poderá fazer o mesmo? Oh, meu Deus! Será que serei punida?"

Nova lágrima escorreu pelo canto de seu olho. Consuelo corroía-se de remorso por dentro. Sentia uma necessidade louca de revelar à filha absolutamente tudo sobre o seu passado tim-tim por tim-tim.

A voz do seu coração lhe dizia para sentar-se com Marina e conversar. A voz da razão, por outro lado, dizia-lhe para continuar quieta. Afinal, de que adiantaria falar sobre um assunto tão espinhoso? Consuelo chegou a ter palpitações. Remexia-se na cama de maneira agitada. Pensou e pensou, remoeu o assunto por tantas outras vezes. Mas cadê a coragem?

"Não tenho coragem. Prefiro morrer a falar a verdade".

22

Elisa sorriu ao cumprimentar a amiga.

— Bom dia!

— Bom dia, Elisa.

— Você não está com a cara boa. Aconteceu alguma coisa?

Marina fez sinal afirmativo com a cabeça. Elisa acelerou o carro, pegou a avenida Radial Leste e perguntou:

— Quer falar sobre o assunto?

— Você é boa amiga, Elisa. Nunca houve segredos entre nós.

— Obrigada pela confiança.

— Minha mãe defende meu irmão com unhas e dentes e isso me irrita profundamente.

— Por quê?

— Oras, por quê! Porque Jofre sempre foi um mau elemento, uma pessoa ruim mesmo. Nunca se deu bem comigo, destratava a minha mãe, gritava com ela. As nossas discussões eram acaloradas. Vivi anos terríveis ao lado dele. Quando foi embora, eu senti um alívio tão grande! E não me arrependo de ter tido esse sentimento.

— Também pudera. Você já me contou cada barbaridade que Jofre aprontava. É natural ter sentido alívio.

— Os anos foram passando, fomos melhorando de vida. Mamãe adoeceu e eu tenho tomado as rédeas da casa. Pago todas as contas, encho a geladeira, pago uma empregada que vem uma vez por semana.

— E no entanto dona Consuelo sente saudades de Jofre.

— Não só sente saudades, Elisa, como também o defende! Diz que foi responsável por ele não ter concluído os estudos.

Um absurdo. Ele não concluiu os estudos, ao menos o ensino fundamental, porque era vagabundo mesmo. Sempre foi.

— Sua mãe vive em outra realidade. Ela tem outra visão acerca dele, afinal é filho dela. As mães geralmente passam as mãos sobre a cabeça dos filhos. Sempre. É uma questão cultural. Eu, particularmente, creio que sua mãe saiba de fatos que você não tem conhecimento.

— Como assim?

— Eu sinto que dona Consuelo está aflita, agitada.

— Hoje ela pareceu-me estar assim. Hoje e todos os dias dos últimos meses — Marina falou num sorriso irônico. — Minha mãe fica nervosa por qualquer motivo.

— Você precisa encorajar sua mãe a falar mais sobre a vida dela, sobre a relação dela com o Jofre.

— Esse assunto me desagrada.

— Ainda continua se envolvendo emocionalmente nos assuntos. Não aprendeu nada sobre o que lhe disse sobre se manter na impessoalidade?

— É fácil falar, Elisa. Colocar em prática é outra realidade, bem diferente. Eu até que tenho tentado, contudo, confesso que dá trabalho.

— Mudar para melhor sempre dá trabalho. Somos obrigados a olhar para dentro de nós e escolher os pensamentos que queremos cultivar e os que não queremos mais que nos importunem. É importante aprendermos a conversar com as pessoas sem nos envolvermos emocionalmente em seus problemas. Caso contrário, vamos nos impressionar e, em vez de ajudar, estaremos criando um ambiente propício para atrair mais confusão.

— Você tem razão. Preciso me controlar mais.

Elisa estacionou o carro próximo à pista de corrida. Desceram do carro com suas garrafinhas de água. As duas cerraram os olhos e aspiraram o ar puro do parque.

— O dia hoje amanheceu tão lindo!

— Tem razão, Marina. — Não há uma nuvem no céu.

Foram caminhando até o local em que o grupo se encontrava nos dias de corrida. Faltavam alguns minutos para as seis da manhã, porém quase todos os frequentadores de praxe lá estavam.

Marina havia se enturmado com todos e havia sentido especial afeição por Patrícia e Adriano. Estava sempre correndo ao lado do casal, recebendo dicas, instruções de como melhorar a sua performance, a sua respiração, como promover mudanças em seus hábitos alimentares etc.

O casal aproximou-se e eles se cumprimentaram. Elisa foi alongar o corpo com parte do grupo. Patrícia a convidou para alongarem-se ali perto.

— Como andam as coisas?

— Estou bem. Tenho me adaptado com tremenda rapidez a esse novo e saudável estilo de vida.

— O corpo gosta de ser exercitado.

— A mente também.

— Esqueceu-se de falar do espírito. O nosso também gosta dos exercícios físicos. É sinal de que estamos tratando bem o nosso corpo físico, que estamos procurando dar boas condições de durabilidade à matéria — apontou para o próprio corpo — que abriga o nosso espírito.

— Nunca fui de me ligar muito em assuntos espirituais.

— Mas acredita em algo além do que nossos olhos possam ver?

— Como assim?

— Acredita que estamos aqui por um curto período de tempo, para que nosso espírito aprenda com as experiências da Terra e volte à pátria espiritual mais esclarecido e lúcido?

— Não sou especialista no assunto — Marina sorriu —, mas, diante de tanta violência e catástrofes naturais, não consigo imaginar que tudo ocorra tão somente por conta da fatalidade.

— Não ocorre da maneira como pensamos. O assunto é complexo, exige estudo e uma mente aberta, sem dogmas ou ideias preconcebidas sobre vida ou morte.

— Podemos sair um dia desses e conversar mais profundamente acerca desses assuntos. Falar sobre espiritualidade me causa tremendo bem.

— Também aprecio o assunto. Será um prazer sair para conversar com você, querida.

— Eu simpatizei muito com você e Adriano.

— Nós também gostamos muito de você.

Marina posicionou-se atrás de Patrícia e a ajudou no alongamento. Foi puxando e esticando o braço da amiga para cima e para os lados, até que os largou e ficou paralisada.

— O que aconteceu Marina?

— Nada.

Patrícia acompanhou seus olhos.

— Seu semblante mudou de uma hora para outra.

— Desculpe. É que... Eu conheço aquele rapaz ali — apontou.

Patrícia espremeu os olhos para ver melhor, contudo era um grupo com alguns homens.

— Qual deles?

— Aquele, de camiseta branca e *short* preto.

— É o Edgar.

— Acho que o conheço, sim. Está um pouco mais cheio, mas é ele.

— Ele é nosso amigo.

— Mesmo?

— Ficou parado por uns tempos e está retornando hoje às práticas esportivas. Você o conhece de onde?

Marina era muito discreta e preferiu omitir a verdade. Tratava-se de assunto delicado, de foro íntimo, e ela jamais exporia os reais motivos que fizeram Edgar estar afastado dos exercícios. Ela jamais imaginaria que Patrícia e Adriano fossem amigos de Edgar. Procurou falar num tom natural e impessoal.

— Sou assistente da esposa dele.

Patrícia levou a mão à testa.

— Coitada! Trabalha para a Denise?

— Hum, hum.

— Você merece receber adicional por insalubridade! Isso, sim.

Ambas riram. Adriano aproximou-se com Edgar.

— Oi, Marina, gostaria que conhecesse nosso amigo.

Edgar engoliu em seco. Reconheceu Marina imediatamente e sentiu medo da moça. Ela sorriu e, antes de ele concatenar os pensamentos, ela estendeu a mão.

— Muito prazer, Marina. Eu o conheço de nome. Sou assistente da Denise.

— Assistente da Denise? Ninguém merece! — falou Adriano.

Eles riram e Marina comunicou-lhes:

— Vou fazer uma caminhada rápida antes do trote. Encontramo-nos mais tarde.

Edgar alongou-se rapidamente. Adriano o alertou:

— Faz tempo que não corre. Veja se pega leve hoje.

— Vou fazer somente uma caminhada. Fique sossegado.

Ele falou e saiu em direção à Marina. Apertou o passo e alcançou-a no meio da trilha.

— Como está? — indagou ela, olhando para a frente.

— Estou bem.

— Não imaginava que fosse amigo de Patrícia e de Adriano.

— O mundo é mesmo pequeno. Somos amigos há anos, mesmo eles não gostando muito da Denise.

— Sei que é sua esposa, mas concordo com eles. Denise é uma mulher de temperamento difícil.

— Com o tempo a gente se acostuma.

Caminharam mais um pouco sem falar nada até que ele perguntou:

— Como anda a Denise? Está bem?

— Aparentemente, sim. Como de costume.

— Poderia lhe dar um recado?

— Um recado?

— Não consigo falar com ela. Tenho receio de ir até a Dommênyca para conversar. Ela não atende minhas ligações e...

— Sinto muito. Não misturo negócios com vida pessoal. Sou funcionária de sua esposa. Não é de bom-tom que eu seja uma espécie de pombo-correio do marido.

— Não é isso.

— Claro que é. Vá até a empresa e converse com ela. Não fica mais fácil?

— O ambiente de trabalho não é propício para uma conversa entre marido e mulher.

— Vocês não se separaram? — perguntou Marina.

— Temporariamente. Não recebi nenhum papel de advogado, nenhuma intimação de juiz. Creio que no momento ela queira esfriar a cabeça, vamos voltar a nos entender.

— Se acredita que vai ser assim, ótimo.

Depois de um pouco mais de silêncio ele baixou o tom de voz:

— Queria agradecer-lhe por não fazer nenhum comentário sobre como nos conhecemos de verdade. Patrícia e Adriano sabem que tentei fazer aquela besteira, mas ignoram como tudo aconteceu. Eu não tive coragem de lhes contar os detalhes.

— Sou discreta e odeio mexericos. A maneira como nos conhecemos não importa a ninguém, não é mesmo? — retrucou Marina de maneira nada simpática.

— Por que está sendo rude comigo?

— Eu, rude?! Imagine.

— Mudou o tom de voz. Acaso eu a importuno?

— Não me importuna. Por que seria rude com você? — ela desconversou. — Preciso começar a correr, com licença.

Marina se afastou e ele continuou fazendo sua caminhada. Estava com raiva, muita raiva. Não de Edgar, mas da situação.

— Ele sofre com aquela mulher e ainda quer mandar recadinho? Como pode ser tão cego e não perceber que Denise não gosta dele e não vai mais voltar para seus braços? Eu a vi acertando os detalhes da separação com o crápula do Inácio.

Patrícia a alcançou.

— Falando sozinha?

— Desculpe. Estava pensando em voz alta.

— Gostou do Edgar?

— Simpático, mas parece abatido.

— Passou por uma fase ruim, mas agora está se reerguendo.

— Casado com aquela mulher? Imagino como ela deva ser em casa. Deus me livre!

— Também não gosto muito da Denise. A gente nunca se deu bem.

— Ninguém se dá bem com ela. Grita e xinga todo e qualquer funcionário, toda hora. Parece que está sempre de mal com o mundo.

— Edgar ainda é louco por ela.

— Uma pena. Se ela ao menos correspondesse...

— Vi que seus olhos iluminaram-se quando ele se aproximou.

— Que bobagem, Patrícia. É o sol.

Patrícia deu uma risadinha.

— Estou enganada ou você sente atração por ele?

— Não está enganada, Patrícia — declarou Marina —, mas como posso permitir me interessar por um homem que é doente de paixão por outra?

— Aproximando-se aos pouquinhos, com jeito.

— Enquanto ele estiver ligado emocionalmente em Denise, não quero saber de nada.

— Edgar está fazendo terapia com uma psicóloga competente, séria e respeitada. Não acredito que essa paixão por Denise dure tanto. O prazo de validade desse casamento já expirou. Edgar é que não percebeu, mas logo vai perceber.

— Ademais — concluiu Marina —, se Denise é odiosa como chefe, imagino como seja quando o assunto resvala para o pessoal. Não quero saber de encrenca na minha vida.

— Você está certa. Denise é mulher perigosa.

23

Leandro chegou em casa aturdido. Letícia estava lendo uma revista de moda e levantou-se de um salto.

— O que foi? Que cara é essa?

— Venha comigo.

Ela o seguiu e Leandro a levou até a garagem. Mostrou a traseira do carro.

— Pode uma coisa dessas?

Letícia viu a traseira toda batida, os faróis quebrados. Um grande estrago.

— Bateram no seu carro. Que judiação! Não fique nervoso. Logo vai para o conserto e...

Leandro a cortou com ansiedade. Estava fulo da vida.

— Eu fui ao caixa eletrônico sacar dinheiro e vi tudo pela porta de vidro.

— Tudo o quê?

— Denise. Ela bateu no meu carro de propósito!

— Tem certeza? Era ela mesma?

— Sim.

— Ela mora em São Paulo.

— Vi com meus próprios olhos. Eu estava quase entrando no carro. Ela buzinou, eu a reconheci e, antes mesmo de entrar, ela acelerou e bateu. Deu ré e fugiu, como se nada tivesse acontecido. Estava usando um veículo velho, tenho certeza de que não era o carro dela. Não estou louco, Letícia, mas ela veio de São Paulo só para fazer essa cena.

— Houve testemunhas?

— Não me lembro. Fiquei tão aturdido que entrei no carro e vim correndo para cá.

Letícia o abraçou.

— Oh, querido, não fique assim.

— Como não ficar, meu bem? Essa mulher não para de nos importunar. Ela começou com as ligações telefônicas. Agora bateu no meu carro. Desse modo, o que mais essa louca pensa em fazer? Tenho medo de que ela cometa algo mais grave.

— Não pensemos nisso, meu amor.

Leandro passou a mão sobre o ventre avantajado da esposa. Letícia estava grávida de sete meses e o médico fora categórico: ela deveria repousar o máximo possível, descansar e, acima de tudo, não enfrentar nenhuma situação de estresse.

— Não quero que nada de mal aconteça a você ou ao nosso bebê. Você tem enfrentado uma gravidez difícil.

Letícia o abraçou com carinho. Pareciam dois enamorados. O amor entre ambos florescera de tal maneira que tinham certeza: nada poderia atrapalhar ou ser mais forte do que o amor que os unia.

— Tudo vai dar certo. Ela não vai mais nos importunar.

O telefone tocou e Leandro pegou o aparelho do bolso do paletó.

— Está vendo — disse ele. — Número desconhecido. É ela.

— Atenda.

Leandro levou o celular ao ouvido.

— Alô.

Do outro lado da linha ouvia-se uma gargalhada estridente. Depois falou:

— Idiota. Hoje foi o carro...

— Denise, pare de nos importunar. De que adianta tentar atrapalhar nossa vida? Você não vai nos separar.

Ela sentiu um ódio surdo.

— Não vou? Quer apostar? Dois por um que eu vou acabar com você, sua esposa e seu filhinho. Por falar em filho, onde está Ricardo?

— O que foi que disse?

— Seu filho está em casa?

— Ricardo está na escola e...

Nova gargalhada e Denise desligou. Leandro apavorou-se.

— Ela perguntou por Ricardo.

— Ricardo? O que ela queria saber? — perguntou Letícia, já demonstrando sinais de preocupação.

— Se ele está em casa.

— A essa hora ele está na escola.

Ambos se entreolharam. Leandro entrou no carro e disse:

— Ligue para a escola enquanto eu vou até lá.

— Está certo.

Com alguma dificuldade Letícia caminhou até a cozinha. Pegou o telefone da escola anotado na agenda e ligou. Foram minutos de desespero, pareciam durar uma eternidade. Letícia contorcia as mãos no aparelho num gesto nítido de aflição.

— Ricardo está na classe — tornou a monitora.

— Tem certeza? Viu meu filho?

— Sim, dona Letícia.

— Poderia chamá-lo para eu me tranquilizar?

— Os alunos estão terminando uma prova de geografia. Se for urgente...

Letícia acreditou na atendente. A escola era tradicional, conhecida e segura. Tinha um ótimo esquema de segurança. Ela ficou mais tranquila.

— Se me afirma que Ricardo está em aula, eu acredito. Mas assim que a prova terminar pode pedir para ele me ligar? Por favor?

— Sim, senhora.

Uma hora depois Leandro chegou em casa com o filho. Letícia o abraçou e o beijou.

— Está tudo bem, filho?

— Claro que está, mãe. Fiz uma prova maneira! Acho que vou tirar dez.

Ela sorriu.

— Bom você estar em casa.

Ele a beijou no rosto e foi correndo para a cozinha.

— Estou morrendo de fome!

Leandro aproximou-se.

— Fui até a escola, conversei com os seguranças, dei a

descrição física de Denise. Disseram-me que não viram ninguém com essas características rondando a escola.

— Graças a Deus!

— Ela fez isso para nos infernizar e tirar nosso sossego. Eu sou o culpado.

— Não diga isso, meu bem. Você não é culpado de nada.

— Se eu não tivesse me envolvido com ela, nada disso estaria acontecendo.

— Faz parte do passado. Vamos encontrar uma maneira de afastar Denise definitivamente de nossa vida.

— Assim seja.

No entanto, o sossego do casal durou pouco. Denise passou a ligar para o celular de ambos, de hora em hora, falando coisas disparatadas.

— Letícia, essa criança vai nascer mesmo sadia? Tem certeza? Será que você não está carregando um feto doente?

Letícia desligava, mas Denise deixava recados na caixa postal.

— Você vai ter essa criança e vai morrer. Quem disse que a felicidade existe para vocês? A felicidade não existe. Não para vocês. Se depender de mim, vocês vão todos morrer infelizes.

Letícia estava cansada e aflita. Não sentia ter forças para lutar contra aquele demônio em forma de gente. Ligou para Mila pedindo socorro.

Meia hora depois a amiga chegou e tentou tranquilizá-la.

— Calma.

Mila pediu para Iara ir buscar um copo de água com açúcar. Iara voltou com uma bandejinha com o copo cheio e o colocou sobre uma mesinha.

— Quer mais alguma coisa?

— Está tudo bem, Iara. Pode ir.

Mila apanhou o copo de água com açúcar e o entregou para a amiga.

— Está muito nervosa. Não pode ficar assim no estado em que se encontra. Vai ter um bebê.

— Não estou nervosa — ela passou a mão sobre a barriga — estou aflita, é diferente.

— Dá no mesmo. Eu não gosto disso. Você precisa ser mais forte do que essa mulher.

— Difícil. Ela bateu no carro de Leandro de propósito. Deixa recados horríveis na minha caixa postal. Liga perguntando se Ricardo está mesmo em casa, se ele já voltou da escola. Eu tenho medo só de pensar em alguma besteira que Denise possa nos fazer.

— Você precisa se defender.

— De que maneira, amiga? Essa mulher não para de ligar e atazanar nossa vida. Leandro não sabe mais o que fazer.

— Compre outra linha. Mude o número do celular.

— Já fizemos isso. Leandro tinha uma agenda telefônica grande, mudou o número, filtrou seus contatos. De que adiantou tomar essas providências? Denise descobriu o novo número. Vamos ter de trocar de número toda semana? Não acho justo.

— Nem eu — Mila pousou suas mãos nas da amiga. — Você precisa ser forte, Letícia. Não pode deixar-se abater por uma estranha. Tem que ser mais forte que ela. Está dando muita força a essa negatividade que dela emana.

— Complicado, Mila. Estamos há algum tempo vivendo uma fase ótima do nosso casamento e essa infeliz insiste em nos atormentar. Tenho medo de ela ir mais longe, fazer o mesmo que a personagem da Glenn Close fez no filme *Atração Fatal*.

Mila levantou o sobrolho.

— Acha que chegaria a tanto?

— Ela quase destruiu o carro do Leandro. Que mais será capaz de fazer?

Mila pensou e sugeriu:

— Por que não vamos até uma delegacia prestar queixa? Você faz um boletim de ocorrência contra Denise. Eu entro como testemunha. Precisamos arrumar uma maneira de fazê-la parar.

— De que vai adiantar?

— Ora, Letícia. Você é pessoa conhecida da sociedade. É respeitada e admirada. A gente nunca sabe o que as pessoas loucas como Denise são capazes de fazer.

— E o que vou alegar? Que ela me liga? Em relação ao carro do Leandro não podemos fazer nada. Ela foi esperta, usou outro veículo e não o dela.

— No entanto, essa mulher é tão estúpida que deixa recados no seu celular. Esse material pode ser prova de que ela está ameaçando você e sua família. Temos como provar que ela está tentando tirar o sossego de sua família.

— Denise tem me tirado o sono. O tempo passa e, em vez de esquecer e tocar a vida adiante, procurar outro homem, procurar ser feliz, ela prefere nos infernizar e quer a todo custo destruir nossa felicidade.

— Vamos também importuná-la. O que essa mulher faz é crime contra a liberdade individual. Eu vou acompanhá-la até a delegacia. Mas prepare-se.

— Com o quê?

— Com o assédio da imprensa. Por mais discretas que formos, quando o assunto resvala sobre pessoas conhecidas, todos querem saber.

— Não tenho medo de fofocas ou do assédio da imprensa. Sempre fui uma mulher de bem. Não vou me deixar intimidar. E, se quer saber, depois de uma semana outro escândalo tomará conta dos jornais.

— Gostei da sua postura firme e decidida.

— Obrigada, Mila. Vou ligar para Leandro.

Letícia ligou para o marido e ele achou pertinente irem até a delegacia. Pediu uma hora para terminar um assunto importante com dois diretores.

— Um beijo. Até logo.

Ela desligou o telefone sentindo certo alívio.

— Leandro vem daqui a uma hora. Importa-se de me fazer companhia?

— Pois claro — ela passou a mão sobre o barrigão da amiga. — Como tem passado?

— Bem. Gosto do outono. A temperatura é mais amena. O frio é mais a minha cara. Sou uma carioca fajuta!

Elas riram. Mila completou:

— Eu também prefiro a temperatura mais branda. Tem tido muito inchaço?

Letícia levantou o vestido.

— Não. As pernas estão ótimas. Noto uma ou outra vez o tornozelo inchar, mas aí me deito na cama, elevo um pouco as pernas. Passa.

Ficaram conversando amenidades e Mila fez de tudo para tranquilizar a amiga e não deixar que o assunto esbarrasse em Denise.

— Vamos fazer uma prece antes de ir até a delegacia.

— Boa ideia, Mila.

As amigas deram-se as mãos, fecharam os olhos e oraram com sinceridade, pedindo orientação e proteção dos amigos espirituais para que tudo se resolvesse da melhor maneira possível. Mila pediu para que pudessem ter forças para enfrentar essa situação tão constrangedora.

24

Leandro chegou uma hora depois, conforme prometido, e os três rumaram até a delegacia mais próxima.

— Nunca entrei numa delegacia antes — suspirou Letícia.

— Sempre tem uma primeira vez — respondeu Mila. — Vamos, dê-me sua mão que eu a ajudo a subir os degraus.

Letícia esticou o braço e elas entraram. Um policial reconheceu Letícia e foi todo simpático. Levou os três até uma salinha.

— O delegado já vem.

Elas se acomodaram em cadeiras e Leandro ficou em pé.

— Sente-se, querido.

— Estou muito nervoso para me sentar.

Alguns minutos depois o delegado entrou. Era um homem na faixa dos trinta anos, alto, ombros largos, olhos amendoados, grandes e expressivos. Tinha um sorriso encantador.

— É uma honra tê-los aqui — ele cumprimentou Letícia e Leandro. Depois estendeu a mão para Mila. — A senhora é...?

— Senhorita.

— Ah, perdão.

— Sou Mila. Amiga da família e possível testemunha.

— Muito prazer. Carlos Alberto Tavares Branco.

Ela sorriu e afirmou:

— Bonito nome.

— Obrigado — o delegado sentou-se à mesa e indagou-lhes: — O que fazem aqui?

Leandro estava muito nervoso. Mila fez sinal para ele se acalmar e tomou a palavra:

— Sabe, seu delegado, meus amigos estão sofrendo ameaças de uma mulher.

— Ameaças, que tipo de ameaças?

Letícia falou:

— Não temos nada a temer e vou ser sincera...

Leandro a cortou com amabilidade.

— Estou calmo agora, querida. Posso falar.

Assim, ele foi relatando ao delegado sobre tudo. Contou de como conhecera Denise, do envolvimento de ambos, da separação e das ameaças que vinham sofrendo por telefone, além do constrangimento quando a encontravam em lugares públicos.

— Ela bateu no meu carro alguns dias atrás.

— Tem como provar? Havia testemunhas? — indagou o delegado.

— Não, infelizmente. Mas ela ligou para casa e está fazendo ameaças ao nosso filho. O problema é que ela liga de telefones diversos, ora de número desconhecido, não identificado, ora de telefone pré-pago.

— Fica difícil rastrearmos as ligações.

— Ah! — tornou Mila — ela deixou um recado na caixa postal de Letícia. — E, virando-se para a amiga, perguntou: — Tem o recado guardado?

Letícia assentiu com a cabeça.

— Tenho sim — ela revirou a bolsa e pegou o telefone. Ligou para a caixa postal, pegou o recado e entregou o celular para o delegado. Ele escutou, fez uma careta e concluiu:

— Trata-se de ameaça.

— E, então, doutor?

— É crime. O Código Penal trata do assunto. Capítulo 6, dos crimes contra a liberdade individual, artigo 147. — Carlos Alberto impostou a voz e ditou o artigo, de cor e salteado: — Ameaçar alguém, por palavra, escrito ou gesto, ou qualquer outro meio simbólico de causar-lhe mal injusto ou grave.

— Podemos fazer um boletim de ocorrência?

— Sem sombra de dúvidas — respondeu o delegado.

— Essa mulher também pode ser enquadrada nos artigos que englobam crimes contra a honra? — indagou Mila.

Carlos Alberto abriu largo sorriso e ela notou seus dentes alvos, bem distribuídos e perfeitamente enfileirados.

— Você é uma mulher inteligente. Ela também pode ser indiciada de acordo com o testemunho de vocês, por difamação e injúria.

— E não é tudo a mesma coisa, delegado? — indagou Leandro confuso.

— De forma alguma. Difamação e injúria são crimes contra a honra. Já a ameaça é crime contra a liberdade individual. As diferenças são as seguintes: difamação ocorre quando alguém ofende a reputação de outra pessoa, tece comentários que têm por único objetivo exatamente difamá-la. Injúria ocorre quando alguém ofende a dignidade e o decoro de outra pessoa, principalmente insultando-a, proferindo ofensas verbais. E, ainda há, evidentemente, o crime de dano. A pena para esses crimes variam de um mês a três anos de prisão, ou multa. Infelizmente, a justiça é branda e quem comete esse tipo de crime faz a compra de algumas cestas básicas para doar a alguma instituição de caridade.

— Mesmo assim, vocês prometem apurar? Sei que há fatos mais relevantes aqui na delegacia, no entanto, queremos tão somente a paz em nossa vida — interveio Leandro.

— Estamos aqui para servi-los. Vou encaminhá-los para outra sala, onde um policial vai registrar a queixa. Ah, e mais uma coisa — ajuntou Carlos Alberto —, não tenham, em hipótese alguma, vergonha de contar tudo, sem omissões, sem mentiras, porque todo e qualquer detalhe sempre é muito importante na caracterização do delito. — Ele encarou Mila e perguntou: — Importa-se de ser arrolada como testemunha?

— Por certo — ela fez gesto afirmativo com a cabeça. — Eu vim aqui para dar meu depoimento, para servir de testemunha.

Depois de tudo finalizado, o delegado informou que o boletim de ocorrência poderia ajudar na apuração dos fatos, mas foi sincero em afirmar que não poderia garantir a paz que Letícia tanto procurava.

— Ela não vai ser chamada para depor? — indagou Letícia.

— Sim. Vou mandar uma carta precatória para o delegado de São Paulo. Denise será intimada. Aí, vamos ouvir a versão dela.

Leandro exasperou-se.

— Denise bateu no meu carro aqui no Rio. Por que não a chamam para depor aqui?

— Porque, em fase investigatória, Denise poderá prestar depoimento na capital paulista. O delegado de São Paulo vai reunir as informações e enviá-las para mim. Diante disso, eu mando tudo para o Ministério Público e...

Mila meneou a cabeça para os lados.

— Desculpe-me, delegado. Por que tudo é tão demorado? As coisas não poderiam ser mais simples?

— Infelizmente, não.

Eles se levantaram e se despediram.

— Fiquem sossegados, eu vou ser muito discreto na condução dessa queixa. O delegado de São Paulo é meu amigo, faremos o possível para que nada vaze na imprensa.

— Obrigada, delegado.

O rapaz sorriu e disse:

— A senhora pode me chamar de Carlos Alberto. Minha mãe é sua fã.

Letícia sorriu e pegou no braço de Leandro. Mila foi logo atrás, mas antes se virou para o delegado e perguntou:

— Desculpe-me, mas estou com uma pulga atrás da orelha.

— O que é?

— É um tanto pessoal — ela ficou encabulada.

Carlos Alberto notou e foi gentil:

— Policiais e delegados podem parecer homens duros e insensíveis, mas temos coração. Eu assusto pelo tamanho, mas sou um bom moço.

Ela se sentiu mais à vontade e indagou:

— Você se chama Carlos Alberto por causa daquele famoso ator de televisão que faleceu recentemente?

— Sim. Minha mãe era apaixonada pelo ator Carlos Alberto Soares. Achava-o lindo. Ela me conta que não perdia um capítulo da novela *Bravo*![7] só para ver o maestro interpretado pelo ator.

7 *Bravo!* foi uma telenovela produzida e exibida no horário das 19 horas pela Rede Globo entre junho de 1975 e janeiro de 1976. Foi escrita por Janete Clair e Gilberto Braga. O título se refere à profissão do protagonista, que era um grande maestro. No elenco, Carlos Alberto (1925-2007), Aracy Balabanian (1942), Bete Mendes (1949), Neuza Amaral (1930), Bibi Vogel (1942-2004) e grande elenco (N.A.).

Alguns meses depois que a novela acabou ela engravidou e, quando eu nasci, homenageou-me, dando-me seu nome.

— Espere um pouco. Você nasceu em que ano?

— 1977.

— Eu também.

— Não me diga! Pensei que você tivesse uns vinte, vinte e dois anos, no máximo.

Ela se envaideceu.

— Obrigada pelo elogio. Eu nasci em fevereiro de 1977.

— Coincidência. Eu nasci em fevereiro, no dia... — Carlos Alberto sussurrou no ouvido dela.

Mila abriu e fechou a boca, estupefata.

— No mesmo dia que eu? Impossível!

— Por quê? — Carlos Alberto sacou a carteira do bolso e mostrou-lhe a identidade.

Mila fez o mesmo. Abriu a bolsa, tirou a carteira e mostrou-lhe a identidade.

— Está vendo? Mesmo dia, mesmo mês, mesmo ano! Somos gêmeos! Quer dizer, aquarianos!

Ele a encarou nos olhos e emendou:

— Ou almas gêmeas.

Ela sentiu um friozinho gostoso no estômago. E, antes de ela perguntar, Carlos Alberto respondeu:

— Sou solteiro, filho único, 32 anos, formado em Direito, delegado de polícia. Moro com minha mãe. Meu pai morreu há dez anos e não tenho irmãos. Namorei uma garota por três anos e estou livre há dois. Respondida a pergunta?

Ela riu gostoso.

— Você deve ser médium! Eu iria mesmo perguntar. Agora sei tudo sobre você!

— E você, tem alguém? Aposto que sim. Uma mulher tão fina, tão elegante e bonita, não deve estar só.

— Não tenho ninguém. Sou um pouco diferente das mulheres da minha idade. Tenho outros interesses. Não gosto de clubes, barzinhos, baladas... Prefiro filmes, jantar na casa de amigos.

— E qual a sua profissão?

— Sou rica!

— Adorei a sinceridade — respondeu Carlos Alberto, encantado com a beleza e o jeitinho brejeiro de Mila.

— Se quiser saber mais sobre mim...

— Adoraria! Quer jantar comigo?

— Aceito.

Carlos Alberto tirou um cartão do bolso e pousou-o delicadamente na mão de Mila.

— Aí estão os números de casa e do celular. Me ligue a hora que quiser.

Despediram-se e ele finalizou:

— Cuide bem de sua amiga. Tranquilize-a. Farei o possível para que ela não seja mais importunada por quem quer que seja. Tenho muito carinho e admiração pela dona Letícia. Ela é uma pessoa de bem.

Mila concordou com ele. Sua amiga era, de fato, uma mulher de bem. Entrou no carro e Letícia disse:

— Pensei que tivesse se perdido, mas vi a senhorita batendo um papão com o delegado bonitão.

Leandro interveio:

— Falar assim me deixa com ciúmes.

— Bobinho. Você é o meu amor maior. Só tenho olhos para você. Acontece que o delegado é boa-pinta.

— Devo admitir que ele é boa-pinta, sim.

— E parece que minha amiga gostou bastante dele.

Mila estava radiante. Enquanto Leandro dava partida e seguia o caminho de casa, ela contava tudo o que conversara com Carlos Alberto.

— Foi falar com ele sobre novela antiga, Mila? Que cantada mais original!

— Não foi cantada. Foi curiosidade mesmo.

— Sei! — Letícia falou e piscou para o marido. Mila continuou:

— Ele nasceu no mesmo dia, mês e ano que eu! Isso não é coincidência demais?

Foram conversando animadamente e, por ora, esqueceram-se de Denise, das ameaças, de tudo.

25

Leandro, ao prestar queixa com a esposa, dera o endereço do escritório da Dommênyca. Denise recebeu a intimação no trabalho. Ela estava sentada em sua cadeira executiva, olhando a paisagem ao redor. Sentia-se a dona do mundo.

— Adoro importunar o casalzinho. Vou fazer isso até causar a separação.

Inácio entrou na sala com ar preocupado.

— Falando sozinha?

— Estava aqui divagando. Pensando em outras possibilidades de infernizar a vida do Leandro. O que foi, por que essa cara dura?

Inácio entregou-lhe o papel. Denise abriu e não deu um grito. Deu três, seguidos e agudos.

— Ai! Ai! Ai!

Inácio tapou os ouvidos.

— Sabia que ficaria nervosa.

— Nervosa? Estou possessa! Eles tiveram a coragem de prestar queixa contra mim?

— Sim. No boletim de ocorrência consta tudo, desde o dia que se conheceram, as intimidades, os locais frequentados, as ameaças. Mas esse tipo de intimação não dá em nada. No máximo umas cestas básicas e...

Denise espumava de ódio. Uma babinha branca formou-se no canto dos lábios.

— Malditos! Desgraçados! Eles expuseram a minha intimidade num boletim de ocorrência?

— Você pediu.

Ela avançou sobre Inácio e meteu-lhe o dedo em riste.

— Escute aqui. Está do lado deles? Desses dois infelizes?

— Não se trata de estar do lado deles. Você foi longe demais!

— Eu? Não fiz quase nada.

— Como, não, Denise? Você chegou a pedir para aquele seu amante...

Ela o cortou, ríspida.

— Jofre não é meu amante. Eu sou separada. Ele é um ficante, como se diz nos dias atuais.

— Está bem. Você pediu um carro roubado para o seu ficante. Saiu daqui, foi para o Rio, pegou o carro no quinto dos infernos e bateu no de Leandro. Depois largou o veículo no estacionamento do aeroporto e voltou para São Paulo. Não acha que está indo um pouco longe demais?

Ela gargalhou.

— Aquilo foi só um susto. Leandro não tem como provar que fui eu quem bateu no carro dele. O meu carro não tem um risco sequer.

— E as ligações que tem feito?

— Uso celulares pré-pagos. O Jofre me arrumou um pacote com vários *chips*. Cada semana eu uso um diferente.

— Mas aí no boletim de ocorrência eles afirmam que você deixou recado no celular de Letícia.

— Foi um deslize, eu sei. Mas não prova nada. Eu posso afirmar que deixei recado por engano. Eu me passo por tonta, entende? Vai ser a minha palavra contra a deles. E quer saber mais?

— O que é?

— Não vou à delegacia. Simplesmente não vou.

— As coisas não funcionam assim. Eu, como advogado, sugiro que você vá. É melhor assim. Eu conheço os policiais dessa delegacia. Dou uns trocados e essa acusação não irá adiante. Fique tranquila.

— Vou fazer o que me pede.

— Seja uma boa garota.

Denise concordou, mas estava fula da vida. Disse para si:

— Como se atrevem? Foram até a delegacia! Como são ordinários! Estão com medo. Eles vão ver só!

Na delegacia, Denise comportou-se como se fosse outra

pessoa. E, de fato, parecia que ela havia incorporado outra pessoa. Fez ar de séria, recatada, a fala bem mansa, os trejeitos bem delicadamente ensaiados por Inácio.

O delegado Paranhos, amigo de Carlos Alberto, fazia as perguntas e ela as negava. Por fim, de maneira bem dócil, afirmou que o boletim não tinha razão de existir. Quando o delegado mostrou a cópia da conversa ao celular transcrita e gravada, desconversou:

— Eu não sei de quem se trata.

— Não reconhece a própria voz ao telefone?

— Essa não é minha voz. Eu juro.

No fim dos depoimentos, Denise assinou alguns papéis e saiu da delegacia, acompanhada de Inácio. Tomaram um táxi e, quando ela desceu na portaria do prédio de Inácio, explodiu com o advogado. Denise soltava chispas de ódio pelas ventas.

— Estou inconformada. Além de ser passada para trás, fui humilhada numa delegacia. Pode?

— Não foi humilhada. O delegado até que foi simpático.

— Só de entrar numa delegacia me sinto assim.

— Deixe Leandro de lado. Você tem uma boa vida, um bom emprego. Para que continuar azucrinando a vida do casal?

— Não está adiantando nada.

— É. Não está mesmo. Letícia está grávida. Eles parecem felizes. Você não está feliz ao lado do Jofre?

— Feliz estou. Ele me trata muito bem. Você tem razão, eu tenho de ficar na minha e deixá-los em paz. Com a justiça não se brinca. Eu não gostei nem um pouco desse delegado.

— Tome tento!

Denise deu de ombros e fez leve muxoxo. Despediu-se de Inácio.

— Obrigada. Quer saber? Depois de tanto nervoso, melhor eu pegar uma ponte aérea e me aninhar nos braços do Jofre. Cuide bem dos nossos negócios.

— Combinado.

Inácio despediu-se e entrou no prédio. Denise continuou no táxi e seguiu até o aeroporto. No trajeto ligou para Marina e inventou uma desculpa de que voltaria somente no dia seguinte. Chegou ao balcão da companhia aérea e exigiu passagem para ontem.

— Imediatamente! — gritou com a atendente.

— Mas, senhora, o próximo voo foi cancelado e...

— Não quero saber! Pode tratar logo de me colocar num avião. Por acaso, sabe com quem está falando?

A moça sentiu o sangue gelar, tamanha fúria e arrogância.

— Desculpe, senhora, vou ver o que posso fazer.

— Isso mesmo, sua insolente! Vá chamar o gerente desta joça, agora. Preciso embarcar para o Rio, entende?

Depois de um quiproquó danado, similar ao ocorrido tempos atrás na fila do bondinho do Pão de Açúcar, Denise pegou seu bilhete e subiu para a área de embarque. Uma hora e meia depois, saltou do táxi, gritou com o porteiro do prédio, subiu e encontrou Jofre deitado à beira da piscina, balançando uma das mãos na água fria.

— Tire essa roupa e venha para a água. Está uma delícia.

Ela fez que sim com a cabeça. Foi até o quarto, trocou-se e vestiu um biquíni. Olhou-se no espelho e gostou da imagem refletida. Em seguida, caminhou até o andar de cima. Beijou Jofre nos lábios, acariciou seu corpo moreno e entrou na água.

— Como foi?

— Consegui me fazer de santa. Não sei se o babaca do delegado acreditou ou não, mas fiz a minha parte.

— Não gosto de polícia. A gente queremos essa gente longe do nosso pé.

— Estou muito irritada, sabe? O Inácio tentou me demover da ideia de continuar assediando o Casal 20.

— Ele está certo.

— Até você, Jofre?

— Ô mina, pra que fazer esse tipo de brincadeira? Dessa maneira fica parecendo ser uma mulher desiquilibrada, desesperada e que quer si vingar do óme que te deu um pé. Não pega bem.

— Eu só queria infernizá-los.

— Há outros meio de conseguir o que quer.

— Eu queria que algo pior acontecesse ao casalzinho — Denise riu sarcástica. — Eu até me deleitei de prazer em imaginar Letícia escorregando e batendo aquele barrigão no chão, mas isso não é sofrimento. Eu queria algo que mexesse com a família toda, que causasse dor e sofrimento geral.

— Uma morte acidental?

— Não. De que adiantaria Letícia morrer? Do jeito que estão se amando, Leandro vai se tornar um viúvo inconsolável e a brincadeira vai acabar, vai perder a graça. Quero todos vivos para eu tripudiar sobre seus sentimentos.

— Quer dar uma surra em Leandro?

— Uma surra?

— Sim. A gente conhecemos umas pessoas que pode aplicar um corretivo nele.

— Isso seria bom, mas eu mesma gostaria de esbofeteá-lo.

— Não sabemos mais o que sugerir.

— Você é tão bom em pensar coisas ruins. Vamos, tente me ajudar.

Jofre pensou, pensou e indagou:

— O que gostaria de fazer para anilicar com o Leandro?

— Você quis dizer aniquilar?

— É. Isso.

— Matar a esposa não posso. Isso não vai me ajudar em nada. Eu quero que Letícia também sofra.

Nesse instante, Émerson foi atraído até ela. Estava tão acostumado a incutir pensamentos negativos na mente de Denise que, tão logo ela começava a entrar numa faixa mental bem pesada, bem negativa, ele era imediatamente atraído até ela.

Ele não gostou de ouvir sobre Letícia ter de sofrer. Sussurrou no ouvido de Denise:

— Minha filha não tem nada com isso. O problema é o Leandro. Ele, sim, merece sofrer até os últimos dias de sua vida na Terra.

Ela registrou as palavras, porém sua raiva era maior que tudo.

— Letícia é uma pobre coitada. Vai ser enganada logo. Preciso arrumar um jeito de fazê-la se sentir mal. Fiquei possessa quando me enfrentou aquele dia no restaurante. Ela se sentiu poderosa.

— E agora a madama fez tu entrar numa delegacia. Não acha que ela está indo longe demais? — indagou Jofre.

— Hum. Adoraria vê-la sofrer, sofrer muito. E chorar.

Émerson fez sinal negativo com a cabeça.

— Não! De forma alguma! Ela não merece sofrer. Eu já lhe disse, nada de mexer com a minha filha.

Leônidas aproximou-se.

— Algum problema?

— Vários!

— Calma. Você está agitado.

— É que eu leio os pensamentos de Denise. Eles não são nada agradáveis. Antes eu me aproximava e ela registrava o que eu sentia. Agora ela não acata o que digo.

— Não é isso. Denise sente naturalmente raiva. Quando você se aproxima, ela sente mais raiva ainda. No entanto, ela tem livre-arbítrio, pode decidir o que escolher pensar ou sentir. Você não consegue mais manipulá-la a seu bel-prazer. O seu ódio somado ao dela a fez se tornar uma mulher que, simplesmente, perdeu o medo de fazer o mal ao próximo.

— Estou aqui falando de minha filha. Ela não pode fazer nada contra Letícia. Não vou permitir.

— Você mesmo a ajudou a alimentar tamanha ira. Se não estivesse tão próximo de Denise, ela não sentiria tanta raiva assim e talvez os acontecimentos que estão por vir não seriam materializados.

— O que está por vir?

— Coisa boa não é. E não podemos intervir na vida dos amigos encarnados. Só podemos vibrar e orar por eles, pedir para que Deus os ilumine e permita que deem ouvidos aos bons espíritos.

— Desse jeito você me assusta — tornou Émerson. — Parece que algo muito grave poderá acontecer.

— E o que você espera de uma pessoa mesquinha, rancorosa, com o coração tão duro e cheio de ódio feito o de Denise?

— Você é da luz. Tem de impedi-la — implorou Émerson.

— Eu não tenho que fazer nada.

— Como não?

— Não posso intervir, somente vibrar.

Émerson colocou a mão na cabeça, num claro gesto de desespero.

— E agora?

— Bom, num primeiro momento, seria interessante você se afastar de Denise. Assim, talvez a raiva que ela sente possa diminuir e os acontecimentos possam tomar outro rumo.

— Ela é a única fonte que tenho para arrancar notícias de minha filha. Seus guardiões não me deixam chegar sequer à porta do condomínio. Nem do meu neto eu posso me aproximar.

— Você escolheu ficar nessa faixa negativa, preso ao ressentimento, ao ódio, às situações desagradáveis que vêm de outras vidas.

— Nem quero saber sobre isso. Tudo bobagem.

Leônidas deu de ombros.

— Você pode pensar no que quiser. Entretanto, vim para lhe fazer uma proposta.

Émerson olhou-o de soslaio.

— Que proposta?

— Vamos deixar Denise de lado? Que tal não querer se envolver nos problemas de Letícia e Leandro?

— É a minha filha!

— Já lhe disse que ela foi sua filha. Você morreu. Os laços de amor continuam, mas os de sangue não têm mais valor. Pare de agir como se estivesse vivendo neste planeta.

— Hum — retrucou Émerson.

— Não quer ajudar o bebê que colocou no mundo? — sugeriu Leônidas.

— O filho bastardo? Aquele do acidente?

— Chame-o como quiser. Mas essa pessoa, sua outra filha, vai ter de enfrentar alguns problemas. Você poderia ajudar, só isso.

— Só faço isso se você prometer que Denise não vai fazer nenhum mal à minha filha, que nada de ruim vai acontecer a Letícia.

— Não posso prometer nada. Posso assegurar que Letícia está protegida, ainda mais pelo estado em que se encontra.

Émerson não registrou o que Leônidas lhe disse.

— Estou cansado de sentir raiva.

— É uma energia muito pesada mesmo. E, volto a dizer, você não pertence mais a este mundo. Aqui tudo é meio caótico, as ondas mentais são fortes demais. Vamos conhecer o lugar onde moro?

— Não sei...

Leônidas aproveitou a hesitação e propôs:

— Façamos o seguinte: eu o levo para dar um beijo rápido em sua filha e, em seguida, você segue comigo para a colônia espiritual.

Émerson abriu largo sorriso.

— Vou poder me aproximar de Letícia?

— Por alguns minutinhos.

— Combinado! Uma mão lava a outra.

Os dois sumiram no mesmo instante.

Denise continuava presa ao sentimento de ódio. Entre uma e outra braçada na piscina, disparava:

— As coisas não podem ficar assim. Não podem!

— A gente somos sacana e gostamos de ser ruim — completou Jofre.

— Vou ser muito sincera.

— Digue.

— Não vou sossegar enquanto eles não sentirem um pouco de sofrimento.

Jofre falou sem pensar.

— Pensou em sequestro?

— O que foi que disse?

— Sequestro.

— Vou sequestrar Leandro para quê?

— Não. A gente vamos sequestrar o menino.

Denise sorriu, mas sentiu medo. Sem Émerson por perto, a sua raiva era menor e, portanto, o seu discernimento em relação aos fatos em geral era mais lúcido. Sentiu uma pontinha de medo.

— Aquele fedelho é um insuportável.

— Pois então, aproveita e dá nele uma lição.

— Não teria coragem.

— Você é quem sabe.

— Estou com fome — desconversou Denise. — Vamos nos arrumar e almoçar num restaurante bem aconchegante?

— Podemos lancharmos aqui. Por que sair?

— Não quero atrapalhar.

— Nunca me atrapalha, mina. Não tem de voltar pra São Paulo?

— Quer que eu volte?

Ele sorriu malicioso.

— Sabe que não. Se dependesse de nós, ficaria aqui para sempre.

Denise fez sinal sensual com os dedos e Jofre entrou na piscina. Ele tirou a sunga e a despiu. Beijaram-se e amaram-se.

26

O carro de Marina falhou mais uma vez. Novamente ela encostou o veículo no posto e o deixou na oficina ao lado para consertar. Estava cansada de gastar com o carro. Pegou um táxi e foi até o parque para os exercícios matinais. Cumprimentou os colegas de maneira menos efusiva do que a convencional. Patrícia perguntou:

— O que aconteceu? Está abatida.

— Não é nada.

— Eu a conheço há um bom tempo. O que foi?

— A Elisa não pôde vir hoje. Daí resolvi vir com meu carro. Ele quebrou de novo. Não aguento mais essa vida de pagar conta de oficina.

— Por que não o vende?

— Tenho minha mãe. Ela acredita estar doente e, algumas vezes, tenho de levá-la ao hospital. Tenho medo de não ter carro na hora da emergência.

— Chame um táxi.

— E se o táxi demorar e algo pior lhe acontecer?

— Nada acontece por acaso. Creio que você está muito presa à sua mãe.

— Não seria esse o termo. Sinto-me responsável, afinal ela só tem a mim. Meu irmão Jofre sumiu de nossa vida.

— E você não tem ou sonha em ter a sua própria vida?

— Sim.

— Venda o carro.

— Será?

— Claro! Pare de gastar dinheiro à toa. Melhor comprar um

novo à prestação. Hoje há inúmeras maneiras de comprar um bom carro sem ter de gastar muito.

— Você tem razão, no entanto, não quero mais fazer dívidas. Estou terminando minha pós-graduação e não vejo a hora de procurar novo emprego.

— Por que não faz isso agora?

— Dependo desse emprego. O convênio médico é muito bom. A empresa não é ruim, muito pelo contrário. Trabalhar na Dommênyca dá até status. Mas enfrento um problema sério lá dentro.

— Imagino que o problema tenha nome.

— Nome, certidão de nascimento e identidade!

As duas riram. Começaram a fazer uma corrida leve.

— Se Denise não fosse minha chefe, eu jamais cogitaria sair da companhia.

— Não há como ir para outra seção?

— Não tem como.

— Nem pedir para mudar de chefe? Você é tão competente.

— Sou, mas muita gente morre de medo dela. O ambiente às vezes fica muito carregado. Prefiro tentar outra companhia.

— Gostaria de tomar um passe dia desses?

— Um passe?

— Já ouviu falar?

— Já. Alguns anos atrás frequentei um Centro Espírita perto de casa, mas confesso que não gosto de ficar presa a lugar algum.

— Esse lugar que frequento é bem gostoso. O ambiente é sereno e tranquilo. Você precisa se livrar dessas energias ruins que a circundam.

— Gostaria muito, Patrícia.

— Tem compromisso sábado de manhã?

— Não. Não tenho aula, nada.

— Eu passo em sua casa e vamos juntas. Será um prazer acompanhá-la.

— Moramos em lugares muito distantes.

— É verdade. Contudo, será um prazer acompanhá-la.

— Vocês moram na Vila Mariana, certo?

— Isso mesmo.

— Eu moro perto da estação Tatuapé do metrô. Eu desço na estação Vila Mariana?

— É. O Centro Espírita fica bem pertinho.

— Qual o horário?

— Começa às nove e meia da manhã. Se puder me encontrar às oito e meia, será perfeito.

— Eu vou, sim. Sinto que preciso descarregar as energias pesadas e receber energias boas, de equilíbrio.

— Eu a sinto muito tensa.

— É uma fase. Vai passar, Patrícia. Vai passar.

Edgar aproximou-se e elas abriram espaço para ele correr ao lado delas. Marina deu leve suspiro e Patrícia, de maneira elegante e educada, afastou-se.

Edgar perguntou:

— Como tem passado?

— Bem. E você?

— A terapia tem me ajudado bastante. A doutora Vanda é fantástica!

— É mesmo?

— Sim. Estou me sentindo um novo homem. Estou aprendendo a usar meu pensamento com inteligência. Chega de sofrer por amor.

— Fico feliz em saber.

— Como anda a Denise?

— Eu já falei que não gosto de misturar as estações. Por que falar dela? Eu a vejo como chefe, e uma chefe chata. Não tenho como fazer comentários positivos acerca dela.

Edgar sorriu.

— Fique sossegada. Eu estou me libertando dela.

— Pensei que já estivesse livre.

— Até estou. Assinei os papéis da separação. Num primeiro momento me senti muito mal, precisei fazer sessões com a doutora Vanda durante a semana toda. Foram cinco dias de sessão. Entendi que era o fim e deveria aceitar. Afinal, quando um não quer, dois não fazem. Não é esse o ditado?

— É sim.

Diminuíram o passo e Marina consultou o relógio.

— Preciso me alongar. Está na hora de ir para a empresa.

— Eu queria muito me sentar frente a frente com Denise.

— Ligue para ela.

— Mudou de celular.

— Vá até a empresa. Ela não vai ter como fugir.

— Você me deu uma boa ideia. Será que pega bem ir até o local de trabalho?

— Se ela não o atende e você quer porque quer falar com ela, creio que ir até a empresa não seja tão ruim. Assim você acaba com essa história de vez, coloca um ponto final.

Edgar animou-se.

— Vou me arrumar e, antes de ir para meu trabalho, passarei na empresa.

— Ela não está. Foi para o Rio de Janeiro ontem e não voltou ainda. Deixou um recado grosso e estúpido no meu celular, afirmando que retorna hoje após o almoço.

— Você me faria uma gentileza?

— Qual?

— Poderia me avisar quando ela chegar?

— Não gosto disso — disse Marina, com veemência.

— Por favor. É uma última chance de poder trocar algumas palavras com Denise. Só peço que me ligue quando ela chegar, mais nada.

— Está certo. Eu farei isso, contudo espero que não se acostume.

— Não vou.

— Já lhe disse antes que não sou pombo-correio ou garota de recados.

— Combinado. Prometo que vai ser a última vez que lhe peço algo dessa natureza. Você é tão legal, Marina.

Ela deu um sorrisinho amarelo e ele se afastou. Patrícia aproximou-se e foi se alongar com Marina.

— O que foi?

— Esse Edgar. Acredita que ele ainda sente alguma coisa pela ex-esposa?

— Ele disse alguma coisa? — indagou Patrícia.

— Não diretamente. Mas se percebe no jeito que fala. Ele ainda fica todo animadinho. Como pode um homem ser largado e ainda morrer de amores pela mulher?

— É desequilíbrio afetivo. Edgar nunca amou de verdade.

— Ele era louco pela Denise.

— Mas não é amor. Está claro que o que ele sentiu ou sente nada mais é do que uma paixão, um foguito. Edgar foi se acostumando com Denise, foi se acomodando na relação.

— Será?

— Marina, muitas pessoas são dependentes emocionais. Elas acreditam que aquele que escolheram para amar será a sua tábua de salvação. Entregam o seu poder, a sua vontade ao outro assim, num estalar de dedos.

— Eu nunca faria isso. Tenho a minha dignidade.

— Muitos não a têm. Preferem viver de migalhas afetivas, preferem sofrer, mas não largam o parceiro. É o velho ditado: há pessoas que preferem ficar mal acompanhadas do que sós, e acham que ruim com ele, pior sem ele.

— Eu nunca ficaria ao lado de quem me despreza ou não me trata bem.

— Você é diferente. Parecida comigo. Nós sabemos do valor que temos como mulheres. Somos fortes, independentes, queremos viver uma relação afetiva séria, prazerosa, que nos dê satisfação.

— Eu não estou desesperada atrás de homem.

— Desesperada não, entretanto eu percebo claramente que você está a fim do Edgar.

— Para você não posso mentir. Tem se tornado uma boa amiga nesses meses.

— Estou enganada?

— Não está, Patrícia. Eu me apaixonei por ele.

— E por que não se declara?

— Não.

— Por que não? Ele é descompromissado, separou-se legalmente. É um homem livre.

— Edgar pode ser um homem livre aos olhos da lei. Mas ainda está preso a Denise.

— Porque até agora ninguém apareceu para ele e disse: Ei, estou gostando de você!

— E acha que vou fazer isso?

— Pois deveria. Edgar é um homem interessante. Tudo bem, não faz o meu tipo, é meio sisudo, não me agrada. E, aqui entre nós, eu sou apaixonada pelo meu Adriano. Mas se Edgar toca o seu coração, o que está esperando?

— Vou pensar no assunto.

— Promete?

— Sim. Vou olhar aqui para dentro — apontou para o peito — e ter uma conversa com esse coração inquieto.

27

Na tardinha daquele dia, Denise ligou para Marina a fim de a assistente fazer as alterações na sua passagem aérea. Marina estava almoçando fora da empresa, não havia sinal suficiente e caiu direto na caixa postal. Denise bufou:

— É só eu sair um pouco que ela deixa de me atender. Não está no escritório e o celular não atende.

Ela teclou de novo, Marina não atendeu e ela deixou um recado nada simpático na caixa postal.

Jofre entrou no quarto, sentou-se na cama e a beijou nos lábios.

— Vai embora mesmo, mina?

Ela inclinou o corpo para a frente e passou o lençol pelo corpo, cobrindo o corpo nu.

— Estou tão leve! Depois de me amar na piscina e me trazer para a cama, eu não tenho vontade de sair daqui.

Ele riu.

— A tarde está muito boa. Fica.

— Vou ficar. Estava aqui tentando avisar a idiota da minha assistente, porém ela não me atende.

— Você se esquenta à toa.

— Eu?!

— É. Por que não demite ela? Arrume outra melhor.

— Você é tão prático, Jofre. Nada como um homem de atitude para me ajudar.

— A gente gostamos de você.

— Eu também — respondeu ela, espreguiçando-se e bocejando um pouco.

— Estamos com um apetite danado. Passamos do horário de

armoço faz algum tempo. Vamos descer pro lanche. Pedi pros empregados fazerem tudo pra ti agradar.

— Você é tão gentil!

Eles se beijaram. A paixão voltou forte e eles se amaram novamente. Depois de uma boa chuveirada, Denise colocou um robe de seda branco — presente de Jofre — e dirigiu-se para o lanche.

O apartamento era bem espaçoso, uma cobertura com vista indevassável para a praia de São Conrado. O fato era que Jofre fazia parte do grupo chamado novo-rico, do tipo com muito dinheiro no bolso, e, em contrapartida, com um gosto bem duvidoso.

Tudo era extravagante, com cores que não combinavam entre si, tapetes e quadros muito feios. O apartamento tinha uma decoração espalhafatosa e sem cuidados.

— Falta aqui um toque feminino. Vou dar uma geral neste apartamento — disse, enquanto passava pela sala.

Depois Denise deu de ombros. Afinal de contas, estava mais interessada no homem do que no gosto dele. Nem se importava mais com os erros crassos que ele cometia ao falar. Até achava bonitinho. Denise caminhou até a varanda onde a mesa fora posta. Sentou-se e comeu com vontade.

Jofre aproximou-se e a beijou.

— Está com fome!

— Estou faminta. Você acabou com minhas energias!

Eles riram.

— Estamos amarradão em você.

— Eu também gosto muito de você, Jofre, mas sabe que não podemos ter nada sério.

— Por que não?

— Porque você não é homem de se prender a uma mulher só.

— No momento temos só você.

— No momento...

— Pois é. O momento é o que importa, certo? Hoje estamos se amando. Isso é o que vale. Amanhã a Deus pertence.

— Por essa ótica até que vale viver essa aventura.

— Não é mais casada.

— Isso é fato. Sou uma mulher livre, aos olhos da lei e aos olhos dos homens.

— E aos olhos de Deus e do Diabo — ele emendou.

— É. Sou livre e desimpedida. Ainda sinto uma pontinha de ódio daquele casalzinho. Mais nada.

— Ainda presa nisso? Foi até a delegacia, cumpriu sua parte. A história se acabou.

— Difícil, Jofre. Já se sentiu passado para trás?

— Eu?

— É. Já se sentiu enganado, ludibriado?

Jofre não respondeu de pronto. Virou o rosto na direção do mar. Seus olhos verdes perderam-se naquela vista deslumbrante. Foi obrigado a voltar alguns anos no tempo.

***

Jofre crescera um menino problemático. Viu o dia em que o pai, um italiano bêbado e sem escrúpulos, espancou a mãe, pegou o pouco dinheiro que tinham guardado e sumiu com uma menina novinha lá da redondeza. Largou a família e sumiu do mapa.

Consuelo pediu ajuda a um parente distante. Ganhou o dinheiro da passagem para São Paulo. Ela pegou o filho e subiram num pau de arara — espécie de caminhão que transporta nordestinos para o Sudeste e Sul do país.

Depois de uma viagem de dias sobre o pau de arara sacolejante, quente e apinhado de gente, passando fome e sede, chegaram moídos a São Paulo. Jofre não tinha ideia do dia ou do mês, mas sabia o ano exato em que botara os pés na capital paulista: 1980.

O menino, de dez anos de idade, surpreendeu-se com aquele agito todo e teve medo da cidade grande. Aquilo era muito diferente do sertão nordestino. Jofre ficara impressionado com a quantidade de gente andando nas ruas, dos edifícios que acreditava tocarem o céu. Sentiu medo, agarrou-se no braço da mãe, sentindo-se um estranho naquele mundo tão diferente de sua realidade. Foram parar num cortiço úmido, quente e fedido na região central da cidade.

Consuelo arrumou emprego de doméstica, o dinheiro era bem

pouco, mas eles tinham ao menos um teto para dormir e se proteger do frio e um prato de comida por dia, geralmente uma mistura de feijão com farinha.

Jofre engraxava sapatos na Praça da Sé. Acordava cedinho, tomava um copo de café e um pão duro e seco de dias atrás. Para melhorar o sabor do pão, que mais parecia uma pedra, o menino o mergulhava no copo com café. Depois, ele saía e ia andando até a praça. Ganhava uns troquinhos e com um dos engraxates aprendeu a aspirar cola de sapateiro.

Jofre entrou em êxtase. O produto deixava-o leve, anestesiado. Parecia não sentir as dores do mundo. Por alguns momentos ele podia ficar em paz consigo próprio, vivendo numa outra dimensão.

Ele se viciou em cola. Depois, vieram as drogas mais pesadas. Consuelo desesperava-se, tentava ajudar o filho, mas não tinha muito o que fazer. Recorrer a quem? Eram muito, mas muito pobres.

Num dia, com uns trocados no bolso e sob o efeito da cola, Jofre entrou num cinema voltado para o público adulto no centro da cidade. Queria assistir aos filmes proibidos, aqueles de sacanagem, que os companheiros tanto diziam que ele deveria assistir. Anestesiado pela cola de sapateiro, o menino entrou na sala de exibição errada. Quando a tela começou a projetar as imagens, ele fixou os olhos e só os desviou quando as luzes se acenderam e a sessão acabara.

Tratava-se do filme *Pixote — A Lei do Mais Fraco*, que tinha acabado de estrear e fazia grande sucesso de crítica e público. O filme retratava a vida de um garoto da mesma idade que Jofre. Pixote[8] era um menino de rua recolhido num reformatório para menores. Lá, faz amizade com outros meninos. Numa rebelião, essas crianças fogem e formam uma espécie de família, vivendo de pequenos assaltos, lutando pela sobrevivência.

---

8 Fernando Ramos da Silva (1967-1987), menino de rua, tornou-se ator ao ser escolhido para viver o personagem Pixote no filme homônimo dirigido por Hector Babenco, em 1981. O garoto foi considerado uma revelação, contudo a sua carreira, infelizmente, não decolou. De volta às ruas, foi morto logo após um assalto, aos dezenove anos (N.A.).

O efeito da cola havia passado e Jofre deixou as lágrimas correrem livremente. Assistiu à próxima sessão e depois a mais outra. Saiu do cinema cabisbaixo e triste.

— Eu vou acabar como esse garoto — disse para si.

Jofre praticou pequenos furtos, depois se envolveu num assalto e foi parar na Febem — Fundação Estadual do Bem-Estar do Menor — na época, uma autarquia cuja função era executar medidas socioeducativas aplicadas pelo Poder Judiciário aos adolescentes autores de atos infracionais.

Ele ficou lá por mais de um ano. Depois de uma rebelião, ele e outros meninos fugiram. Jofre voltou para casa e descobriu Consuelo grávida.

— O que é isso, mãe?

— Estou esperando um filho.

— O pai voltou? — indagou ele, temeroso.

— Não.

— Mas você está grávida!

Consuelo estava cheia de vergonha.

— Aconteceu.

— Você se deitou com outro homem?

— Foi.

— Quem é ele, mãe? Quem? — Consuelo não respondeu. — Eu exijo saber!

Ela desconversou.

— O que faz aqui? Fugiu da Febem?

— Fugi daquele inferno.

— Tudo vai melhorar, meu filho.

— Você me enganou. Não merece minha confiança.

Ela tentou abraçá-lo e Jofre se esquivou. O relacionamento deles nunca mais foi o mesmo. Consuelo enchia-se de culpa. Acreditava que ela não tinha sido uma boa mãe e por isso ele crescera daquela forma.

Marina nasceu e o ambiente em casa ficou péssimo. Jofre olhava para a irmã e tentava imaginar quem seria o pai. Infernizava a pequena por qualquer motivo e um dia até bateu em Marina, machucando-a. Um dia, depois de uma discussão com Consuelo, saiu de casa.

Jofre sumiu. Envolveu-se com o crime pesado e foi levado por uns traficantes para viver no Rio de Janeiro. Instalou-se em Duque de Caxias, na Baixada Fluminense, e, conforme os anos foram passando, ele foi se tornando um traficante temido e respeitado.

Muitos anos se passaram desde aqueles dias de 1980, mas a dor de sentir-se enganado e traído continuava viva, pulsando em seu peito apertado e magoado.

Denise precisou cutucá-lo para que ele lhe desse ouvidos.

— O que foi? — perguntou ela.

— Hã?

— Parece que você sumiu por instantes. Foi parar na lua?

Jofre balançou a cabeça para os lados.

— A gente se perdemos no tempo. Nada demais — ele sorriu e perguntou: — O que foi que disse, mina?

— Que eu adoraria me vingar do desgraçado. Leandro me largou feito um cão sem dono. Eu não mereço ser passada para trás assim, dessa forma.

— O que pensa fazer? — indagou ele, enquanto sorvia um gole de suco de laranja com vodca.

— Sei lá. Pensei em tanta coisa! Tanta barbaridade!

— A gente iríamos sugerir apagar a esposa, mas se você quer que ela sofra, não vai adiantar morrer.

— Estou sem saber o que fazer. Só quero me vingar. Depois, sigo minha vida adiante.

— Disse que ele ama a mulher e o filho.

— É. Um fedelho que vive grudado com o pai. Uma coisa! Ficávamos juntos, contudo o fim de semana era sagrado. Leandro sempre corria para ver o filho e ficar com ele.

— Já sabe o que fazer.

— Como assim? — perguntou Denise, sem entender.

— Você diz que quer se vingar desse homem, certo?

— Sim.

— E também quer que a mulher dele sofra, né?

— Exatamente.

— Para atingir os dois ao mesmo tempo, marido e mulher,

você tem que atacar o filho. A gente já tínhamos comentado contigo do sequestro, lembra?

Denise havia rejeitado a ideia por medo. Nunca pensara chegar tão longe. Mas que risco corria? Nenhum, acreditava. Jofre era homem de vida marginal, experiente e malandro, poderia ajudá-la a dar um susto na família. Ela se levantou excitada, abraçou e beijou Jofre várias vezes na boca.

— Você é demais! Precisamos atacar esse menino. Assim, tanto Leandro quanto Letícia vão sofrer à beça. Mas como fazer?

— Isso é fácil. Somos bem relacionado, temos uns amigos e podemos apagar o menino.

— Matar o fedelho?

— É.

Denise mordiscou os lábios.

— Não precisamos chegar a tanto. Só queria um susto, um bom susto.

— Sequestro o menino por uns dias.

— Uns dias?

— É. Podemos sequestrar o garoto e levar ele para um esconderijo. A gente conseguimos fazer isso rapidinho. Se vai te deixar feliz, fazemos.

— Eu quero. Quero muito. Adoraria ver Leandro e Letícia desesperados. Acho que essa é a forma de me vingar. Como podemos fazer?

Jofre sorriu e começou a falar. Foi explicando à Denise como podia sequestrar o filho do casal. Pediu que ela juntasse informações sobre a vida da família: onde moravam, qual a escola que o menino frequentava, quem eram as empregadas, se havia motorista, absolutamente tudo, tim-tim por tim-tim. Denise respondia tudo com os olhos cheios de rancor:

— Eles vão pagar caro por toda humilhação que me fizeram passar!

28

Depois da leitura de um trecho de *O Evangelho Segundo o Espiritismo*, Mila pediu que os presentes dessem as mãos, formando um círculo, e fez sentida prece de agradecimento. Terminada a prece, ela sentiu ligeiro bem-estar. Havia dias estava com uma sensação esquisita no peito e não conseguia identificar o porquê.

No finzinho da reunião espiritual na casa de Letícia, que já ocorria com regularidade havia alguns meses, foi que ela se lembrou: fazia dias que vinha sonhando com o pai. Sempre o mesmo sonho. Ainda agora, na hora de tomar o copo com a água — fluidificada pelos amigos espirituais durante o Evangelho no Lar — lembrou-se com maior nitidez de tudo o que vinha sonhando.

Mila saía do corpo físico, andava pelo quarto e seu perispírito atravessava a parede. Numa fração de segundos ela chegava perto de um acidente, os aviões em chamas, pessoas mortas e carbonizadas de um lado, outras sentindo terrivelmente o corpo arder em chamas e outras ainda clamando por socorro. Uma cena muito triste. Ela levava a mão à boca para abafar o grito de pavor. Logo em seguida, o pai aparecia do meio dos escombros, cheio de fuligem sobre o corpo, as roupas rasgadas, a pele bem queimada. Mila não conseguia se mover, tamanho medo. Fechava os olhos.

— Não se assuste, sou eu, papai.

Ela escutou a voz familiar e abriu os olhos. Apertou-os para enxergar melhor.

— Papai? Você?

— Sim, querida, sou eu.

Mila deu-se conta do acidente que vitimara o pai e a mãe, muitos anos atrás.

— Você morreu neste acidente! Faz muitos anos.

— Sim, faz.

— Estou de volta ao passado, é isso?

— Não. Eu plasmei cenas do passado para você saber que sou eu de verdade.

— Você as recriou?

— De certa forma, sim, porquanto foi a única maneira de você saber que sou eu, minha filha. O acidente aconteceu há muito tempo, é verdade, todavia eu precisei recriar algumas cenas para que você soubesse que não se trata de um espírito impostor.

Ambos abraçaram-se.

— Quanta saudade, papai.

O espírito sorriu.

— Também sinto muita saudade. Antes você sonhava comigo, encontrávamo-nos e depois que retornava ao corpo físico não se lembrava de nada. Hoje está mais lúcida, tem estudado bastante e evidentemente volta ao corpo físico com a memória mais fresca.

— Comento com Letícia que, desde que passamos a nos reunir semanalmente para as orações, sonho com você, mas é algo que não me lembro, só sinto. Agora, não. É tudo tão real!

— Mas é real, filha. Não está falando comigo?

— Tanto tempo sem o seu abraço!

— Entendo que a separação foi benéfica e muito importante para o nosso crescimento espiritual.

— Pode acreditar, já faz algum tempo, tenho dado incrível valor à família.

— Esse foi o motivo maior para que eu e sua mãe não compartilhássemos do seu crescimento. Seu espírito queria viver sem os pais.

Ela o abraçou de novo, sentindo o perfume que ele usava toda vez que fazia a barba, um suave cheiro de lavanda. Uma lágrima escorreu pelo olho. Mila secou-a delicadamente com os dedos. O pai lhe estendeu as mãos e imediatamente a conduziu até um lindo jardim.

O cheiro das flores perfumadas era inebriante. Mila sorriu e apertou a sua mão. Na Terra, em última encarnação, ele fora

Artur, pai de Mila. Depois do seu desencarne, no plano espiritual, preferiu ser chamado pelo nome que tivera numa vida anterior a esta: Leônidas.

Mila estava emocionada.

— Você me faz tanta falta. Cresci sem você e mamãe por perto.

— Seu espírito precisava valorizar a família. Havia algumas encarnações que você não dava o devido valor aos seus familiares. Antes de nascer, pediu para encontrar uma família que só tivesse você como filha e estivessem destinados a morrer cedo. Daí você nasceu minha filha.

— Então você sabia que morreria naquele acidente horrível?

— Em total consciência, não. Mas meu espírito sabia.

— O acidente já estava previsto?

— De forma alguma. Antes de reencarnar, dependendo do nosso grau de lucidez, podemos traçar a nossa vida futura na Terra. Existem departamentos no mundo astral que cuidam disso, são os chamados Departamento de Reencarnação, subordinados ao Ministério do Auxílio[9].

— Não sabia que o mundo espiritual era tão organizado.

Leônidas abriu largo sorriso.

— Somos muito organizados, até mais do que na Terra.

Mila interessou-se.

— E daí, o que acontece nesses departamentos?

— O espírito é atendido por um cooperador técnico, uma espécie de funcionário capacitado do departamento. Há a chance de conhecer a família, pedir para nascer em determinado país, claro que tudo depende do grau de evolução do espírito requerente. Eu sabia que morreria jovem, mas não imaginava a maneira como desencarnaria. O processo de morte é muito complexo e a morte de cada um está relacionada ao conjunto de crenças e valores do espírito, dentre outras peculiaridades que ainda não temos maturidade espiritual para entender.

9 Para entender melhor como ocorre o processo de reencarnação brevemente comentado por Leônidas, sugerimos a leitura do livro *Nosso Lar*, de Francisco Cândido Xavier, ditado pelo espírito André Luiz, em especial o capítulo 47, A Volta de Laura. 46ª edição, FEB (N.A.).

— Quer dizer que a vida aproveitou aquele acidente para levar você e mamãe de volta ao mundo espiritual?

— Com certeza.

— Como ela está? Mal me lembro de seu rosto.

— Você era muito pequena. Nem de mim deveria lembrar-se.

— Por que me lembro bem de você e não me lembro quase nada dela?

— Porque eu e você estamos ligados por laços de amor, de amizade, há muitas vidas. Sua mãe é uma querida amiga minha, não tinha vínculos com você. Agora, há um amor de mãe e filha que foi germinado nesta vida e talvez vocês aprofundem em futuras existências.

Conversaram bastante e, no fim, Mila confessou:

— Essa sensação estranha diminuiu, contudo não abandona o meu peito.

— Momentos difíceis estão por vir.

— Algo grave?

Leônidas procurou tranquilizá-la.

— O que é grave diante dos olhos de Deus? Veja, minha filha, tudo é aprendizado, tudo é experiência.

— Fico aflita só de pensar que algo ruim possa acontecer comigo ou com as pessoas de quem gosto.

— Faça prece.

— E o que mais?

— Faça prece — Leônidas repetiu.

— Só?

— Você não tem ideia da força que a prece tem. Uma ligação com Deus ou com os amigos espirituais do plano superior, por menor que seja, desde que sincera e verdadeira, tem uma força incrível e pode, inclusive, mudar o curso dos acontecimentos. Muitas tragédias no orbe terrestre foram evitadas por conta de oração.

— Não sinto que algo vá acontecer comigo.

— E não vai. Você já conheceu alguém que lhe quer muito bem. Serão muito felizes.

Mila imediatamente lembrou-se de Carlos Alberto. No entanto, eles só tinham saído algumas vezes para jantar. Eram bons amigos, mais nada. Ela esboçou sorriso tênue e o pai emendou:

— No momento vim para lhe pedir que fique em prece, sempre que puder. Ore bastante, qualquer parte do dia ou da noite. Entre em contato com Deus toda vez que sentir vontade. Você precisará estar em total equilíbrio emocional a fim de ajudar aos seus amigos.

— Eu tive mesmo a impressão de que seja algo relacionado com Letícia e sua família.

Leônidas desconversou.

— Está na hora de eu ir. Não esqueça de rezar. O poder da oração vai ajudar muito a todos os envolvidos.

Leônidas abraçou a filha com enorme carinho. Beijou-a na testa e sumiu. Ela voltou imediatamente ao corpo físico e despertou, ainda sonolenta. Não se recordava de muita coisa, a não ser sobre o poder da oração. Abriu os olhos e encarou os amigos ao redor.

— Desculpem, acho que cochilei um pouquinho.

Ricardo levantou-se e a beijou.

— Obrigado por nos fazer tão bem.

Mila emocionou-se, mas sentiu novamente a sensação esquisita no peito. Então o problema era com Ricardinho! Agora ela lembrara-se de parte da conversa com o pai. Ricardo poderia correr risco. Mas que tipo de risco?

Ela procurou ocultar a angústia. Beijou-o também e pediu:

— Não quer pedir para Iara nos fazer uns lanchinhos?

— Pedirei agora mesmo. Estou com fome! Com licença.

Ela o encarou e percebeu algo estranho, uma luz escurecida em torno do menino, como se fosse uma energia diferente, mais densa, que tentava se aproximar de Ricardo. Mila fechou os olhos e por alguns instantes ligou-se aos amigos espirituais. Fez rápida, porém sentida prece. O ambiente tornou-se novamente mais leve e tranquilo.

— Adorei sua prece — comentou Leandro. — Foi sincera e tocou meu coração.

— O meu também — emendou Letícia. Tenho me sentido mal nos últimos dias. Embora esteja enjoada, meu coração serenou um pouco. Tive a nítida sensação de que alguém estivesse querendo nos fazer mal.

— Imagine, meu bem! — tornou Leandro, alisando delicadamente a mão sobre o braço dela. — Nada de mal pode nos acontecer. Leandro levantou-se. — Vou ver se os lanches estão à mesa.

Assim que ele saiu, Mila indagou:

— Foi ao médico?

— Fui. Ele pediu uns exames, mas tudo de rotina.

— Se precisar, eu posso acompanhá-la.

Letícia sussurrou à amiga:

— Acho que o bebê vai nascer logo.

— Sério?

Mila teve um lampejo e lembrou-se da conversa com o pai. Tudo veio à sua mente, cada detalhe. Agora ela ficara em dúvida: será que o problema era com Ricardinho ou com o bebê que estava prestes a nascer?

Ela suspirou e abraçou Letícia. Falou sem pensar:

— Essa criança vai trazer muita felicidade para vocês.

Letícia abraçou-se a ela novamente. Sentiam carinho sincero e especial uma pela outra. Seus corações estavam ligados havia muitas vidas.

Numa vida anterior a esta as duas foram primas. Foram criadas juntas, mas Mila, não suportando as regras rígidas impostas por sua família, fugiu com um estrangeiro e fora morar em terras distantes.

Por muitos anos corresponderam-se por carta. Letícia sabia que a prima tinha problemas de relacionamento com a família — não se dava bem com os irmãos, mas entendeu e nunca sentiu mágoa que fosse pelo sumiço da prima. Sentia, de verdade, que Mila gostava dela e precisava viver longe dali. Anos depois, muito velhas, tiveram a chance de se reencontrar e reviver alguns momentos de alegria...

Depois do abraço afetuoso, as amigas deram-se as mãos e foram até a copa para o lanche.

29

Edgar melhorou sobremaneira com as constantes sessões de terapia. Aprendera a se dar valor, a elevar sua autoestima. Percebera, com a prestimosa ajuda da doutora Vanda, que ele era mais importante do que Denise, que ele deveria ser amigo de si próprio em primeiro lugar e o casamento de ambos jamais teria chances de um final feliz; afinal de contas, para um relacionamento durar bastante, é necessário que os envolvidos queiram e desejem, de coração, que ele dure.

Obviamente, ele teve de aprender a abandonar o sonho de querer viver a mesma história que seus pais. Edgar precisava viver a sua vida, do seu jeito, de acordo com a sua personalidade e com as necessidades do seu espírito.

Depois de alguns meses, as sessões diminuíram para uma vez por semana. Vanda até quis lhe dar alta, contudo ele estava adorando conhecer a si mesmo cada vez mais. Isso o fortalecia e o tornava um homem mais confiante, firme e, por que não dizer, mais bonito.

Sim. Edgar parecia estar mais bonito. Trocara os óculos por lentes de contato. Os cabelos estavam mais curtos, cortados à moda. O rapaz adotara um charmoso cavanhaque e percebia, envaidecido, que despertava a atenção das mulheres. Aproveitou-se dessa nova fase e começou a sair com algumas moças. Nada de compromisso sério. Ainda sentia que precisava de certo tempo para iniciar e se entregar a um novo relacionamento afetivo.

Ele bem que tentou entrar em contato com Denise. O tempo foi passando, a vontade de conversar com ela foi diminuindo e agora ele não mais queria saber de nada que estivesse relacionado ao seu tempo de casado. Adotara uma postura tão firme e de autoestima tão alta que jogara no lixo o porta-retrato com a foto do casamento de ambos — aquela foto que ele tanto amava e beijava sempre.

O que Edgar ainda não entendia é que ele deveria sentir-se bem consigo próprio e não ter de mostrar ao mundo que era o homem mais confiante do Universo. Aos poucos, ele estava — e iria — aprendendo a lição da verdadeira autoestima.

Foi numa noite, saindo de um badalado restaurante na região dos Jardins e acompanhado por uma loira de fechar o comércio, que ele ficou frente a frente com Denise. Ela estava com Inácio. Ao vê-lo, Denise procurou fingir não notar sua presença e baixou os olhos.

— Como vai, Denise?

Ela levantou a cabeça e sorriu irônica.

— Vou bem.

Inácio o cumprimentou. A loira foi para a mesa e ele continuou:

— Quanto tempo, hein? Está tudo bem, tudo em ordem?

— Sim.

— Bom lhe ver. Vamos tomar um café qualquer dia.

— Creio que não temos nada para trocar, uma ideia sequer.

— Fomos casados por cinco anos.

— Estamos separados há mais de um ano.

— E daí? Não acha que podemos ter uma amizade?

— Não. Eu não quero a sua amizade.

— Você é mesmo dura e seca. Uma mulher prepotente e arrogante. Como pude me envolver com você?

— Porque é um idiota, um imbecil que não sabe segurar mulher. Dou graças a Deus de estar livre de você.

— Eu agradeço todos os dias por você ter saído de minha vida. Não sabe o quanto sofri, o quanto chorei por sua causa.

Ela deu de ombros.

— Quer que eu sinta pena de você? Pois não sinto.

— A minha terapeuta está certa. De nada adianta tentar uma aproximação com você. Pura perda de tempo.

Edgar estava se afastando e Denise correu e sussurrou em seu ouvido:

— Olha, aqui neste restaurante não servem porções de veneno para rato. Se quiser tentar se matar de novo, eu lhe dou uma arma bem potente. É tiro e queda!

Ele meneou a cabeça negativamente para os lados.

— Você não presta, Denise. Não vale nada. Até nunca mais.

Edgar falou e foi até o toalete. Entrou, aproximou-se da pia, abriu a torneira e jogou muita água fria no rosto. Olhou para a sua imagem refletida no espelho. Disse para si:

— Não se preocupe. Sou um homem de bem. Mereço ser feliz. Nunca mais vou pensar em Denise. Nunca mais.

Edgar falou, enxugou o rosto e foi até a mesa. Sentou-se ao lado da loira e tentou entabular conversação agradável.

— Quem era aquela mulher? — indagou a loira.

— Minha ex-esposa.

— Bonita ela.

— Você é mais bonita.

— Obrigada.

— Importa se eu fizer o pedido?

— De maneira alguma. Gostaria de um refresco.

— Não vai me acompanhar num drinque?

A loira riu-se e enrubesceu.

— Você me parece um bom sujeito. Vou aceitar. Mas um drinque só, está bem?

Edgar acenou com a cabeça e fez sinal para o garçom.

***

Do outro lado do restaurante, sentados e bebericando um drinque, Inácio não conteve a curiosidade.

— O que foi que sussurrou no ouvido do seu ex?

Denise deu uma gargalhada.

— Eu já lhe contei que, quando eu o deixei, o infeliz do Edgar tentou se matar, ingerindo veneno de rato?

— Pesado, hein?

— Pesado nada. Quem quer se matar de verdade arruma um jeito certeiro de morrer. Joga-se do vigésimo andar de um prédio, atira-se sob um trem em movimento, dá um tiro certeiro no coração, ou toma os remédios certos e com as doses cavalares certas. Edgar não queria se matar, queria chamar atenção, mais nada.

— Ele está bem. Não parece um fraco.

— Mas é. Um bobão. Sabe o que disse a ele? Que aqui neste restaurante não servem porções de veneno para rato.

Inácio teve forte acesso de riso.

— Você é impossível! Uma mulher terrível, Denise.

— Convenhamos que tenho senso de humor.

— Sarcástico.

— Não importa. Um tonto é sempre um tonto. Esse é o babaca que atrasou minha vida em cinco anos.

— Ele está muito bem. Mais corado, mais forte, bonitão, eu diria. E olha que ele tinha cara de picolé de chuchu. Está acompanhado de uma linda loira.

— Aquela lá? É uma tremenda pistoleira.

— Como sabe disso?

— Sou experiente e vivida, Inácio. Já subi o morro com o Jofre. Sei diferenciar uma mulher de uma piranha.

— O que importa é que ele está muito bem acompanhado.

Denise deu de ombros.

— Dane-se ele. Eu o desprezo totalmente. Não sinto nada pelo Edgar, nem raiva.

— Nada de nada? Nem um pingo de sentimento?

— Para ser franca, se ele morresse hoje, eu não sentiria absolutamente nada. Percebe o meu grau de sentimento por esse infeliz? Nulo, zero.

Inácio bebericou sua vodca e completou:

— Agora que está amarrada no ricaço da Baixada...

— Jofre é homem para mulher nenhuma botar defeito. É homem com agá maiúsculo.

— É homão, tudo bem, mas não a fez esquecer o Leandro.

— Por que você tem de tocar em assunto tão desagradável?

— Foi só um comentário.

— Comentário infeliz. Peça a conta e vamos embora.

— Acabei de pedir os pratos.

— Inácio! — Denise falou num tom mais alto que o habitual: — A conta!

Ele fez gesto afirmativo com a cabeça. Pediu a conta, pagou e saíram do restaurante. Inácio deu o tíquete para o manobrista pegar seu carro. Denise estava de cara amarrada. Eles entraram no carro e Inácio foi dirigindo.

— Desculpe-me. Não queria deixá-la nervosa.

— Tudo bem. Mas vou lhe falar de Jofre. Ele me fez esquecer todo e qualquer homem que conheci na vida.

— Mesmo? Ele fala errado, tem cara de bandido. Não sei...

Denise fechou os olhos e suspirou.

— Adoro os tipos perigosos. Esse homem me deixa de quatro. Jofre pode falar errado, ter cara de bandido e ter amigos barra-pesada. Não me importo, porque ele me tem como nenhum homem me teve antes. Jofre faz com que eu me sinta mulher desejada. Ele me valoriza.

— E por que quer tanto atazanar o Leandro? Se se sente valorizada, amada e desejada...

— A minha história com Leandro é pura vingança. Só isso.

— Quer mesmo seguir seu plano adiante?

— Quero.

— Eu acho tudo muito arriscado.

Denise o fuzilou com os olhos.

— Eu só não puxo o freio de mão deste carro porque não quero provocar um acidente e morrer. Tenho muito o que viver, muito o que me divertir, vou ficar muito rica. E vou assistir de camarote à destruição daquela família carioca.

— Você tem dinheiro, abriu conta em bancos estrangeiros, desfalcou a Dommênyca em milhares de dólares. Pode viver muito bem em qualquer parte do planeta. Hoje eu deixaria essa vingança de lado.

— Está amarelando?

— Eu?!

— Sim. Que história idiota é essa agora de tentar fazer com que eu pare com meu plano?

— Porque acho que dá tempo de desistir.

— Não sou mulher de desistir.

— Denise, você tem tudo, dinheiro, homem. É saudável, jovem e bonita, tem muitos anos pela frente. Vá curtir a sua vida.

— Não foi você quem me incitou?

— Fiz um comentário sobre vingança tempos atrás, achei que tudo era brincadeira, nunca pensei que fosse querer chegar tão longe, arriscar-se tanto.

— Tem coisa melhor do que arriscar? Dá até um friozinho gostoso na barriga.

— Denise, pare e reflita.

— Eu vou muito longe. Conto com a sua ajuda, Inácio.

— Sabe o que acontece...

Denise o cortou violentamente.

— Não! Não sei o que acontece, Inácio! E nem quero saber! Você prometeu me ajudar.

— Estamos falando da vida de um garoto, filho de gente conhecida da sociedade. É muito arriscado.

— Já disse que adoro correr riscos.

— Pense e reflita.

— Não tenho o que pensar. Mas você tem o que pensar e refletir.

— Eu?!

— Sim. Sabe que tenho todos os documentos que você adulterou na Dommênyca. Eu tenho os originais guardados num cofre. Você também levou muita grana. É só eu estalar os dedos e esses maníacos da Polícia Federal virão como abutres sobre você. Vão comer você vivo, sem dó nem piedade. Quer aparecer em rede nacional, sendo algemado por aqueles brutamontes e um repórter falando: “Foi preso hoje o advogado Inácio Mello Farias, que liderava uma quadrilha...”

Inácio engoliu em seco e parou num sinal. Olhou para ela com o suor escorrendo pela testa.

— Não precisa continuar. Sei que tenho o rabo preso contigo. Eu vou fazer o que me pediu.

— E o que lhe pedi? — perguntou ela.

— Você, Denise, é a mentora do sequestro de Ricardo Ferraz Dantas, filho do empresário Leandro Dantas e de Letícia Theodoro Ferraz.

— Gravou bem os nomes! E que mais?

— Quer que eu tome providências para transformar meu sítio em cativeiro do menino. Preciso demitir ou afastar meu caseiro e deixar o pessoal do Jofre ficar lá por pelo menos uma semana. Devo providenciar mantimentos e...

— Isso mesmo! — Ela bateu palmas. — Parabéns! Sabe que quero o sítio pronto para a semana que vem. Esse fedelho tem de ser sequestrado logo. Sem falta. Sabe que sigo um cronograma rígido.

— Por certo — concordou ele.

Denise falou e quando percebeu estava na porta de seu novo endereço, um suntuoso casarão no Jardim Europa, um dos endereços mais chiques e caros da cidade.

— Chegamos — disse Inácio ao encostar o veículo no meio-fio. — Pode contar comigo. Sabe que farei o que quer, mas que fique claro uma coisa.

— O que é?

— Se algo der errado, eu mal sabia do que estava acontecendo no meu sítio. Vou negar tudo, como Judas. Não serei preso por conta de um capricho seu.

— Pode ficar tranquilo, nada vai dar errado.

— Assim espero.

— Boa noite.

Ela bateu a porta do carro, um holofote acendeu-se imediatamente na calçada. O portão automático abriu-se e um segurança apareceu.

— Boa noite, dona Denise.

Ela nem cumprimentou o rapaz. Entrou em casa, tirou os sapatos e jogou-se sobre uma poltrona. Délis veio ao seu encontro.

— Deseja alguma coisa, senhora?

— Por acaso eu chamei você, idiota? Chamei?

— Desculpe, é que...

— Nem sei por que lhe convidei para trabalhar comigo, Délis.

Você serve para trabalhar para o Edgar. Uma idiota servindo a outro idiota.

— Se não precisar de mais nada, vou me retirar.

— Aproveitando que a songamonga está na minha frente, vá me preparar um Martini. Preciso de um drinque antes de dormir.

Denise terminou de falar, fechou os olhos e começou a imaginar o desespero de Leandro e da esposa. Não via a hora de Jofre botar as mãos naquele garoto estúpido.

Délis abaixou a cabeça, envergonhada, tentava a custo segurar as lágrimas. Correu para a cozinha.

— Que vontade de matar essa mulher! Como ela pode ser tão grossa, tão estúpida?

O segurança entrou pela porta da cozinha e emendou:

— Fique triste não, Délis. Aqui se faz, aqui se paga.

— Mas essa daí só se dá bem. Olha o casarão, o luxo, o dinheiro...

— E, no entanto, vive sozinha, presa à arrogância e à ilusão.

— Se eu não tivesse filhos pequenos para criar, juro que iria embora agora mesmo. Até hoje me arrependo de ter deixado o trabalho de diarista. Eu tinha patrões bem legais e o ex-marido dela, o Edgar, era um doce de patrão. Uma das pessoas mais bondosas que conheci na vida.

— Provavelmente veio para cá para ganhar mais.

— A proposta na época era irrecusável. O salário é bom, mas estou deveras arrependida. Se pudesse voltar no tempo!

— Confie em Deus que tudo vai ficar bem. Você é boa pessoa, Délis.

— E você também, Chico. É um bom homem. Temos de dar duro, sacrificarmo-nos. Somos pessoas honestas e educadas. E olhe para essa aí: vive bem, tem uma vida confortável, um emprego excelente. Não sei como ela tem tudo isso, sendo tão mal-educada — falou Délis, enquanto preparava o Martini para Denise.

— Não se compare a ela. Você tem um bom coração. Pessoas como Denise nunca se dão bem na vida.

— Ela sempre se deu bem na vida, Chico. Sempre.

— Um dia a casa cai. A casa sempre cai...

***

Na rua, Inácio espumava de ódio. Deu partida e saiu cantando os pneus.

— Quem Denise pensa que sou? Um idiota tal qual o ex-marido dela? Que acata tudo, que a obedece feito um escravo? Ela não me conhece. Chantageou-me e não sabe com quem está se metendo!

Ele foi ruminando os pensamentos até chegar em casa. Estacionou o carro e disse:

— Essa mulher vai me pagar caro por tentar me chantagear — ele olhou para o gravador de MP3 discretamente colocado próximo ao banco do passageiro. O dispositivo eletrônico era eficiente para gravar conversas. Quantas vezes Inácio se utilizara dele para gravar reuniões sigilosas e depois chantageava deus e o mundo com as conversas gravadas. Arrancou dinheiro de muitos empresários que pagavam propinas para vender seus produtos na Dommênyca.

Ele sorriu e introduziu o dispositivo no som do carro:

"— E o que lhe pedi?

— Você, Denise, é a mentora do sequestro de Ricardo Ferraz Dantas, filho do empresário Leandro Dantas e de Letícia Theodoro Ferraz.

— Gravou bem os nomes! E que mais?

— Quer que eu tome providências para transformar meu sítio em cativeiro do menino. Preciso demitir ou afastar meu caseiro e deixar o pessoal do Jofre ficar lá por pelo menos uma semana. Devo providenciar mantimentos e...

— Isso mesmo! — Ela bateu palmas. — Parabéns!"

Inácio não cabia em si, tamanha alegria. Saberia dar o troco em Denise. E não demoraria muito.

30

No restaurante, enquanto comiam, Edgar começou a se cansar da loiraça. Embora linda, ela só queria falar das plásticas a que se submetera nos últimos meses para ficar com aquele corpo escultural. Ele se arrependera amargamente de tê-la convidado para sair.

Num dado momento, Edgar percebeu, duas mesas à frente, um grupo de conhecidos que acabava de se sentar. Reconheceu imediatamente Adriano e Patrícia. Pediu licença e foi ao encontro do casal.

— Olá, queridos.

Adriano levantou-se e abraçou o amigo.

— Seu sumido!

— Tenho saído bastante. Como vai, Patrícia?

— Bem — respondeu ela, curta e grossa.

— Vocês não sabem quem eu encontrei aqui hoje.

— Quem? — indagou Adriano, curioso.

— A Denise.

— Mesmo?

— Em carne e osso. Conversamos um pouco, ela foi muito estúpida. Eu a enfrentei, mesmo ouvindo coisas desagradáveis de sua boca.

— Denise sempre foi desagradável — tornou Patrícia.

— Sabe que foi somente hoje que a minha ficha caiu? Eu não consigo imaginar o porquê de ter arrastado um bonde por uma mulher tão arrogante.

Adriano o abraçou.

— Parabéns! Você a enfrentou e agora não vive mais atormentado pelo fantasma dessa mulher. Que você seja feliz!

— Eu quero mais é aproveitar. Trouxe uma loiraça que conheci na internet — apontou para a mesa logo atrás.

— Bonita a moça — disse Adriano.

— E você, o que acha, Patrícia?

— Não acho nada.

— O que foi?

— Que foi o quê?

— Está sendo ríspida comigo. Eu lhe fiz alguma coisa?

— Você é tão patético, Edgar. Eu sempre o achei um sujeito formidável, um homem fantástico. Sempre teci elogios a seu respeito e Adriano é prova disso — o marido pendeu a cabeça em sentido afirmativo, para cima e para baixo. — Não sei o que aconteceu, porque, de uns tempos para cá, você sai com uma mulher atrás da outra, como se estivesse brincando de bonecas. Não acho uma atitude legal de sua parte.

— Natural. Depois do que passei com Denise, sinto-me no direito de aproveitar a vida.

— E aproveitar a vida para você resume-se em sair com uma mulher diferente por noite? É isso?

— É sim.

— Só para alimentar seu ego? Depois de tantas sessões de terapia, ainda não aprendeu a ter equilíbrio e procurar conhecer alguém que possa amá-lo e ser correspondido?

— Isso não existe. Eu não caio mais nessa arapuca de casamento. Quer fazer duas pessoas se odiarem? É só fazer com que elas se casem.

Ele falou e deu uma sonora risada. Adriano ia rir, mas, diante do olhar de reprovação da esposa, baixou os olhos, constrangido.

Marina apareceu.

— Desculpem a demora. Peguei o ônibus errado e saltei algumas quadras lá atrás.

Edgar fechou o cenho.

— Vocês me trocaram pela Marina. Agora é Marina para cima e para baixo.

— Ao menos ela não nos envergonha.

— O que é isso, Patrícia? É pessoal? — indagou ele, atônito.

— Sim. Você, sempre tão amoroso, tão sensível, um marido fantástico, de repente se transformou nesse galinha, só para satisfazer o seu ego doente. Não percebe que existem mulheres muito mais interessantes do que essas loiras e morenas plastificadas e cheias de botox? Não percebe que pode viver uma relação tão boa quanto a minha e de Adriano? Acha que todas as mulheres são como Denise? Pois saiba que não são.

— Até agora não conheci nenhuma mulher que me atraísse, se quer saber. Um bando de fúteis. São boas para a cama, nada mais — fez sinal apontando novamente para a mesa em que estava sentado.

— A sua energia de garanhão atrai esse tipo de mulher fútil, que não quer saber de compromisso. Se estivesse mesmo querendo se envolver com alguém que valesse a pena, teria de mudar essa postura de galanteador barato. Acredita que ainda tem dezessete anos de idade? Você agora é um homem, ou deveria se portar como um. Vê se se enxerga!

Adriano balançou a cabeça para os lados. Patrícia retrucou:

— Volte para a sua mesa e para a sua loira divina. Alimente e satisfaça seu ego e deixe que o verdadeiro amor escorra pelas suas mãos. Seu cego!

— Bom, eu vou para a minha mesa. Acho que não sou benquisto aqui.

— Não é mesmo — finalizou Marina.

— Até você? Pensei que fosse minha amiga.

— Pensou? — ela falou sustentando o olhar. — Que pena!

Edgar não entendeu, despediu-se com um aceno e voltou para a sua mesa. Os três se sentaram e Adriano sussurrou:

— Vocês pegaram pesado com ele. Sabemos o quanto ele sofreu. Precisa se divertir, oras!

— Divertir-se? — indagou Patrícia, incrédula.

— O rapaz tentou se matar. Chorou e sofreu por amor. Vamos ter um pingo de piedade.

— Eu não tenho pena dele — replicou Patrícia. — Edgar não usa a imaginação com inteligência. A imaginação desenfreada, sem controle, pode nos causar sérios problemas, não só nesta encarnação, como por vidas e mais vidas à frente. Concordo que a terapia o ajudou. Ao menos Edgar parou de reclamar, parou de chorar e de sofrer.

— Isso é ótimo, não é?

— Até certo ponto, Adriano. Edgar vem fazendo isso há meses. Flertou com todas as solteiras do nosso grupo de corrida. Não pode ver um rabo de saia que logo monta em cima da coitada. Isso não é vida. Edgar sempre foi um homem apaixonado, nasceu para o matrimônio.

— Ficou traumatizado depois do que Denise lhe aprontou.

— Não acredito em vítimas. Nós podemos escolher, somos dotados de livre-arbítrio. Ninguém obrigou Edgar a se casar com Denise.

— Não se esqueça de que ela engravidou.

— Vai saber de quem! Sabemos que Denise saía com todos os homens do bairro. Não deixava escapar quase nenhum.

— Eu não dei bola para ela — respondeu Adriano.

— Nós namorávamos. E você nunca foi o tipo da Denise.

— Edgar tem direito de levar a vida que quiser.

Marina levantou-se.

— Vou ao toalete refazer a maquiagem. Transpirei um pouquinho vindo do ponto de ônibus até o restaurante.

Ela caminhou até o lavatório e Patrícia cutucou o marido.

— Não estou defendendo a moral e os bons costumes. Sabe que não sou hipócrita e aceito as pessoas como são.

— Então deixe o nosso amigo em paz.

— Não percebe — Patrícia bebericou um pouco de guaraná e baixou o tom de voz — que Marina está apaixonada por Edgar?

— Marina? — indagou Adriano, estupefato.

— Sim. Ela apaixonou-se e...

— E por que não se declarou?

— Olhe para seu amigo. Ele só quer saber de farra. Marina não é mulher de farra.

— Foi por isso que disse a ele agora há pouco que está deixando o amor escorrer pelas mãos? Agora entendo você, amor.

— Óbvio, Adriano. Marina deu várias indiretas. Depois que percebeu Edgar interessado superficialmente em toda e qualquer mulher, preferiu ficar na dela, quieta.

— Precisamos fazer alguma coisa, querida.

— O infeliz está se sentindo o rei da cocada preta. Quer porque quer sair com todas as mulheres do mundo.

— Nós vamos dar um jeito nisso — Adriano falou e pousou delicadamente a mão sobre a da esposa. Patrícia sorriu e o beijou nos lábios.

— Sabia poder contar com você.

Marina voltou e sentou-se. Estava mais bonita por conta do efeito da maquiagem, mas Patrícia percebeu que ela havia chorado. Marina estava apaixonada por Edgar e estava difícil sufocar esse amor.

— Você está bem? — perguntou Adriano.

— Sim. Estou cansada, mas bem.

— Vamos pedir os pratos? — sugeriu Patrícia.

— Estou com pouca fome.

— Precisa comer. Está muito magra. Tem trabalhado muito.

— Ainda bem que aos sábados vou tomar passe. Se não fosse o passe, acho que estaria de cama.

— Não é fácil ter uma chefe como Denise.

— Não é mesmo, Adriano.

— Por que não se demite? — indagou ele.

— Porque a empresa oferece um excelente convênio médico. Eu não tenho condições de bancar um plano de saúde sozinha. Minha mãe está doente e precisa da assistência médica. Não tenho coragem de deixá-la num hospital público.

— Entendo — respondeu Adriano, penalizado.

— Você pode procurar outro emprego que lhe pague mais — sugeriu Patrícia.

— E a crise econômica? Está difícil arrumar emprego.

— Difícil para quem acredita que seja difícil — emendou Patrícia. O nosso país já está praticamente livre dos efeitos da crise mundial. Há emprego, sim.

— Acaso acha que faço corpo mole?

— De maneira alguma, no entanto está se sentindo muito vítima da situação, como se Denise fosse o lobo mau e você a pobre menina indefesa que não consegue se livrar dele.

— Isso não é maneira de falar com sua amiga — protestou Adriano.

— Por isso mesmo. Ela é minha amiga. Amigos falam a verdade. Marina está se deixando levar pelo vitimismo, está paralisada num medo imaginário, tendo só pensamentos negativos e não toma atitude. Eu sei que o mundo vem enfrentando uma crise econômica muito séria, porém nosso país está se saindo muito bem. Os postos de trabalho estão crescendo na indústria e eu, particularmente, acredito que quem quer de verdade arrumar emprego, vai arrumar um.

— Eu assisto ao noticiário na televisão e me assusto.

— Porque se impressiona negativamente com as notícias. Veja quantas pessoas estão aqui sentadas, neste ótimo restaurante, comendo e pagando suas contas. Creio que todos aqui estão empregados. Todos devem trabalhar. Acha que não existe uma vaga para você numa cidade que abriga dez milhões de pessoas?

— Creio que sim.

— Você é competente, Marina. Eu já lhe pedi seu currículo algumas vezes. Tenho uma boa rede social e profissional de amigos. Quem sabe alguém não lhe oferece um bom trabalho, com melhor remuneração e até com uma melhor assistência médica? Por que pensar só no pior?

— Isso mesmo — concordou Adriano. — Por que pensar que vai arrumar um emprego pior e ganhar um salário menor? Por que não acredita no seu potencial e vai atrás de algo melhor?

Patrícia ajuntou:

— De nada adianta tomar passe e ficar cultivando esses pensamentos que só nos aterrorizam o espírito e nos paralisam. Você precisa reagir, Marina. Precisa começar a mudar seus conceitos, rever suas crenças e posturas diante da vida. É uma mulher forte, batalhadora, que nasceu pobre, viveu muitos anos na mais absoluta pobreza. Conseguiu concluir os estudos, está terminando a pós-graduação, fala idiomas. Depois de tudo o que passou na vida, tem medo de mudar de emprego?

Adriano interveio:

— Para quem passou necessidades na vida, como fome e

sede — que é o seu caso —, ir atrás de um posto de trabalho não é um bicho de sete cabeças.

Marina assentia com a cabeça. Mexia para cima e para baixo, concordando com tudo. Patrícia propôs:

— Façamos o seguinte: você providencia seu currículo para mim e Adriano. Vamos enviar *e-mails* para os amigos, espalhando-o por aí, entre nossos conhecidos, até que num determinado momento alguém vai ler, interessar-se e chamá-la para uma entrevista. Vá lá, minha amiga, acredite. Confie na vida.

Conforme iam conversando, mais e mais Marina sentia uma gostosa sensação de bem-estar. A amizade de Adriano e Patrícia estava lhe fazendo tremendo bem e ela, pela primeira vez em muito tempo, começava a criar forças para tomar uma atitude em relação ao seu atual emprego.

Ela estava tão entretida e interessada na conversa que, por ora, esqueceu-se do sentimento forte que nutria por Edgar.

31

Marina mal conseguiu pregar o olho naquela noite. A conversa sobre emprego que tivera com o casal de amigos a animara sobremaneira. Sentia-se encorajada a enfrentar as grosserias de Denise. Uma voz amiga soou em seu ouvido:

— Tenha coragem e força. Faça o que seu coração achar melhor.

Marina conversava com a voz como se estivesse falando consigo própria:

— Nunca gostei de trabalhar com a Denise. Fui ficando porque o emprego é bom, os funcionários são ótimos e foi-me oferecido um bom plano de assistência médica. Estou cansada de ser maltratada.

— Cultive pensamentos positivos. Fique no bem. Não se misture às energias perniciosas emanadas por Denise ou Inácio. Confie porque você tem tudo para viver uma vida plena e feliz.

— Eu preciso confiar. Sou uma boa pessoa. Quero o bem para mim e para os meus amigos. Não vou mais admitir ser espezinhada na frente dos meus colegas. Não vou.

Leônidas aproveitou a passagem e deu um passe restaurador em Marina. Aos poucos, ela foi perdendo os sentidos, o sono foi chegando forte e ela adormeceu.

— Que menina bonita!

— Achou mesmo, Émerson?

— Sim. Estava um pouco preocupada com o trabalho, mas depois você serenou seu espírito. Ela dorme feito um anjo.

— Marina precisa recarregar suas energias. Precisará estar em equilíbrio para lidar com o que vem pela frente.

— Já fizemos isso com minha filha, meu genro... — Émerson

balançou a cabeça. — O que vai acontecer que eu não sei? Você não está visitando todas essas pessoas à toa.

— Não. Muitos acontecimentos estão por vir e vão transformar sobremaneira a vida dessa moça — apontou para Marina — como também vão modificar em muito a vida de sua filha, de seu genro e de seu neto.

— O que vai acontecer?

— Aguarde e verá.

— Não gosto de segredinhos!

— Por falar em segredinhos, quer me acompanhar, por favor?

Émerson deu de ombros, sorriu para o corpo de Marina deitado na cama e seguiu Leônidas até outro cômodo da casa. Era o quarto de Consuelo. Estava dormindo, porém seu perispírito estava agitado. Sua mente estava muito confusa, agitada, triste, preocupada...

— Nossa, essa daí está muito tensa, preocupada.

— Essa é a mãe de Marina.

— Hum. Seus pensamentos estão agitados. A sua mente está muito acelerada. Ela vai acordar moída, corpo alquebrado, sentindo-se cansada.

— Nos últimos dias Consuelo tem acordado assim, tensa, preocupada. Não sei quanto tempo mais seu corpo físico vai resistir. Ele está dando sinais claros de esgotamento.

— O que podemos fazer?

— Dar um passe nela. Você me ajuda, Émerson?

— Eu?!

— Sim, você mesmo. Está na hora de fazer alguma coisa boa para as pessoas aqui do mundo. Você andava perdido, alheio, depois ficou anos influenciando negativamente sua filha e atormentou seu genro além da medida.

— Agora vai ficar me jogando na cara os meus deslizes?

— De forma alguma. Pare de se comportar como um pobre coitado, porque, de coitado, você não tem nada — Leônidas esticou o olho para baixo: — Eu o conheço muito bem.

— Nunca fiz essa transmissão de energia antes.

— É fácil. É só se concentrar, levantar suas mãos, pegar energia do Alto e em seguida pousar as mãos alguns centímetros acima do perispírito dela. Vamos tentar?

— Pode ser.

Leônidas esfregou as mãos e as elevou. Émerson fez o mesmo. Logo os dois estavam transmitindo energias revigorantes e de equilíbrio para Consuelo. Aos poucos, seu perispírito ficou menos agitado e sua mente serenou um pouco.

— Olha como deu certo! — vibrou Émerson.

— Consuelo vai ter um sono reparador, ao menos nesta noite.

— E agora, o que vamos fazer?

— Ainda vamos ficar aqui, só mais um pouquinho. Leônidas aproximou-se de Émerson e perguntou:

— Não se lembra dela?

— Não.

— Tem certeza? Olhe com mais calma.

Émerson espremeu os olhos.

— Não. Não faço a mínima ideia de quem seja.

— Não vou fazer você voltar outras vidas, mas vamos nos lembrar de alguns fatos desta última encarnação?

— Até que enfim vou ter acesso a uma vida passada!

— Negativo. Vamos voltar a algumas épocas desta última, de quando foi casado com Teresa, e foi pai de Letícia.

— E de que vale eu me lembrar dessa vida? Eu me lembro de tudo!

— Tudo?

— Sim. Nasci em 1949, fundei a Companhia em 1971, casei-me com Teresa em...

Leônidas aproximou-se e colocou a mão direita sobre a testa de Émerson. Ele sentiu um torpor, as ideias tremulando na mente. Da mão de Leônidas saía uma luz de coloração amarelada. Émerson fechou os olhos e as cenas vieram vibrantes, bem nítidas.

***

Consuelo era uma bela negra na casa dos vinte e poucos anos quando foi trabalhar na casa de Émerson. Ele havia alugado um apartamento em São Paulo, vivia mais na capital paulista do que com sua família no Rio. Era uma época de hiperinflação, de preços descontrolados, economia caótica. Ele precisava estar à frente dos negócios para não falir, como vinha acontecendo com os concorrentes menos preparados para enfrentar as constantes crises econômicas pelas quais o país passara no início da década de 1980.

Émerson trabalhava bastante, isso não se podia negar, fazia de tudo para que a Companhia continuasse sólida no mercado. O trabalho o consumia a tal ponto que ele ia do apartamento para o trabalho e vice-versa. Foi uma época que ele sequer podia cogitar a possibilidade de dar umas escapadas e se divertir, como faziam alguns amigos.

Consuelo trabalhava no apartamento três vezes por semana. Fora indicada por uma amiga que não tinha os três dias livres. Ela aceitou de pronto e levava o serviço nas costas. Afinal, no apartamento só vivia uma pessoa e Émerson só o utilizava para dormir. Era muito fácil limpar os cômodos, pois estavam sempre em ordem.

Num dia, Émerson chegou cedo do trabalho. Houve um comício, confusão, e muitos setores da sociedade, cansados de enfrentar os valores galopantes da inflação, entraram em greve. Os funcionários de sua empresa também aderiram ao movimento e ele não teve alternativa — teve de voltar para casa antes do fim do expediente.

Consuelo estava de saída. Ela o cumprimentou.

— O senhor está gostando do serviço?

— O apartamento está sempre limpo.

— Falta eu fazer alguma coisa? Quer que eu cozinhe algo?

— Não. Não precisa.

— Ah — ela falou de maneira jovial — eu comprei tudo o que o senhor colocou na lista. Aproveitei e também comprei umas frutas e verduras. As maçãs estavam ótimas, a alface estava bem fresquinha. Quer ver? Estão aqui na prateleira. Consuelo abriu a geladeira e inclinou o corpo para a frente. Naturalmente o vestido subiu, e Émerson deparou-se com um par de coxas esculturais.

— Uau! — assobiou.

— O que foi, seu Émerson? — Comprei muitas maçãs? — indagou ela, sem imaginar que ele estivesse medindo-a de cima a baixo com olhos de pura volúpia.

Émerson estava sem se deitar com uma mulher havia meses. Justo ele, que no Rio de Janeiro deitava-se com a esposa e com algumas garotas que encontrava em bares. O desejo foi forte. Ele a abraçou por trás e murmurou em seu ouvido:

— Estou louco de desejo!

Consuelo deixou-se entregar. Ela era uma mulher séria. Casara-se aos catorze anos, tivera um filho. Tivera uma vida infeliz, rude. O marido a abandonara e ela estava havia algum tempo na capital. Jamais cogitara sair com outro homem, mas ela era mulher de carne e osso, tinha desejos. Ela fechou os olhos, gemeu de prazer e entregou-se a ele, ali mesmo no chão da cozinha.

Assim foram levando. Toda semana Émerson arrumava um jeito de chegar em casa mais cedo e deitar-se com Consuelo. Eles se davam muito bem na cama. Ele era bem viril e ela extremamente feminina. Faziam estripulias na cama. Até que ela engravidou.

— Você vai ter de tirar essa criança — dizia ele, de maneira intempestiva.

— Isso eu não vou fazer. Não tiro essa criança.

— Eu não quero um filho.

— Pois eu quero.

— Para quê? — perguntou ele raivoso. — Para me chantagear?

Consuelo era mulher ingênua, tinha um coração puro. Nunca imaginara ficar grávida para tirar algum proveito da situação.

— Assim me ofende! Eu não quero nada do senhor, nada — gritou ela enquanto as lágrimas rolavam incontroláveis.

Émerson percebeu que Consuelo estava sendo sincera. Ela não era uma aproveitadora. Eles não se protegiam, porquanto naqueles tempos não era usual a utilização de preservativos.

Ele a abraçou e levou sua cabeça ao peito.

— Chi! Calma. Tudo vai dar certo.

— Como? Eu sou pobre, moro num cortiço. Tenho um filho adolescente que me dá muito trabalho. Eu não tenho condições de cuidar dessa criança sozinha. Por favor, ajude-me.

Tomado de pena, Émerson resolveu ajudá-la. Pegou um dinheiro no banco, uma quantia na época suficiente para Consuelo comprar uma casinha e ter um rendimento razoável. Duas semanas depois, entregou-lhe o envelope com a seguinte condição:

— Eu espero que isso lhe ajude. Não temos mais nada o que conversar.

Ela pegou o pacote de dinheiro, as mãos trêmulas. Abaixou a cabeça, rodou nos calcanhares e foi embora. Nunca mais se viram. Consuelo nunca mais o procurou. E, com o passar dos anos, outras mulheres apareceram. Émerson foi se esquecendo e nunca mais quis saber do paradeiro de Consuelo. Era assunto do passado, morto e enterrado.

Émerson parecia sair de um transe.

— O que foi isso? — perguntou ele, sentindo leve mal-estar, a respiração ofegante.

— Agora se lembrou de tudo?

— Meu Deus! Quantos anos! Eu era jovem.

Leônidas apontou para a cama onde Consuelo dormia a sono solto. O passe vai ajudá-la a se desligar um pouco da mente perturbada por tantos problemas e preocupações.

— Ela também era jovem. Uma jovem muito bonita e fogosa.

Émerson olhou, olhou e, aos poucos, foi reconhecendo aquela mulher.

— Mas não pode ser! Esta é a mulher que engravidei?

— Sim.

— Está velha, acabada.

— Não está velha, mas está bem acabada. Os anos não lhe sorriram. Consuelo teve uma vida dura, sofreu — e ainda sofre — com os desatinos do filho, perdido nesse mundo de Deus. Ela teve uma linda menina e, se não fosse por Marina, ela teria desencarnado há muitos anos.

Émerson levou a mão à boca para evitar um gemido de surpresa.

— Ela teve o filho!

— O filho, não. A filha.

— Você está querendo me dizer...

Leônidas moveu a cabeça para cima e para baixo.

— Que aquela moça no outro quarto é sua filha.

Émerson botou a mão na cabeça.

— Tantos anos se passaram... Nunca imaginaria que ela estivesse viva e tivesse tido a criança.

— Teve a criança e depois comprou este apartamento com o dinheiro que você lhe deu.

— Pensei que ela pudesse estar bem, afinal, dei-lhe um bom dinheiro na época, suficiente para ela parar de trabalhar se assim o desejasse.

— Consuelo usou a cabeça. Comprou esse apartamento e aplicou o dinheiro na poupança. Mas você bem sabe como a economia do país sofreu altos e baixos. Houve um governo que confiscou a poupança de todos os cidadãos.

— Eu me lembro dessa época horrível. A sorte é que eu transformava meu dinheiro em dólar. Guardava os maços de dólar no cofre da empresa. Se não fizesse isso, talvez tivesse quebrado.

— Consuelo perdeu o pouco dinheiro que tinha. Marina transformou-se numa moça responsável. Trabalhou desde cedo, estudou, concluiu o curso de inglês e de espanhol. No momento está fazendo pós-graduação. É uma moça competente, tem tino para os negócios, igual ao pai.

Émerson sentiu uma dor no peito sem igual. Seu espírito saiu em disparada e ele literalmente voou até o quarto de Marina. Parou diante dela e fitou-a por longo tempo.

Ela dormia placidamente e ele, lágrimas nos olhos, mexia a cabeça para os lados, contemplando aquele ser que fora gerado dele.

— Minha filha. Olha que morena bonita!

— Muito bonita. E de coração puro, igual ao da mãe. Marina é um espírito ligado às forças do bem.

— O que vai lhe acontecer? Você me disse há pouco que a vida dela vai mudar sobremaneira.

— Marina está a ponto de ser demitida. O convênio médico vai lhe dar cobertura por mais um mês. Depois disso, sabe-se lá Deus o que vai acontecer.

— Eu preciso fazer alguma coisa. Ela precisa saber que sou pai dela, que ela tem direito à parte da minha herança.

— Por isso o trouxe aqui. Dependendo do seu esforço e da vontade de Consuelo, talvez o futuro de Marina seja diferente. Você não gostaria de ajudá-la?

— Pois claro! Mas e Teresa? Minha esposa tem muito apego ao dinheiro. Pode arrumar encrenca, pagar excelentes advogados e esticar o caso na Justiça.

— Negativo. Teresa vai sofrer muito com o que vem pela frente. Eu sinto que seu espírito vai amadurecer, vencer a ilusão e ela vai concordar em repassar uma parte da herança para Marina.

— Você me deixa preocupado. Conte-me o que vai acontecer.

— Não. Agora você precisa se concentrar para ajudar Marina a ter conhecimento sobre você.

— Mas como? Quer que eu incorpore num Centro Espírita e lhe conte a verdade?

— Isso não se faz.

— Não imagino como vou fazê-la saber a verdade.

— Ficando ao lado de Consuelo. Inspirando bons pensamentos nela. Tente convencê-la de contar a verdade para a filha.

— Marina não tem a mínima ideia de quem seja o pai?

— Consuelo disse que foi um namorado, que ele sumiu ao saber da gravidez. Ao menos ela não mentiu para a filha. Só deixou de contar quem fora o homem que a engravidou.

— Realmente ela é uma mulher de fibra, decente, honesta e batalhadora. Não quis saber de meu dinheiro.

— E se não estivéssemos aqui, ela nunca pensaria em contar nada para Marina. Consuelo morre de medo de a filha rejeitá-la. Tem medo de Marina ir embora, assim como Jofre. A sua vida na Terra está com os dias contados. Entretanto, se ela desencarnar e não contar, vai sofrer muito aqui no astral. Eu sinto que seu espírito ficaria tão perturbado que ela iria parar direto no Umbral.

— Naquele lugar onde ficam as pessoas perturbadas?

— Esse mesmo. E quer saber? Se você ficar mais um tempo aqui, também será transportado para o Umbral.

Émerson arregalou os olhos, atônito.

— Já ouvi comentários horríveis a respeito desse lugar. Você que conhece tantos lugares astrais, pode mesmo me dizer se esse lugar é tão ruim?

— Como diz nosso querido amigo André Luiz, o Umbral funciona como região destinada a esgotamento de resíduos mentais; uma espécie de zona purgatorial, onde se queima a prestações o material deteriorado das ilusões que a criatura adquiriu por atacado, menosprezando o sublime ensejo de uma existência terrena[10].

Émerson arrepiou-se todo.

— Dá até para imaginar como é.

— Pois é, meu amigo. Você é um espírito de sorte. Se eu não estivesse por perto e você continuasse influenciando sua filha, naturalmente seria transportado para lá.

— Longe de mim. Eu não quero. Já não chega o que eu passo mal aqui entre esses encarnados?

— Passa mal porque quer. Assim que desencarnou, recebeu uma visita para ir fazer tratamento numa colônia espiritual, não foi?

— Foi. Eu fui chamado por um parente, não me recordo ao certo. Mas preferi ficar aqui porque tinha de alertar minha filha e...

Leônidas o cortou com firmeza.

— Pare! Não vamos trazer lembranças desagradáveis ao ambiente. A sua aura está limpa. A casa está higienizada e, se começar a pensar por que ficou na Terra depois da morte, vai desequilibrar energeticamente o ambiente. Nada de pensamentos negativos.

— Entendi — respondeu Émerson envergonhado.

— Fique aqui até elas acordarem. Eu preciso sair.

— E o que faço?

— Procure ter bons pensamentos. Chegou a hora de fazer exercícios para melhorar o teor de seus pensamentos.

— Como?

— Se aparecer algum pensamento desagradável, ruim, trate de transformá-lo imediatamente em algo bom, positivo. Você viveu muitas coisas boas, teve uma vida dura, eu sei, mas obteve sucesso. Foi um homem respeitado, empresário de sucesso.

Émerson afirmou com a cabeça.

10 Para entender melhor sobre a região umbralina, ler *Nosso Lar*, de Francisco Cândido Xavier, ditado pelo espírito André Luiz, em especial os capítulos 1, Zonas Inferiores e 12, O Umbral. 46ª edição, FEB (N.A.).

— Fui mesmo.

— Construiu uma empresa sólida. Gerou empregos que têm ajudado muitas famílias a prosperar. Tem uma filha, quer dizer, duas filhas lindas, boas, de almas nobres. Pense nessas coisas boas. O resto não interessa.

Émerson sorriu.

— É verdade. Por que raios vou pensar em coisas ruins? Você está certo — ele se animou. — Deixe comigo, quando voltar, esta casa estará radiante, cheia de energias benéficas que vão fazer tremendo bem às duas.

— Obrigado. Até mais tarde.

Leônidas falou e desapareceu no ar. Émerson foi até a sala e sentou-se na ponta do sofá. Enquanto Consuelo e Marina dormiam a sono solto, ele trazia na mente as mais felizes recordações de sua última existência no planeta.

De repente, teve um lampejo e sua memória voltou a uma encarnação passada. Émerson viu-se como um nobre português vivendo num casarão, na época do Império. Era casado com Letícia, uma linda jovem que perdera o noivo na Guerra do Paraguai. Letícia não gostava do marido. Casara-se porque os pais a obrigaram. Se ao menos ela tivesse a presença da prima... Mas Mila fugira com um estrangeiro e elas se correspondiam por cartas. Letícia cuidava da casa e tinha uma governanta. Consuelo fazia bem o trabalho, era uma mulher de princípios. Tinha uma filha, Marina, uma menina mimada, fútil, que odiava ser pobre.

Um dia Marina flagrou Émerson deitado com um dos escravos, Josias. A jovem caminhou sorrateiramente pelo corredor e ficou num canto escondida, esperando que eles terminassem a brincadeira. Se nos dias de hoje a bissexualidade é algo ainda complexo de entender e de aceitar, imagine cento e cinquenta anos atrás. Os padrões morais eram muito, mas muito mais rígidos e, se essa preferência de Émerson por rapazes fosse levada a público, seria o seu fim.

Émerson terminou de se vestir e, ao sair, Marina estava parada bem na sua frente, olhos brilhantes de cobiça.

— Eu vi o que o senhor fez.

Émerson lhe deu um tapa no rosto.

— Sua insolente, eu negarei tudo. Sou nobre, você é filha da governanta. Em quem vão acreditar?

Marina sorriu maliciosa.

— O Josias é meu amante também. Estamos decididos a revelar essa sua preferência — salientou.

Émerson empalideceu. Se Marina e Josias levassem o intento adiante, seria um escândalo sem precedentes.

— O que querem?

Marina exigiu boa soma em dinheiro. Em seguida, fugiu com o escravo.

Anos depois, no Umbral, eles se reencontraram. Marina havia se arrependido amargamente da atitude tomada. Sentia-se mal por ter chantageado Émerson. Arrependera-se sobremaneira e clamava por seu perdão.

Émerson voltou a si e olhou ao redor.

— Meu Deus! Nós três vivemos juntos em outras vidas!

Ele ficou ali no sofá, pensando em tudo, nesta última vida e nos *flashes* que surgiam da anterior. Depois de muito pensar e refletir, Émerson disse para si:

— Todos mudamos bastante. Entendo por que Marina teve uma vida tão difícil. Mas agora tudo vai ser diferente. Seu espírito aprendeu a lição e ela vai colher bons frutos. Que Deus a ajude!

32

Marina despertou sentindo tremendo bem-estar. Estava disposta, o corpo descansado, a mente serena.

— Nossa! Há quanto tempo não dormia tão bem!

Ela bocejou, espreguiçou-se e levantou da cama. Não era dia de treino, dessa forma ela podia acordar um pouquinho mais tarde. Caminhou até o banheiro e antes passou pelo quarto da mãe. Consuelo dormia e seu semblante parecia sereno. Marina sorriu e entrou no banheiro. Abriu o chuveiro e, enquanto a água morna caía sobre seu corpo, ela se lembrou dos acontecimentos da noite anterior.

Marina gostara de Edgar desde o primeiro instante. Prometera, anteriormente a si mesma, que nunca mais se apaixonaria, depois do que passara com o ex-noivo. Mas quem disse que mandamos no coração? Podemos até tentar sufocar nossos sentimentos, mas o amor é mais forte que tudo; ele é como um rolo compressor que passa por cima de todas as desilusões, todas as mágoas. É como se fosse um *tsunami* que se apodera de nosso corpo e nos abre o coração para viver tudo de novo, arriscando nossos sentimentos, apostando novamente numa chance real de felicidade.

Marina percebeu que não queria mais lutar contra seu coração. Iria procurar Edgar para uma conversa e ser franca. O pior que poderia acontecer seria ele dizer que no momento não queria nada.

— Daí eu paro de alimentar esse sentimento e parto para outra. Melhor assim. Não gosto de ficar em cima do muro — disse, depois de fechar o registro e começar a se enxugar.

A moça espantou os pensamentos com as mãos e sua mente trouxe-lhe outro assunto: a conversa que tivera com Patrícia e Adriano no jantar da noite anterior.

— Eles são pessoas de bem. Ajudaram-me com dicas muito interessantes de trabalho e de postura diante da vida. Os passes têm me feito um bem danado, assim como a corrida, e essas novas amizades, seja com eles, seja com Elisa. A única coisa que falta eu me empenhar é em cima dessa relação ruim com Denise. Mais nada — concluiu.

Marina começou a questionar seus valores, sua postura diante do trabalho, diante de Denise, diante da vida, inclusive. Acreditava que pessoas medrosas e com baixa autoestima profissional se deixavam ser conduzidas e maltratadas por chefes como Denise, espalhadas por vários cantos de empresas nacionais e ao redor do mundo. Por outro lado, havia bons chefes, bons profissionais que reconheciam os talentos de seus funcionários e os tratavam com um mínimo de cordialidade, com um pingo que fosse de educação.

Ela pensou, pensou e decidiu que, na próxima vez que Denise a maltratasse, pediria as contas. Precisava dar um basta nessa relação profissional tão desgastante — e por que não dizer — degradante.

— Marina, está acordada? — indagou Consuelo, do seu quarto.

Ela se enrolou numa toalha e utilizava outra para enxugar e prender os cabelos.

— Sim, mãe.

— Perdemos a hora.

— Não, hoje não é dia de treino. Posso me dar ao luxo de acordar um pouquinho mais tarde.

Ela falou do corredor e em seguida entrou no quarto. Sentou-se na beirada da cama, abaixou-se e beijou Consuelo no rosto.

— Dormi tão bem, mãe. Que sono reparador!

— Nem me diga. Eu também. Fui dormir preocupada, mas acordei tão bem.

— Preocupada com o quê?

— Não sei. Eu fiquei pensando com meus botões sobre a venda do carro. Deu quase nada.

— Eu estava a ponto de dar o carro para os rapazes da oficina. Aquilo é praticamente uma sucata. E eles me deram mil e quinhentos reais. Não contava com esse dinheiro, mãe. Coloquei na poupança. Pelo menos, temos um dinheirinho para emergências.

— Você é tão positiva.

— E não é para ser? Moramos nesta casinha, tudo bem que é bem apertadinha, mas é nossa, mãe. Temos um teto, tenho um bom emprego, as nossas contas estão em dia...

— É tão esforçada, filha. Faz tanto por mim. Nem sei como lhe agradecer.

Marina beijou-lhe a fronte novamente.

— Não tem o que me agradecer. Você é minha mãezinha querida e eu a amo muito.

— Eu também a amo muito, minha filha.

— Agora preciso ir. Tenho de me arrumar rápido e pegar metrô e ônibus. Deus me ajude a chegar no horário.

Marina saiu do quarto e foi trocar-se no quarto dela. Consuelo mordia os lábios, numa dúvida cruel.

Émerson estava tocado. Sentia o quanto Marina amava a mãe, o quanto era uma menina esforçada e um espírito ligado às forças superiores do bem. Às vezes, quando ela conversava com a mãe, sua aura emitia uma coloração próximo do lilás. Parecia estar em paz consigo e ser uma pessoa verdadeira, de bom coração. Nem mais se assemelhava à menina sem escrúpulos que o chantageara em outra vida. O espírito de Marina arrependera-se com sinceridade daquele comportamento tão ruim para ela e para aqueles que viviam ao seu redor. Aprendera muito, fosse nos anos que passara no Umbral, fosse agora diante de uma vida tão difícil. Émerson sentiu tremenda simpatia pela menina.

— Nossa, como é bonita e agora tem, de fato, o coração puro. Ela se parece muito com Consuelo na época em que nos conhecemos.

Assim que Marina saiu do quarto da mãe, Émerson captou os pensamentos de dúvida que pairavam sobre a mente de Consuelo.

— Se eu contar a verdade, Marina vai se decepcionar comigo. Não posso permitir que isso aconteça.

Ele se aproximou e sentiu piedade da pobre mulher. Aproximou-se e cochichou em seu ouvido:

— Conte a verdade.

Consuelo captava a voz de Émerson como sendo de sua cabeça. Respondeu em voz alta:

— Não posso contar a verdade. Se eu contar, Marina vai desaparecer como Jofre. Se ele sumiu depois de saber, por que Marina faria diferente?

— Porque ela não é como Jofre — comentou Émerson. — Marina é uma boa menina, tem um coração puro e cheio de amor por você. Se contar a ela toda a verdade, a vida de vocês poderá se transformar positivamente. Terão dinheiro para comprar uma casa melhor, Marina poderá fazer outros cursos sem depender de um emprego. Ela será uma moça independente, rica e, pelo que sinto, muito feliz. Por que furtar sua filha dessa nova e fascinante possibilidade de vida?

— Eu tenho medo de ela descobrir.

— Consuelo, você não vai ficar muito mais tempo aqui no planeta. Sua existência está chegando ao fim. Seu corpo físico está no limite de suas forças. Aja com o coração, não deixe que seu ego interfira numa decisão tão importante. Não leve esse segredo para o túmulo, por favor.

As lágrimas escorriam pelo rosto e Consuelo estava desesperada. Não sabia o que fazer. O seu coração lhe pedia para contar toda a verdade. Contudo, o medo e o desespero eram bem maiores.

— Senhor! Ajude-me, por favor, a encontrar uma saída!

***

O trânsito de São Paulo é conhecido em todo o país por ter engarrafamentos quilométricos e atrapalhar a vida de muita gente. Nesse começo de manhã, para variar, houve um acidente na marginal do Tietê. Marina e o restante da população não contavam com o tamanho do congestionamento. E ela chegou atrasada ao serviço.

Denise estava sentada em sua cadeira. Ela tomou um susto.

— O que faz em minha mesa?

— Vim dar uma olhadinha — disse Denise, olhos injetados de fúria.

Marina tentou recompor-se. Estava transpirando muito, ficara muito tempo presa no ônibus.

— Eu cheguei atrasada por conta do congestionamento e...

Denise a cortou de maneira abrupta.

— Olha lá! Dar desculpa de trânsito congestionado nesta cidade é redundância. Não cola. Sabemos que São Paulo vive com suas vias engarrafadas. Saísse mais cedo de casa.

— Eu saí. Bem cedo. É que...

— Nada de explicações. Estou farta das suas desculpas esfarrapadas.

— Não são desculpas e...

— Cale-se! Não aguento mais ouvir a sua voz — bradou Denise.

Ela estava incontrolável havia alguns dias. Conforme se aproximava o dia do sequestro, mais nervosa e ansiosa Denise ficava. Se ela era um bicho em dias normais, agora estava praticamente se comportando como um monstro. Ninguém mais tinha paciência com ela. Os vizinhos haviam feito abaixo-assinado para ela deixar a casa, pois ligava o som no último volume e não respeitava horário, nada. Alguns fornecedores estavam irritados com seu comportamento. Muitos começaram a cancelar pedidos e trabalhar com outra empresa do ramo, cujo gerente era um rapaz muito mais simpático e profissional.

Denise estava, simplesmente, irascível.

Marina tentava argumentar:

— Eu me atrasei porque o trânsito estava pesado mesmo. O que importa é que cheguei. Estou aqui, não estou? Do que precisa?

Denise não esperava por uma atitude tão firme. Estava acostumada a ver Marina abaixar a cabeça e não retrucar. Ela levantou-se de um salto e quase avançou sobre a moça. Os funcionários ficaram estáticos. Esperavam pelo pior.

Com o dedo em riste, quase tocando a face de Marina, Denise explodiu:

— Olha aqui, sua insolente. Quem pensa que é? Sou sua chefe e exijo respeito.

— Sou sua funcionária e também exijo respeito. Não vou mais permitir que me trate como se eu fosse uma qualquer.

— O que se passa?

— Eu tenho dignidade.

— Resolveu me enfrentar da noite para o dia?

— Não a estou enfrentando. Só quero ser minimamente bem tratada.

Denise respirou fundo e fechou os olhos para não estapeá-la ali, na frente de todo mundo. Precisava ter controle total da situação.

— Pode passar imediatamente no departamento de Recursos Humanos. Você está despedida. Entendeu? Des-pe-di-da!

Marina levou a mão ao peito.

— Despedida? Só porque não abaixei a cabeça para você?

— E pode ir embora agora! Nem precisa cumprir aviso prévio. Estou enjoada de ver essa cara de pobre coitada. Rua!

Ela gritou, virou-se abruptamente estugando o passo até sua sala. Bateu a porta com tremenda força. Alguns funcionários aproximaram-se de Marina. Elisa foi até a copa buscar um copo de água com açúcar. Veio apressada e o entregou à amiga.

— Obrigada — disse Marina, enquanto bebericava um gole. — Estou bem, por incrível que pareça. Já esperava por isso, mais dia, menos dia.

— A empresa lhe custeia a assistência médica. Não era esse o motivo de ficar aguentando os impropérios dessa mulher?

— Eu sei, Elisa. Mas não dava mais para segurar essa situação. Eu sou uma pessoa que merece respeito. Eu dou respeito e exijo o mesmo dos outros.

— É que me preocupo com a saúde de sua mãe.

— Sim, mas eu vendi o carro, ganhei uns trocados. Tenho mais um dinheirinho na poupança.

Um rapaz se aproximou e tranquilizou-a:

— Fique sossegada, Marina. Trabalho no Recursos Humanos e vou informar ao convênio médico de sua saída somente daqui a um mês, como se você estivesse cumprindo aviso prévio.

Marina comoveu-se:

— Obrigada, Paulo. Você é muito bacana. Obrigada mesmo.

— Não há de quê, Marina. Você é mais competente do que a megera ali — apontou para a sala de Denise.

— É sim. Você é competente e, além de tudo, carismática — emendou Elisa.

— Vai arrumar emprego fácil, fácil — finalizou Paulo.

Marina emocionou-se com o gesto de Elisa. Abraçou-a com carinho.

— Sei que sempre poderei contar com sua amizade.

— Sempre — replicou Elisa. — Você é excelente amiga e ótima profissional.

Dessa forma Marina foi envolvida por uma onda de ânimo e serenidade. Estava muito bem consigo própria, nem parecia ter acabado de ser demitida. Despediu-se dos funcionários da sua área, um por um, e Elisa foi com ela até o Recursos Humanos. Marina assinou os papéis e Paulo a acalmou:

— Fique tranquila quanto ao convênio médico.

— Eu preciso mesmo, Paulo. Minha mãe vive doente.

— Você vai dar a volta por cima. É uma boa pessoa e boas pessoas sempre se dão bem na vida.

Ela ficou sinceramente tocada. Mal conhecia o rapaz do Recursos Humanos. Apertou a mão dele e agradeceu.

— Obrigada, Paulo. Você e Elisa são pessoas das quais vale a pena compartilhar e fortalecer os elos de amizade. Jamais vou esquecer o que fizeram por mim no dia de hoje.

Ela se despediu do rapaz, depois, Elisa a acompanhou até sua mesa. Marina pegou seus pertences, colocou-os numa caixa de papelão e saiu acompanhada por um segurança da empresa. Elisa pegou uns trocados da bolsa e colocou o punhadinho de notas discretamente em sua mão.

— O que é isso?

— Um dinheirinho.

— Não precisa...

Elisa sussurrou em seu ouvido:

— Para o táxi. Não vai carregar essa caixa pesada no ônibus. Lá na frente, qualquer dia, você me paga.

Assim que ganhou a rua, Marina, olhos marejados, olhou para o Alto e fez sentida prece.

— Obrigada, meu Deus, por estar ao meu lado. Sei que jamais haverá de me abandonar. Confio na Sua força e sei que em breve minha vida vai ficar melhor.

Em seguida, fez sinal para um táxi. Deu a direção de casa ao motorista e sorriu. Tinha certeza de que daria a volta por cima.

Quando chegou em casa, Consuelo assustou-se. Estava sentada em frente à TV, assistindo a um programa feminino, anotando a receita da torta salgada que a apresentadora acabara de tirar do forno.

— O que faz em casa tão cedo? Entraram em greve?

— Fui despedida, mãe.

Consuelo levou a mão à boca.

— Não pode! Você precisava, quer dizer, nós precisávamos muito desse emprego.

— Eu sei, mãezinha. Mas o que fazer? A minha chefe hoje estava insuportável. Destratou-me na frente de outros funcionários. Foi tudo muito chato, muito triste, muito constrangedor.

Ela falou e colocou a pesada caixa sobre a mesa da cozinha. Consuelo levantou-se com dificuldade e a seguiu.

— E a assistência médica?

— O rapaz que trabalha no Recursos Humanos vai segurar o convênio até o mês que vem. Temos trinta dias de cobertura.

— E depois?

— Depois, se eu ainda estiver desempregada, vou procurar um convênio mais em conta.

— Eu sou doente. Eles vão cobrar caro. Pode haver carência a cumprir.

— Não vamos nos exasperar. Temos um dinheirinho na poupança. Não é muito, mas dá para segurar as pontas.

— Como vai arrumar emprego com essa crise? — perguntou Consuelo, em franco desespero.

— Não sei. Vou começar a procurar amanhã. Vou àquela *lan house* na esquina de casa para acessar a internet e procurar nos *sites* de empregos.

— Vi na televisão agora há pouco que o número de desempregados cresceu bastante nos últimos meses.

— Emprego a gente arruma, mãe, nem que seja de faxineira. Você não foi faxineira?

— Perdão?

— Não foi doméstica?

— Fui, e o que isso tem a ver com a conversa?

— Você conseguiu comprar esta casa. Eu sou jovem, tenho saúde e disposição. Em último caso, vou trabalhar de doméstica.

Consuelo desesperou-se.

— Não! Você estudou muito, fez curso de línguas. Não pode trabalhar de doméstica.

— Por que não? É um emprego digno como outro qualquer. Posso trabalhar na casa de estrangeiros, pois falo inglês e espanhol. Poderei até ganhar mais do que se estivesse numa empresa. Sabe que é uma boa ideia?

— Boa ideia?

— É sim, mãe. Estou cansada do mundo corporativo.

— Está prestes a terminar a sua pós-graduação.

— Se eu não arrumar nada até o mês que vem, vou ter de trancar a matrícula. Agora preciso cortar todos os gastos possíveis.

Consuelo sentiu forte dor no peito.

— Sente-se bem, mãe?

— Uma dorzinha no peito. Logo passa.

— Sente-se aqui. Fique calma.

Consuelo obedeceu. Estava nervosa. Se ao menos tivesse coragem para contar à filha sobre seu passado... Mas sentia medo de Marina rejeitá-la, repudiá-la. Ela era muito ligada à filha e preferia morrer a contar-lhe a verdade sobre o passado. Sua mente estava em total desespero:

"Se eu contar como consegui esta casa, Marina é capaz de me odiar pelo resto da vida. Vai me culpar como Jofre. Ele teve razão. Fui uma vadia, uma vagabunda que se deitou com o patrão. Não mereço perdão, não mereço perdão..."

Por mais que estivesse se atormentando com pensamentos tão negativos acerca de si própria, Consuelo tinha real noção de que estavam agora vivendo uma situação difícil. O dinheiro ficaria curto, com certeza. Ela tinha medo de que tivessem de vender a casa. O que seria de suas vidas dali em diante?

Ela procurou espantar os pensamentos negativos com as mãos, mas eles persistiam e a incomodavam. Consuelo adotara uma postura pessimista em relação à vida. Tornara-se mulher amargurada e desconfiada de tudo e de todos. Sofrera no passado e tinha medo de que o seu deslize de conduta a afastasse da filha que tanto amava.

Émerson, mais uma vez, insistia. Pedia para Consuelo mandar o medo às favas e contar toda a verdade para Marina. Por mais que tentasse, Consuelo não conseguia se livrar dos pensamentos negativos que alimentara por tantos anos. Eles estavam se tornando mais fortes que ela. Mais fortes que tudo.

— Chega! — ela gritou. — Não aguento mais!

Marina veio correndo até a sala.

— O que foi, mãe?

Consuelo não respondeu. Sentiu uma forte dor na nuca, seus braços começaram a formigar e ela perdeu o equilíbrio. Caiu sobre si mesma. Consuelo acabara de ter um acidente vascular cerebral, ou, na linguagem comum, um derrame.

33

Denise largou todo o trabalho nas mãos de Elisa.

— Eu não tenho condições de cobrir o trabalho de Marina.

— Não quero nem saber, vire-se. Vou viajar e volto daqui a uma semana. Os diretores estão sabendo.

— Mas, dona Denise, os gerentes vão reclamar sua presença na reunião.

— Danem-se todos! — ela explodiu. — Preciso ir urgente ao Rio de Janeiro. Volto daqui a uma semana, no máximo dez dias.

Elisa abaixou a cabeça e nada disse. Os demais gerentes da empresa vinham reclamando havia algum tempo da postura desleixada de Denise. Havia inclusive boatos de que ela estava prestes a ser demitida.

Denise até chegou a saber dessa possibilidade e estava pouco se lixando. Ela havia desfalcado a empresa e tinha uma boa quantia de dinheiro aplicada em bancos estrangeiros. Assim que terminasse o sequestro, ela iria viver com Jofre bem longe dali, longe do país.

Ela saiu da empresa, pegou o carro e dirigiu-se até sua casa. Buzinou várias vezes, até que uma vizinha apareceu e bateu levemente no vidro de seu carro. Denise não abriu. Mesmo com uma fina película preta sobre os vidros, a vizinha a reconheceu e bateu novamente no vidro, com delicadeza.

Denise soltou um grunhido. Estava irritada com a demora do segurança.

— Vou mandar esse desgraçado embora! Vou mandar todos esses incompetentes embora.

Ela conhecia aquela perua que morava na casa ao lado.

Estava acostumada com suas reclamações. Denise bramiu e desceu um pedacinho do vidro.

— O que é?

— Boa tarde.

Denise não respondeu. A mulher falou:

— Eu queria conversar com você sobre...

Denise a cortou.

— Eu não a conheço, não lhe dou o direito de ter intimidades comigo. Me chame de senhora.

A moça corou do lado de fora. Pigarreou:

— Eu gostaria de pedir à senhora que diminuísse o volume do seu aparelho de som, ao menos depois das dez da noite. Eu tenho um bebê e...

— Eu quero que você e seu bebê se danem! — gritou ela.

Chico abriu o portão e ela acelerou, cantando os pneus. Quase atropelou o segurança. Parou o carro do lado dele e saiu feito uma leoa.

— Eu fiquei mais de dois minutos parada na porta.

— Desculpe, dona Denise.

— Eu poderia ser assaltada por conta de tanta demora — ela olhou para a vizinha, ainda parada no portão –, seria melhor ser assaltada do que ouvir as baboseiras dessa gente chata que mora do lado de casa. Ainda bem que vou embora desta cidade, deste país ordinário. Eu não mereço viver no Terceiro Mundo. E quanto a você, Chico...

— Pois não, dona Denise.

— Pode fazer a sua trouxa, metê-la no meio das pernas e ir embora. Está demitido.

— Mas, dona Denise.

— Rua! Entendeu? Vou ligar agora mesmo para a empresa de segurança. Não o quero mais aqui na minha casa, seu incompetente.

Chico abaixou a cabeça, desconcertado.

— Sim, senhora.

Denise bateu o salto e entrou em casa. Chamou por Délis e pediu para ajudá-la a fazer a mala. Délis fez tudo sem abrir a boca. Tinha visto como Denise tratara Chico e sabia que, se falasse um "a" que fosse, também seria verbalmente agredida. Arrumou as malas da patroa em total silêncio.

Chico caminhou até o portão e desculpou-se com a vizinha.

— Ela está nervosa.

— Não pode tratar a você e a mim dessa maneira. É uma mulher muito sem educação. Nunca tivemos vizinhos assim tão mal-educados.

— Desculpe-me, senhora.

— Eu moro aqui do lado e o conheço. Sei que é um bom empregado.

— Obrigado.

— Se quiser, eu tenho uma amiga que mora na outra quadra e precisa dos serviços de um segurança. Quer que eu fale com ela?

— A senhora faria isso por mim?

— Faria. Vá arrumar suas coisas e depois passe em casa. Sabe onde moro.

Ela se despediu e Chico sorriu emocionado.

— Ainda há gente boa no mundo. Graças a Deus vou me livrar dessa patroa tão prepotente e arrogante.

Chico entrou pelos fundos da casa e encontrou Délis chorando na cozinha.

— O que foi?

— Ela o despediu.

— Não se preocupe comigo — ele se aproximou e a abraçou. — Calma.

— Não é justo, Chico. Essa mulher não tem limites para a maldade. Será que Deus não vê tudo isso? Por que não coloca um freio nessa mulher?

— Deus faz tudo certo, Délis. Pessoas como Denise nos ajudam a ser mais fortes.

— Ela é uma víbora.

— Não pense negativo. Ela vai viajar, você vai ter uns dias de paz.

— Tenho medo de ficar aqui sozinha neste casarão.

— A empresa de segurança vai mandar outro funcionário.

— E o que será de você? Denise vai reclamar e talvez eles o demitam de fato.

Chico sorriu.

— Eu estou me sentindo muito bem.

— Como pode? Acabou de ser demitido e se sente bem?

— Deus fecha uma porta e abre outra.

— Não entendi.

— A vizinha da casa ao lado viu Denise me demitir e me informou que uma vizinha do quarteirão precisa dos serviços de um segurança. Parece que ela vai me indicar.

Délis o abraçou com carinho.

— Que bom, Chico! Fico tão feliz! Você é bom e merece trabalhar com patrões bacanas.

— Se quiser, eu posso conversar com a vizinha e saber se ela precisa de uma empregada.

— Eu faço qualquer coisa: lavo, passo, cozinho. Faria isso por mim?

— Claro! Sabe o quanto gosto de você.

Délis sentiu um frêmito de emoção. Gostava do Chico. Fazia muito tempo que não sentia atração por homem algum. Ela era separada, tinha dois filhos para criar. Fazia anos que estava sozinha. Desde que o conhecera vinha sentindo algo diferente, especial.

Chico, por sua vez, também gostava de Délis. Era viúvo, tinha uma filha que estava noiva, e também estava só. Daquele abraço surgiu, na mente de ambos, outras possibilidades além da amizade. Nascia o amor entre eles.

***

Denise estava impossível. Excitada e nervosa com a aproximação do rapto de Ricardinho, ela descontava sua ansiedade em ondas de gritos com Deus e o mundo. Não via a hora de estraçalhar o coração de Leandro e, por conseguinte, o de Letícia. Sentia um ódio grande do menino, sem motivo aparente.

— Agora vamos ver! Quero dar um susto nessa família. Quero ver esse menino se borrar todo.

Ela falou e gargalhou, enquanto puxava sua mala de mão até o táxi que a esperava na porta de casa. Ela nem se despediu de Délis.

Entrou no carro, pediu ao motorista correr até o aeroporto, evidentemente, de maneira ríspida e estúpida, como era de seu feitio.

Afinal, em que consistia esse sequestro?

Era algo nem tão complexo assim. Jofre e seus comparsas pegariam o menino e o levariam para o sítio de Inácio. Em torno de dez dias eles deixariam o menino numa estrada e assim Denise poderia sentir-se vingada de Leandro. Uma brincadeira de tremendo mau gosto, que poderia trazer consequências terríveis a todos os envolvidos.

Jofre era traficante e trabalhava para um figurão que dominava o ponto de drogas num dos morros do Rio. Era valente, temido e conhecido por eliminar friamente seus adversários. Ele havia matado muita gente. E não sentia um pingo de remorso por isso. Seu espírito não sabia fazer diferente. Havia algumas vidas matava sem dó nem piedade. Deus, em Sua misericórdia, oferecia a ele a chance de reencarnar ao lado de espíritos que se preocupavam com a sua evolução espiritual e tentavam ajudá-lo a seguir outro caminho que não fosse o do crime.

Em última fase de preparação para reencarnar no planeta, ele fora avisado por um dos colaboradores do Ministério do Auxílio à Reencarnação:

— Ficou muitos séculos no Umbral. Sabe que está aqui comigo porque ainda há espíritos que acreditam na sua recuperação.

O funcionário falava de Consuelo. Ela havia reencarnado ao lado de Jofre por muitas vidas e sempre fora um espírito amigo. Ao longo das encarnações Jofre fora contraindo cada vez mais inimigos e, na atual conjuntura, só lhe restara Consuelo.

— Eu vou melhorar. Quando estou ao lado de Consuelo fico bem.

— Aqui não enganamos ninguém. Se não cumprir com o que lhe traçamos, sabe que nem mais para o Umbral você vai voltar.

— Eu sei. Fui informado de que, se eu falhar nos meus intentos, irei para esse outro planeta, que fica próximo do orbe terrestre.

— Esse planeta, que os astrônomos já descobriram, fica próximo da Terra. Muitos espíritos, como você, estão sendo obrigados a reencarnar e, digamos, endireitar-se. Se você falhar, não haverá mais perdão. Irá diretamente para esse lugar, tão ruim ou pior que o Umbral. Sabe que lá só vivem espíritos que não querem, de forma alguma, melhorar e crescer. Lá todos são iguais em termos de maldade e crueldade. Matam-se por um punhado de comida. É como se voltassem à época pré-histórica, em que a lei é a do mais forte. Não há leis, justiça, nada que possa proteger o indivíduo, a não ser o seu instinto de sobrevivência. Lá você poderá utilizar de toda sua ira, toda sua raiva para poder se manter vivo. Poderá matar quantas vezes quiser, poderá ser morto quantas vezes for necessário.

— E, se eu me desviar da rota na Terra e for para lá, quanto tempo ficarei nesse planeta?

— Alguns séculos ou milhares de anos, tudo depende. Os primeiros habitantes da Terra também eram assim como você. Aliás, você não mudou muito desde que viera de Capela para o orbe terrestre. Como você, há muitos espalhados pelo mundo terreno. Todavia, a Terra passa por um período de mudanças, para melhor evidentemente, e a energia do planeta está mudando. Somente quem tiver o sincero desejo de progredir e crescer, de cultivar a bondade e percorrer o caminho do amor é que vai poder ter o direito de lá reencarnar. Os brutos de coração, infelizmente, terão de reencarnar em outro planeta. Fui claro?

— Foi. Eu juro que vou permear o caminho do bem.

Depois dessa reunião, Jofre preparou-se para o reencarne e voltou a Terra. O seu espírito deveria passar fome e necessidade. Levaria surras do pai, comeria o pão que o diabo amassou, mas teria o amor de Consuelo. Juntos eles venceriam as adversidades da vida. Estava previsto Consuelo reencontrar Émerson. Eles teriam uma filha e Jofre teria de dar duro para trabalhar e sustentar mãe e irmã. Se ele perseverasse, mais à frente Consuelo revelaria a verdadeira identidade do pai de Marina, eles receberiam um bom dinheiro e sua vida poderia seguir um caminho feliz e cheio de recompensas.

Haveria ainda a possibilidade de ele reencontrar desafetos do passado e aí seria uma roleta-russa, dependeria do grau de evolução de cada espírito reencarnado. Jofre poderia fundar uma organização não governamental e cuidar de crianças carentes

— espíritos que ele ceifara a vida em outros tempos — ou até poderia ser morto por um desafeto. Tudo poderia acontecer.

Infelizmente, como sabemos, Jofre não seguiu a rota traçada. Seu espírito resvalou em erros graves, ele preferiu seguir e continuar, por conta do livre-arbítrio, no caminho do crime. Ainda havia chance de ele mudar. Tudo dependia única e exclusivamente de suas escolhas.

34

O dia seguinte chegou e o sol estava a pino quando Denise acordou. Ela se espreguiçou demoradamente, remexendo-se na cama, virando o corpo nu para um lado e para o outro.

Jofre vestia um jeans e uma camiseta.

— Está atrasada. Dormiu demais da conta, mina.

— Você me deixou desgastada esta noite — ela sorriu maliciosa. — Nunca tive um amante tão viril, tão ardente como você!

Jofre aproximou-se e a beijou nos lábios.

— A gente fazemos o que podemos.

Denise sentiu leve irritação nos ouvidos.

— A gente faz o que pode, querido.

— Tá certo. Hoje é o grande dia.

Ela consultou o relógio. Eram dez e meia da manhã.

— Não se preocupe. O fedelho sai da escola meio-dia e meia. Temos duas horas de sobra.

— Negativo. Os comparsa me ligaram. Estão de tocaia.

— Quem vai pegar o menino? O pai ou o motorista?

— Pelo dia da semana é o pai.

Denise sentiu um arrepio de prazer.

— Ai, que maravilha! Leandro vai buscar o filho na escola?

— Afirmativo.

— Quero ver a cara dele quando vocês pegarem o fedelho.

— Não. Você não pode estar perto.

— Eu queria tanto.

— Não pode, é arriscado. Tu segue direto pro sítio.

— Mas vou poder ver o menino depois, certo?

— A gente botamos um capuz nele e...

— Não! — protestou ela. — Eu quero ver a carinha dele. Quero ver aqueles olhinhos cheios de pavor. Eu quero, eu preciso ver a cara desse menino.

— Por que odeia tanto ele?

Ela deu de ombros.

— Não sei. Acho que não é ódio. É uma vontade mórbida de ver o infeliz sofrer. Não sei explicar. Coisas que estão aqui e a gente sente — ela apontou para o peito.

Jofre a beijou e lhe entregou um envelope.

— Pega o carro na garagem. Vá pro sítio do seu amigo. O Dimas e o Tinhão vão levar o menino direto para lá. Quero que você recebe eles. O menino vai tá encapuzado. Nada de ver ele antes de mim chegar.

— Vou seguir à risca as suas ordens. Vou controlar minha ansiedade. Eu espero você chegar para me mostrar o menino.

— Ótimo.

Jofre terminou de se arrumar, pegou uma pistola automática. Meteu a arma por trás da calça. Em seguida, pegou o celular e ligou:

— Como estão as coisa, Tinhão?

— Tudo certo, chefe. Estamos aqui de tocaia. A hora que o menino sair a gente avança no carro. Deixe com a gente.

— Qualquer pobrema, me ligue.

— Não vai ter problema algum. Vai dar tudo certo. Pode acreditar.

— Valeu, cumpade.

Jofre desligou e foi tomar seu desjejum. Enquanto se servia de café e leite, lembrou-se dos últimos dias, dos acontecimentos, das ordens dadas para a execução do plano.

Os capangas de Jofre eram figuras perigosas, frias e muito violentas. Eles estudaram minuciosamente os passos de Ricardo, a hora que saía para a escola, a hora que voltava, os horários de natação e de inglês. Verificaram o esquema de segurança do condomínio e perceberam que lá seria impossível fazer alguma coisa. O condomínio — um dos mais nobres, caros e seguros da Barra da Tijuca — era dotado de forte esquema de vigilância, dotado de muitas câmeras e seguranças bem treinados. O menino deveria ser pego na saída da escola. Mesmo que de maneira ousada, à luz do dia. Esses marginais adoravam causar terror na população. E não fariam diferente no caso do sequestro de Ricardo.

Jofre sorriu sinistramente. Finalmente, o dia para a realização do plano sórdido havia chegado.

— É agora que metemos a mão na grana dessa família — disse para si, em voz alta. — Denise pensa que somos otário. Achou que a gente tava realizando um capricho seu. Claro que vamos realizar, mas a tonta não falou que a gente íamos sequestrar o filho de um figurão, do Leandro Dantas. A gente vamos fazer o capricho dela, sequestrar o menino e dar um susto na família, mas também queremos botar a mão na grana. E falo em grana preta. Vou querer uns milhão pra torrar...

***

Ricardinho acordou com dor de cabeça nesse dia.

— Acho melhor você não ir à escola hoje — disse Letícia, depois de colocar a mão sobre a testa do filho. — Está febril.

— Bobagem, mãe. Eu sou forte, saudável. Deve ser uma indisposição. Ontem eu exagerei no açaí com granola. Deve ter sido isso.

— Já falei para não comer açaí antes de dormir.

— Eu sou um homenzinho. Preciso comer açaí para ficar forte. Meus amigos são todos fortes.

— E para que quer ser tão forte?

— Para proteger a nossa família: o papai, você, esse nenê que está para nascer — ele passou delicadamente a mão sobre o ventre avantajado de Letícia.

Ela se emocionou. Beijou-o várias vezes no rosto.

— Você é o meu herói! Meu meninão!

— Sou mesmo — ele se levantou e calçou os chinelos para ir ao banheiro. — Quando vai nascer minha irmã?

— Como você soube? Era para ser uma surpresa.

— Eu a escutei conversando com a Mila outra noite. Vocês estavam escolhendo o nome da menina. Falaram em Gabriela, Júlia, Camila...

— Você anda escutando atrás das portas. Que coisa feia! — disse num tom de censura, brincando com o filho.

— Eu fiquei contente. Não fiz por mal.

— E qual o nome de que você mais gostou?

— Eu?!

— É, Ricardinho. De que nome você mais gostou?

Ele levou o dedo ao queixo e pensou por instantes.

— Gostei muito do nome Camila.

— É mesmo?

— É. Acho bonito. Camila.

— Eu estava na dúvida entre Júlia e Camila. Já que você gostou do nome, sua irmãzinha vai se chamar Camila.

— Pena que eu não vou acompanhar o seu crescimento.

— O que foi que disse?

— Que eu não vou acompanhar o crescimento da minha irmã.

— Por que diz isso? — Letícia levou a mão ao peito. — Sente alguma coisa? Está com alguma sensação de coisa ruim? O que...

O menino a tranquilizou.

— Calma, mãe. Falei por falar. Sei lá. Desculpe-me.

Ricardo aproximou-se de Letícia e a abraçou com carinho.

— É a melhor mãe do mundo. Amo você.

Ele a beijou e Letícia sentiu uma desagradável sensação no peito. A pressão caiu e, se não fosse Ricardo, ela iria ao chão.

— O que foi, mãe? Não está se sentindo bem?

Ele conduziu Letícia até sua cama. Ela se sentou com dificuldade.

— Não foi nada. A pressão caiu, só isso.

— Mesmo?

— Sim. O médico disse que sua irmã deve nascer entre semana que vem e dez dias.

— Vai ser uma festa só!

— Vai sim — falou ela, o rosto pálido feito cera.

— Melhor eu chamar o papai.

— Não. Deixe seu pai descansar. Ele tem se esforçado muito para ficar mais aqui do que em São Paulo a fim de estar mais perto de nós. Não vamos acordá-lo por besteira.

— Mas eu vou para a escola. O motorista vai me levar e não pode ficar aqui assim, desse jeito.

— Mila vem tomar café comigo. Daqui a pouco ela chega.

— Está certo. Fique aqui descansando na minha cama. Eu vou colocar o uniforme da escola.

Ricardinho levantou-se e foi até o banheiro. Letícia abanava o rosto com as mãos. Estava sentindo uma fraqueza sem igual. O seu coração de mãe já estava prevendo o pior, porém ela, envolvida com a gravidez, pensou: “Logo passa”.

35

No dia anterior, Consuelo dera entrada no hospital e fora levada diretamente para a UTI — Unidade de Terapia Intensiva. Seu quadro de saúde inspirava cuidados e não era dos melhores.

Uma simpática médica veio ao encontro de Marina.

— Você é parente de Consuelo Maria da Silva?

— Sou eu, sim.

— Preciso ser franca com você. O estado de saúde de sua mãe é grave.

Marina levou a mão ao peito. Recompôs-se e falou:

— Mamãe há anos é hipertensa e vinha tomando seus remédios. Cada mês estávamos num médico diferente.

— Ela sofreu um acidente vascular cerebral. Faremos o possível para que o AVC isquêmico não se transforme num acidente hemorrágico, o que pode ser fatal. Vamos fazer tudo o que estiver ao nosso alcance para salvar sua vida.

— Obrigada, doutora. Muito obrigada.

Marina continuou com a médica mais uns minutos. Ela podia visitar a mãe duas vezes ao dia, à tarde e à noite, por meia hora cada visita. Ela também teve de assinar os papéis de internação, fazer toda a parte burocrática. Uma hora depois, aflita e sem querer sair do hospital, ligou para Patrícia. Contou sobre o ocorrido e Patrícia lhe pediu calma, em duas horas, no máximo, estaria no hospital. Ela anotou o endereço e finalizou:

— Aguente firme que logo eu e Adriano estaremos aí.

— Obrigada.

Patrícia ligou para o marido e sugeriu:

— O que acha de ligar para o Edgar?

— Marina e ele não se bicaram no jantar. Acha mesmo que devo chamá-lo?

— Sinto que sim. Se Edgar sente algo por Marina, vai ser agora que vai poder mostrar. Ela está fragilizada. Contou-me superficialmente que hoje não foi um bom dia para ela. Sabia que Denise a demitiu?

— Sério?

— Pois é. Ela foi demitida e, ao que tudo indica, quando dona Consuelo soube do ocorrido, passou mal e teve o derrame.

— Puxa vida! Marina não merece passar por isso.

— Acho que por ora os amigos devem estar ao seu lado. Ela não tem família, não tem parentes, não tem ninguém. Nós somos a família dela.

— Tem razão, amor. Eu vou sair mais cedo do trabalho e pego você no seu. Vou ligar agora mesmo para o Edgar.

Desligaram o telefone e Adriano ligou para o celular de Edgar. Caiu na caixa postal. Adriano ligou mais uma, duas vezes. Nada de atender. Ele ficou ressabiado.

— Estranho. Edgar sempre atende ao telefone, mesmo no trabalho.

Não satisfeito, Adriano ligou para a empresa onde Edgar trabalhava. A secretária atendeu e o cumprimentou:

— Como vai, Adriano? Tudo bem?

— Tudo.

Antes de ele perguntar ela disparou:

— Por onde anda seu amigo?

— Eu iria lhe fazer a mesma pergunta, Rose.

— Edgar não veio trabalhar hoje. E eu achei muito esquisito porque os diretores marcaram uma reunião importantíssima para logo cedo. Essa reunião estava marcada havia dias. O Edgar nunca foi de faltar assim. Quer dizer, teve aquele afastamento por conta da caxumba meses atrás, mas nunca faltou um dia sequer. E, quando se atrasa, sempre me liga.

— Você tentou o celular dele?

— Liguei umas cinco vezes. Só deu caixa postal.

Adriano desligou o telefone e não achou graça na desculpa

que Edgar inventara ao pessoal do escritório quando ficara afastado por conta da tentativa de suicídio. Rose era funcionária competente, trabalhava para Edgar havia anos e não era mexeriqueira. Se ela não conseguira localizar o chefe, coisa boa não havia de ser.

Adriano pousou seu celular na mesa e sentiu um gosto amargo na boca. Enfiou o dedo no colarinho e afrouxou a gravata. Teve a mesma sensação de quando Edgar tentara se matar. Idêntica. Uma sensação estranha no peito.

— Ele estava tão bem ontem no jantar. Estava acompanhado de uma loira de fechar o comércio.

Adriano ficou pensativo por instantes e pensou em ligar para João, o porteiro do prédio. Desde a tentativa de suicídio, ele mantinha em sua agenda todos os telefones de pessoas ligadas a Edgar: os pais dele, a secretária e o porteiro do prédio.

João atendeu:

— Olá, seu Adriano.

— Como vai, João, tudo bem?

— Tudo em ordem. O senhor deseja alguma coisa?

— Diga-me, você está no prédio?

— Estou. Hoje entrei às seis da manhã e vou ficar até as seis da tarde. Por quê?

— Você viu que horas o Edgar foi trabalhar?

— Olha, eu acho que ele não foi trabalhar, não. Não o vi sair com o carro da garagem e também não o vi sair pela portaria.

Adriano desesperou-se. Procurou manter a voz menos tensa.

— João, por favor, interfone agora mesmo para o apartamento dele.

— Sim, senhor — João interfonou, uma, duas, três vezes. — Ninguém atende.

— Você faz uma gentileza? Suba e dê uma olhada.

— Eu não tenho autorização, seu Adriano. Se eu for lá e abrir o apartamento, posso ir para o olho da rua.

— Mas sabe o que aconteceu no passado.

João coçou o queixo, pensativo.

— Tem razão.

— Por favor, João, vá até o apartamento. Pegue aquela chave reserva que eu lhe dei. Eu me responsabilizo por tudo. Fique sossegado.

— Não sei, não, seu Adriano.

— Por favor. Eu sinto que Edgar não esteja bem.

— Está certo.

— Vá até o apartamento e me ligue em seguida, pode ser?

— Combinado.

Adriano desligou o telefone, mas não esperou pela ligação de João. Terminou o expediente, entregou uns relatórios para a sua assistente e foi embora. Pegou o carro no estacionamento do prédio em que trabalhava, na região da avenida Paulista. De lá, seguiu direto para a casa de Edgar.

Quando estava próximo ao prédio, coisa de dez minutos, o celular tocou. Ele colocou no viva-voz e continuou prestando atenção no trânsito.

— *Seu* Adriano...

João estava com uma voz chorosa, desesperado.

— O que foi?

— Corra para cá, pelo amor de Deus! Acho que seu Edgar dessa vez conseguiu se matar...

***

Faltavam vinte minutos para Ricardo sair da escola. Às terças e quintas-feiras, Leandro viajava para São Paulo e cuidava dos negócios. Havia contratado um ótimo executivo para ficar em seu lugar nos outros dias da semana. Ele decidira, desde que Letícia engravidara, ficar mais próximo dela e do filho. Estavam estudando a possibilidade de mudar para São Paulo, mas isso tudo eram conjecturas. Eles conversariam depois que a menina nascesse.

Leandro buscava o filho às segundas, quartas e sextas-feiras. Nesta sexta-feira ele estava radiante. Acordou bem-disposto, cumprimentou Letícia, tomou café da manhã com ela e Mila. Depois, trancou-se no escritório e por meio do computador conversava com funcionários, realizava conferências. Ele deixava um despertador para tocar por volta do meio-dia. Era o momento de buscar o filho na escola.

Leandro chegou próximo à escola e entrou com seu carro no pequeno pátio destinado aos pais. Esperou um pouco, escutava uma estação que tocava músicas antigas. Ficou cantarolando uma até que o filho apareceu. Ele destravou as portas do carro e Ricardo entrou. Eles se beijaram e o filho disse, todo animado:

— Tirei dez na prova, pai.

— É mesmo?

Leandro deu partida e saíram por uma ruazinha que dava acesso à avenida das Américas. Ricardo estava todo empolgado.

— É. Eu sabia que era bom em história e geografia.

— Difícil um garoto na sua idade gostar dessas matérias. Aliás, na sua idade, eu francamente não gostava de nenhuma.

Os dois riram.

— Eu adoro, pai. Conhecer outros países, outras culturas. Acho o mundo uma maravilha, um lugar delicioso de viver.

— O que tem vontade de ser quando crescer?

— Não sei. Talvez trabalhar no mundo todo, ser um funcionário da ONU ou mesmo um embaixador do Brasil lá no estrangeiro.

— Muito me admira você pensar tão grande assim.

— Eu penso.

— Fico feliz, porque sua mãe hoje, na mesa do café, disse-me que você não acompanharia o crescimento da sua irmã. Por que disse isso, meu filho?

Ricardo ia responder, mas subitamente Leandro foi obrigado a frear bruscamente. Um carro veio feito louco na contramão e o fez frear, caso contrário se chocariam.

Leandro achou se tratar de um louco varrido, desses delinquentes que usam o carro como se estivessem guiando um tanque de guerra.

— Você está bem, meu filho?

— Estou, pai. Ainda bem que estou usando o cinto de segurança.

Leandro ia sair do carro, mas aconteceu tudo rápido demais. Dois homens encapuzados saíram do veículo e cada um foi para um lado da porta. O que parou ao lado da porta de Leandro apontava uma pistola. O que estava parado na porta de Ricardo apontava um fuzil.

Não tiveram tempo de fazer nada. Tinhão gritou, mandou abrirem a porta. Leandro apavorou-se e não conseguia apertar o botão de destravamento das portas. O capanga então meteu o fuzil no vidro do lado do passageiro. Arrebentou o vidro e mandou o menino sair.

Ricardo estava apavorado e paralisado pela brutalidade. Leandro fez um movimento para tirar o cinto de segurança e ajudar o filho a tirar o dele. Tinhão achou que ele fosse reagir, nem pestanejou. Disparou a arma e meteu três tiros nele.

Ricardo deu um grito de pavor.

— Pai!

Os rapazes arrancaram o menino do carro e o levaram para outro veículo. Fizeram Ricardo cheirar um pano com éter, ele desmaiou e eles o encapuzaram, jogando-o dentro do porta-malas do veículo. Os dois marginais saíram em disparada, cantando pneus e atirando para os lados e para o alto, assustando os passantes.

A última cena que o menino viu foi o pai cerrando os olhos, inconsciente. Ensanguentado e sem forças para reagir, Leandro sentiu o gosto amargo de sangue e foi perdendo a consciência. Antes de ver o filho sumir, seus olhos se fecharam e seu corpo pendeu pesadamente para a frente.

Leandro, em espírito, viu seu corpo físico inerte, caído sobre a direção do veículo. Não entendeu nada. Ele olhava para seu perispírito e para seu corpo sem nada entender. O que estaria acontecendo? Ele não conseguia concatenar os pensamentos.

Em seguida, olhou para a frente e viu o filho sendo encapuzado e colocado no porta-malas do veículo. O seu espírito se sentiu tão mal que não suportou. Também perdeu a consciência e desmaiou.

36

Adriano jogou o carro praticamente no meio da rua, saiu correndo e entrou o prédio. João estava aflito.

— Eu não tive coragem de ficar lá. Acho que ele endoidou antes de morrer. Os móveis estão revirados, tudo fora do lugar. Uma bagunça. O corpo está caído no chão do quarto, pelado. Eu coloquei um lençol sobre o corpo, pobrezinho.

Adriano entrou no elevador e parecia uma eternidade chegar ao décimo andar do edifício. Entrou no apartamento e não acreditou no que viu. Estava mesmo uma bagunça. Ele correu até o quarto. Edgar estava estendido no chão, um lençol cobria seu corpo até o pescoço. Adriano se aproximou e instintivamente colocou o nariz próximo da boca de Edgar. Ele respirava!

— Graças a Deus!

Adriano enlaçou o amigo, sentou-o e posicionou-o para que suas costas ficassem encostadas nos pés da cama. Bateu levemente no rosto do amigo. Edgar não respondeu.

— Por favor, Edgar. O que você fez desta vez? O que tomou, homem de Deus?

Ele continuou de olhos fechados. Adriano foi ao banheiro, pegou um copo com água fria e começou a passar nos pulsos e no rosto do amigo.

— Acorde, Edgar, pelo amor de Deus, acorde. Não vai morrer agora, por favor.

Adriano começou a chorar e abraçou o amigo. Como era triste ver Edgar daquele jeito. Sabia que, em alguns casos, o suicida fazia nova tentativa de tirar a vida. As lágrimas escorriam insopitáveis.

— Por que, Edgar? Por quê?

Aos poucos, Edgar foi balbuciando.

— Hã, eu... O que... Fiz... Não quero... É 34-00-03...

— Graças a Deus! — Adriano vibrou, contente. — Seja lá o que tomou, está recobrando a consciência.

— 34-00-03. Edgar não parava de repetir essa estranha combinação de números.

Adriano correu até a lavanderia e pegou o amoníaco. Misturou com água e trouxe para o amigo cheirar. Edgar foi abrindo os olhos e de repente deu um grito:

— O que foi?!

— Eu é que pergunto, homem. O que aconteceu?

Edgar foi concatenando aos poucos os pensamentos. Olhou ao redor, reconheceu o quarto. Depois, olhou para o corpo desnudo e em seguida para Adriano.

— O que aconteceu?

— Não faço ideia, mas, antes de qualquer coisa, diga-me: o que você tomou desta vez?

— Hã?

— Tomou barbitúricos, ansiolíticos, o quê? Eu não achei nada de remédio, nada de veneno. Com o que tentou se matar desta vez, Edgar?

— Eu não tentei...

— O que você tomou?

— Não sei.

— Vou ligar imediatamente para uma ambulância. Precisamos ir urgentemente ao hospital.

Edgar mexeu a cabeça para os lados de maneira negativa.

— Não. Não é preciso ligar.

— Como não? Olha o seu estado!

— Estou me recompondo. Calma. Me dê um copo com água. A minha garganta está seca, muito seca.

— Preciso saber o que você tomou.

— Não sei, mas me dê um copo com água.

Adriano foi até o banheiro e encheu um copo. Voltou correndo.

— Tome.

Edgar tomou de maneira apressada, quase num gole só. Engasgou-se e tossiu.

— O que foi? O que está acontecendo? — indagou o amigo, aflito.

— Calma, Adriano. Eu me engasguei. Só isso.

— Sente-se melhor? Vou ligar para a emergência.

— Não precisa. Agora eu me lembro.

— Se lembra de quê?

— De tudo. Lembra-se da loira que eu levei para jantar?

— Sim.

— Pois bem. Depois do jantar ela foi se insinuando, falando melado e eu não resisti. Eu a convidei para vir aqui em casa. Fiz um drinque para ela, outro para mim. Fui ao banheiro e, quando voltei, bebi meu drinque e apaguei.

Adriano passou a mão na testa.

— Ufa! Menos pior.

— O que acha que aconteceu? Eu apaguei e acordei agora, com você gritando no meu ouvido.

— Desculpe, amigo. Pensei que você tivesse cometido aquela loucura novamente.

— Qual nada! Aquilo foi um ato desesperado para chamar a atenção da Denise. Eu queria que ela sentisse pena de mim, fosse correndo ao hospital e falasse que me amava mais que tudo. Fiz de caso pensado. Tanto que tomei um pouquinho só de veneno.

— Mas não deixou de ser loucura. Você nos preocupou muito daquela vez.

— Mas o que me aconteceu?

— Você foi vítima do chamado Boa-Noite Cinderela. Só isso.

— Eu? Imagine. Eu sou esperto.

— Muito esperto. Tão esperto, que o seu apartamento está todinho revirado. Os móveis estão fora do lugar, as gavetas remexidas. Olhe seu *closet* — apontou — está todo bagunçado.

— Minha nossa!

Edgar levantou-se, sentindo pequena tontura. Vestiu uma cueca e, conduzido por Adriano, foi olhando cômodo por cômodo da casa.

— Fui roubado!

— Onde está a sua carteira?

— Ali em cima da mesa de jantar.

A carteira estava aberta e vazia. Somente com uma folha de louro que Edgar ganhava da mãe no *réveillon*. Era para ter a carteira sempre cheia, o ano inteiro.

— A loira levou seus cartões e dinheiro. Você tem talões de cheque, dinheiro ou joias?

— Não. Só tenho os cartões de crédito. Os talões ficam no cofre da empresa. Eu não tenho joias. Quer dizer, tinha um relógio do meu pai, antigo.

Foram até o armário e o relógio havia sumido.

Adriano falou de forma inesperada:

— Você ficava repetindo 34-00-03. O que quer dizer?

— O quê?

— Você falou algumas vezes essa sequência numérica: 34-00-03.

Edgar levou a mão à testa.

— Putz!

— O que foi?

— Essa é a senha do meu cartão do banco!

— Acho melhor você ligar imediatamente para o banco e para as operadoras de cartão.

Edgar ligou e cancelou o cartão do banco e os de crédito. Em seguida, tomou um banho bem demorado, mais frio que morno. Saiu do banho e Adriano falou:

— Vamos ao hospital.

— Estou bem.

— Não sabemos o que tomou. Não temos ideia do que essa loira meteu na sua bebida.

— Você não lê jornais? Não vê como esse crime tem se disseminado no país todo? São homens e mulheres bem-vestidos, aparentemente cultos e refinados, que entorpecem o outro para roubar e também matar. Santo Deus, Edgar!

— Pare de gritar comigo. Fui vítima, fazer o quê?

— Onde estão os copos?

— Os copos estão em cima da mesa da sala.

Adriano foi até a sala e nada. Foi até a cozinha e os copos estavam lavados e secos. A loira fora esperta, não deixara marcas de batom ou mesmo impressões digitais. Seria praticamente impossível descobrir a autora do atentado. Em todo caso tinha sido uma grande lição para Edgar. Nunca mais levaria estranho que fosse até o seu apartamento.

Ele voltou ao quarto.

— Ela foi esperta. Lavou os copos e aparentemente não deixou impressões. Acho que não vamos conseguir pegá-la. Em todo caso, se quiser prestar queixa...

— Quero ir à delegacia, sim. Não importa. Tenho de denunciá-la. E, ademais, precisarei do boletim de ocorrência caso tenha problemas com saques nos cartões do banco e gastos com as administradoras de cartão de crédito.

— Bem pensado. Vamos até à delegacia e depois ao hospital. Você conhece o Hospital São Basílio?

— Sim. Acho que meu convênio me dá direito a usar esse hospital. Por quê?

— Porque depois de fazer o boletim de ocorrência vamos para lá. Os médicos podem fazer alguns exames e nos tranquilizar.

— Você se preocupa muito comigo.

— Claro! Você é meu irmão. Atrapalhado e inconsequente, mas é meu irmão. De coração.

Edgar o abraçou com carinho.

— Obrigado, Adriano. Você é meu grande irmão. Meu protetor.

— Aproveitamos e matamos dois coelhos com uma cajadada só.

— Como assim?

— A mãe da Marina teve um derrame e foi internada nesse mesmo hospital.

— Puxa! Sério?

— É. Ela está sozinha e fragilizada. Não tem parentes, ninguém.

— Ela é muito bacana — disse Edgar, enquanto se vestia.

— Bacana e apaixonada.

— A Marina está apaixonada? Aposto que deve ser por um dos fortões do nosso grupo de corrida.

— Você não sente nada por ela? — indagou Adriano.

— Acho ela bonita, inteligente. Mas é muita areia para o meu caminhão.

— Você acredita nisso?

— Hum, hum. Marina nunca olharia para mim. Bobagem.

— Prepare-se para escutar a bomba do ano.

— O que foi?

— Marina está apaixonada por você!

37

Ricardo abriu os olhos e pendeu a cabeça para os lados. Havia uma luz fraca no quarto. Ele estava numa cama, ao lado havia uma pequena mesinha para refeições e duas portas mais à frente. Uma era do banheiro e outra da saída do quarto.

A janela estava vedada com uma lâmina de madeira. O ambiente estava bem abafado e ele pensou que iria sufocar, de tanto calor. O menino foi mexer as mãos e percebeu um dos pulsos algemado à estrutura de ferro da cabeceira da cama. Ele respirou fundo, revirou-se sobre o colchão duro e pensou no pai. As lágrimas desceram rápidas. A cena tinha sido muito forte. Ver o pai morrer, ali na sua frente o devastara, estraçalhara seu coraçãozinho de doze anos de idade.

Naquele momento, Ricardo pensou na mãe e na irmã que estava por nascer. As ideias estavam meio embaralhadas. Mas suspeitava que fora sequestrado.

Tinhão entrou no quarto. Estava com um capuz sobre a cabeça.

— E aí, garoto, tá com fome?

— Não. Não quero comer.

— Desse jeito vai morrer. Precisa comer alguma coisa. Faz um dia que você está aqui e o chefe mandou você comer.

— Não vou comer.

Tinhão deu de ombros. Pegou o sanduíche de presunto e jogou sobre a mesinha. Saiu e voltou em seguida com uma garrafa de guaraná.

— O prato do dia é esse. Se quiser, coma. Se não quiser, o problema é seu. É a sua barriga que vai roncar, e não a minha.

Ele riu e saiu. Bateu a porta e passou o trinco. Do lado de fora, ordenou para Dimas:

— Fica de olho na porta. O garoto tá arredio. Acho que vai dar trabalho.

— Deixa comigo. Se ele der uma de engraçadinho, eu lhe aplico um corretivo. Sabe que eu sou bom com crianças.

Tinhão riu.

— Seu filho da mãe! Tá a fim de abusar do garoto, né?

Dimas deu uma gargalhada maliciosa.

— Pode crer! Se esse garoto der mole eu traço. Adoro garotinhos.

— Seu sem-vergonha!

Tinhão falou e saiu. Ricardo estava no quarto da casa do caseiro, um pouco afastada da casa principal do sítio. Nela, Denise estava deitada no sofá, a cabeça no colo de Jofre.

— Pena que tiveram de apagar o Leandro. Eu não queria que chegasse a tanto, mas paciência.

— Ele tentou revidar e levou chumbo. O meu bando não perdoa — ele bebericou um pouco de cerveja, estalou a língua no céu da boca e emendou: — Não saiu nada nos jornais.

— Esse tipo de sequestro, de gente rica e conhecida não sai na mídia. É sigiloso.

— Eu liguei pra casa deles hoje e falamos com uma mulher. Acho que era a sogra do falecido.

Denise interessou-se.

— O que você disse?

— Que o garoto tá vivo e bem. Que queremos dez milhões de dólares para domingo à noite. Ou eles me dão o dinheiro, ou apagamos o menino.

Denise levantou de um salto.

— Não!

— Como não?

— Não foi o combinado.

— E eu com isso? Assinei algum papel?

Denise exasperou-se.

— Eu só queria dar um susto na família, Jofre. Tudo bem que os planos não saíram como o combinado, o Leandro morreu. Mas a gente acertou de largar o menino semana que vem na estrada, num ponto da rodovia Fernão Dias.

Jofre balançou a cabeça para os lados.

— Negativo, mina. Queremos arrancar muita grana dessa família. Eles têm grana pacas! Queremos botar a mão na grana e depois a gente largamos o menino na estrada. Mas só depois de receber meus milhão.

— Jofre, eu acho arriscado demais. O Leandro é profissional conhecido no país todo, a polícia já deve estar atrás de pistas. Se devolvermos o menino rapidamente, não corremos riscos. Mas se você o mantiver preso aqui até receber o dinheiro, podemos entrar numa fria.

Ele gargalhou.

— Qual é que é agora? Tá me gorando?

— Não é isso. Mas veja bem...

— Cala a boca, mina!

Jofre falou e deu-lhe um sonoro tapa no rosto. Denise sentiu a face arder e desequilibrou-se. Escorregou e esparramou-se no sofá.

— Como pode me bater?

— Tu merece. Tá esgotando a minha paciência. Não para de falar. Que coisa!

— Jofre...

— Se abri a boca de novo te enchemos de porrada, tá ligada? Tá entendendo ou precisa levar outro tapa?

Ela se encolheu toda no sofá.

— Não. Não preciso.

— Acha que a gente íamos perder essa oportunidade? Quando falou do menino, a gente achamos graça. Faria o sequestro pra te agradar. Sabia que era um capricho. Mas depois descobrimos de quem se tratava, aí, mina, os olho cresceram. Resolvemos tirar proveito.

— Dessa forma vamos ser presos. Eu não quero ser presa!

Jofre não aguentava mais escutar a voz irritante e esganiçada de Denise. Deu um grito, um assobio e chamou Tinhão.

— Pega essa daí e leva pra fazer companhia pro menino.

Os olhos de Tinhão iam de Jofre a Denise e voltavam. O rapaz estava numa dúvida tremenda.

— O que foi? Não entendeu? Leva essa daí — apontou para Denise — pro cativeiro.

Tinhão obedeceu com um aceno de cabeça. Pegou Denise pelos braços.

— Solte-me! Está me machucando.

— Se ela der trabalho, mete bala. Pode apagar.

Denise entrou em pânico.

— Como pode fazer isso comigo, Jofre? Fui eu quem bolou o plano. Espere aí, vamos conversar.

— Não temos nada pra conversar contigo.

— Podemos dividir o dinheiro, eu fico com quarenta por cento e lhe dou sessenta.

Jofre deu nova gargalhada.

— Tá pensando o quê? Que somos otário?

— Eu fico com vinte por cento. Desculpe-me querer parecer mesquinha...

Denise falava para ganhar tempo e acalmar os ânimos de Jofre. Negativo. Ele fez um sinal com a cabeça e Tinhão foi arrastando-a até a casa do caseiro. Dimas estava sentado na porta, de tocaia. Ao vê-los, levantou-se imediatamente.

— O que aconteceu?

— O patrão mandou botar essa daí na casinha com o garoto.

Dimas abriu largo sorriso. Seus dentes eram manchados de nicotina. Ele mastigava um palito de fósforo entre os dentes amarelados.

— Sabia que ia dar nisso.

Ele se abaixou e pegou um frasco que estava ao seu lado. Molhou um pedaço de pano com éter e virou-se abruptamente na direção do rosto de Denise. Ela nem se debateu. Desmaiou no mesmo instante. Tinhão a tomou nos braços, Dimas abriu a porta. Ricardo acordou num susto.

— Calma aí, garoto. Não se assusta, não. Trouxemos companhia.

Tinhão deitou o corpo de Denise no chão, próximo à cama. Sacou uma algema do bolso de trás da calça e prendeu o pulso esquerdo dela ao pé da cama.

— Não quero ninguém fazendo sacanagem aqui — disse

Dimas. — Só eu é que posso brincar — e deu uma gargalhada que ecoou por todo o cômodo.

Ricardo acuou-se na cama. Os olhos de Dimas lhe causavam medo. Puro medo. Tinha idade suficiente para saber o que significava brincar. O medo apoderou-se do menino e ele orou, orou com uma força descomunal.

Os rapazes saíram do quarto e trancaram a porta. Ricardo fixou os olhos em Denise. Ela parecia morta. Ele esticou o braço que estava livre, colocando-o próximo à boca dela. Respirava. Ele ficou observando aquela mulher. O rosto não lhe era estranho. Ele sabia que ela não era conhecida, mas de onde achava que já tinha visto aquela mulher?

***

Edgar foi atendido por dois médicos no hospital. Depois de minuciosos exames, um deles comentou:

— Vamos aguardar pelos exames de sangue e urina, mas posso adiantar-lhe que, aparentemente, o senhor não tem nada.

— O que pode ter acontecido, doutor?

— Provavelmente você ingeriu um coquetel feito à base de tranquilizantes com algum anestésico poderoso que causa sonolência, perda de memória, alheamento e também delírios.

O outro médico comentou:

— Desculpe eu me intrometer...

Edgar fez aceno com a cabeça.

— O que é, doutor?

— Bom, faz algumas semanas recebemos um jovem na mesma faixa etária sua que apresentava os mesmos sintomas. Ele também disse ter saído com uma loira...

O médico descreveu a mulher e Edgar falou:

— Só pode ser a mesma mulher que me atacou.

— Você deve tomar cuidado — ponderou o médico. — Se sair para conhecer uma pessoa e ela lhe oferecer bebida, diga educadamente que prefere pegar a sua no balcão do bar ou peça diretamente ao garçom. Nunca se afaste do seu copo por nada. Jamais leve uma desconhecida para dentro de sua casa.

— Pode deixar, doutor. Eu aprendi a lição. Sempre me julguei esperto e achava que quem sofria esse tipo de assalto, digamos assim, eram caras babacas e...

Os alto-falantes anunciaram:

— Doutor Eduardo e doutor Lopes, pronto-socorro... Doutor Eduardo e doutor Lopes, pronto-socorro.

— Precisamos ir. Assim que os exames ficarem prontos, traga-nos para darmos uma olhadinha.

— Sim, senhor.

Eles fizeram ligeiro aceno com a cabeça e saíram. Adriano bateu de leve no ombro do amigo.

— Então, você achava que só caras babacas caíam nessa armadilha? A carapuça lhe serviu?

Edgar deu de ombros e falou com desdém:

— Eu sempre me achei imune a esse tipo de ataque, só isso. Mas aprendi a lição, se quer saber. No caminho até o hospital fiquei pensando em tudo o que aconteceu. Não me sinto vítima da situação. Eu facilitei, estava mesmo me comportando como um babacão. Era uma maneira de não me sentir sozinho. Precisava mostrar a mim mesmo que era irresistível com as mulheres.

— Aprendeu a lição, Don Juan?

— Aprendi. E tenho pensado no que me falou sobre os sentimentos de Marina em relação a mim.

— Pensou?

— Sim. Sabe que meu peito se abriu quando você me falou que ela gostava de mim?

— Será que não está querendo dar uma de gostosão? Não vá ferir os sentimentos dela. Eu gosto muito de você, considero-o um irmão. Mas Marina é muito bacana, moça séria, de valores nobres, coração puro. Se você aprontar com ela, vai arrumar briga comigo.

— Está me tomando por quem? — indagou Edgar, entre surpreso e nervoso.

— É que você tem se comportado como um garotão que acabou de sair da adolescência. Sabe aquele que acabou de completar dezoito anos e ganhou um carrão de presente dos pais? É, aquele engraçadinho que sai cantando pneus, mostrando a máquina para Deus e o mundo e acha que vai ter todas as mulheres do mundo por conta do carrão. Você passou da idade de querer impressionar. Faz tempo.

— Acabou o discurso?

— Por ora. Vamos até a sala de espera da UTI. Patrícia e Marina estão lá.

Edgar acompanhou o amigo e subiram até o terceiro andar. Logo que saíram, avistaram Patrícia e Marina abraçadas, chorando. Marina estava de costas e Patrícia estava com o rosto voltado na direção dos rapazes. Adriano encarou a esposa com os olhos como a perguntar se o pior havia acontecido. Patrícia fez que sim com a cabeça. Consuelo tinha acabado de falecer.

38

A situação na casa de Letícia e Leandro não era das melhores. Desde o sequestro de Ricardinho, a tensão, o desespero e uma indefinível onda de tristeza pairavam sobre a casa. Na entrada do condomínio, discretamente havia um carro da polícia à paisana.

Na porta da casa, dois policiais. Dentro do imóvel, dois profissionais da indústria de segurança pessoal trabalhavam em parceria com a polícia. Eram os profissionais do risco que trabalham negociando com sequestradores de todas as partes do mundo pela libertação de suas vítimas. Um deles estava sentado próximo à extensão do telefone principal da casa, no escritório.

Mila tentava a todo custo acalmar os nervos de Letícia.

— Sei que a situação é a pior possível, mas você não pode se entregar ao desespero.

— Como não? Levaram meu filho não sei para onde e mataram meu marido. O que você quer que eu faça, Mila? Eu sinto calafrios só de olhar para aquele telefone — apontou para o aparelho na mesinha lateral. — Sei que vão pedir resgate, fazer ameaças. Eu não vou resistir.

— Vai. Claro que vai. Você é forte. Sua filha está prestes a vir ao mundo. Se continuar tão desesperada assim, vai transmitir esses sentimentos desagradáveis ao bebê. Por favor, Letícia, imagino o tamanho de sua dor, mas pense em Camila, querida.

Letícia respirou fundo e fechou os olhos. Lembrou-se da conversa que tivera com o filho logo de manhã. As lágrimas teimavam em escorrer pelos cantos dos olhos.

— Ricardo pressentia algo de ruim. Ele bem que falou que não veria a irmã crescer. Oh, Mila, acho que vão matar meu filho. Eu não quero isso. Não mereço essa desgraça.

Mila não sabia o que fazer. Era difícil falar alguma coisa. A situação exigia oração e um grande respeito à dor de Letícia. Ela abraçou-se à amiga e também chorou.

— Eu a amo muito, Letícia. É a minha irmã de coração. Eu juro que vou ficar ao seu lado até tudo se resolver. Conte comigo, querida. Conte comigo.

Teresa e Carlos Alberto estavam sentados no sofá oposto a elas. Ambos se sentiram tocados. Teresa estava diferente. Toda essa tragédia havia provocado mudanças significativas e positivas em seu espírito. Antes, uma mulher arrogante e fútil, agora começava a abrir o coração para entender mais sobre os fatos da vida e, por que não dizer, da morte.

Ela esfregou as mãos num gesto desesperador.

— Sempre achei que a violência era algo somente visto na televisão. O máximo que aconteceu comigo foi o roubo de um relógio, muitos anos atrás. Foi uma empregada quem roubou. Mas assim, esse tipo de violência, nunca.

— Muitas famílias no país todo enfrentaram ou enfrentam o mesmo que vocês, dona Teresa — falou Carlos Alberto. — Eu tenho visto barbaridades como delegado. Infelizmente, esse tipo de ocorrência acontece com qualquer família, independentemente de classe social. É um mal nacional.

— Não suporto ver minha filha assim. Se estou sofrendo, imagino a dor dela. Sabe-se lá onde está meu neto. E meu genro — ela pigarreou, emocionada —, eu não me dava bem com o Leandro, mas o que lhe fizeram foi terrível, inadmissível.

— Os médicos estão fazendo de tudo para salvá-lo.

— Será? Ele levou três tiros, está inconsciente. Para mim, ele teve morte cerebral e os médicos não querem nos falar a verdade.

— Vamos orar e confiar, dona Teresa.

— Não temos o que fazer, a não ser rezar. Só a oração para tirar esse peso tão grande do meu peito. É estranho um delegado me falar em oração.

— E por que não falaria? Atrás do delegado há um homem de carne e osso, que tem sentimentos e, mesmo lidando com crime e violência todos os dias, acredita piamente em Deus.

— Quisera eu ter essa força.

Eles continuaram a conversa e o telefone tocou. Letícia arregalou os olhos. Mila segurou em suas mãos.

— Calma.

Um dos rapazes da agência pegou a extensão. Teresa atendeu.

— O menino ainda está vivo. Queremos dez milhões de dólares em notas de cem para domingo à noite. Amanhã ligaremos para dar instruções para onde deverão levar o dinheiro.

Desligaram. Letícia estava aflita.

— Eram eles, os sequestradores?

Teresa fez sinal afirmativo com a cabeça.

— Meu filho? — indagou com a voz trêmula.

— Está vivo. Querem dez milhões de dólares para domingo à noite.

— Arrumamos o dinheiro. Vamos até o cofre da empresa. Pegamos o dinheiro, damos a eles e resgato meu filho. Por favor, vamos.

Ela fez sinal para se levantar e Carlos Alberto tentou acalmá-la.

— Não é assim que se faz, Letícia.

— Eles querem o dinheiro, certo? Entregamos a quantia que desejarem e eles soltam meu filho, concorda?

Um dos profissionais, acostumados a lidar com esse tipo de situação, meneou a cabeça negativamente para os lados.

— O chefe da delegacia antissequestros foi acionado. Tenho de passar as informações para ele. Precisamos ter sangue de barata nessas horas. Não podemos agir com a emoção.

— Eu não tenho sangue de barata — protestou ela.

— Precisa ter. Desculpe-me a franqueza, dona Letícia, mas qual é a garantia de que, depois de receber o dinheiro, vão nos entregar Ricardinho vivo? Não podemos simplesmente sair e levar uma mala cheia de dólares e achar que tudo estará resolvido.

Mila assentiu com a cabeça.

— Ele está certo, amiga. Vamos aguardar instruções da polícia. Confiemos nesses profissionais e nos policiais. Eles sabem o que fazem.

O telefone tocou novamente. O rapaz da empresa de segurança pessoal correu para a extensão e Teresa atendeu, estado aflitivo:

— O que querem?

— Aqui é do hospital. Precisamos da autorização da família para fazer uma transfusão de sangue e...

Depois de desligar o telefone, Teresa falou:

— Leandro precisa de uma transfusão. O banco de sangue do hospital está a zero.

— Qual o tipo sanguíneo de Leandro? — indagou Mila.

— A Positivo.

— Eu não sei qual é o meu tipo sanguíneo — disse Mila.

— Não lembro do meu — tornou Teresa.

— Eu sou B Negativo — sibilou Letícia. — Não posso nem ao menos doar sangue ao meu marido — choramingou.

— Eu posso — falou Carlos Alberto.

— Pode? — perguntou Mila.

— Sim. O meu é O Negativo, conhecido como universal. No caso de emergência, meu sangue pode ser transfundido em qualquer pessoa. Fiquem aqui que eu vou até o hospital, imediatamente.

Ele saiu e avisou os dois policiais na porta da casa. Carlos Alberto entrou no seu carro e rumou para o hospital.

Leônidas e Émerson procuraram limpar o ambiente das energias pesadas que todos emitiam na casa. Por mais que tentassem, uma pontinha de medo pairava no ar. E os espíritos tentavam dar passes nas mulheres para que ficassem a maior parte do tempo em calma, algo bem raro de conseguir.

Émerson estava desolado.

— Eu sou o responsável por tudo isso. Fiquei influenciando negativamente a Denise e olha no que deu. Sequestraram meu neto.

— Não se sinta culpado — tornou Leônidas. — Você não teve culpa. Denise usou de seu livre-arbítrio. Fez sua escolha. Ela poderia ter outro comportamento.

— Mas eu contribuí para essa catástrofe. Se meu neto morrer, eu não vou aguentar.

— Calma, homem. Claro que vai aguentar.

— Eu me tornei obsessor de Denise. Eu fui mau.

— Você bem sabe que a obsessão nada mais é do que a

entrega da nossa vontade aos outros. O obsidiado vive da influência constante dos outros. Daí precisarmos ser vigilantes nos nossos pensamentos e não acatar tudo o que aparece em nossa mente. Temos de ter responsabilidade com o que pensamos. Se somos conscientes com o tipo de comida que ingerimos — sabendo qual faz bem e qual faz mal — também temos de aprender a fazer o mesmo com os nossos pensamentos. Há os que servem e os que não servem para nada, que são fruto das influenciações de outros encarnados ou até mesmo de desencarnados, como foi o seu caso. Denise podia receber suas sugestões, mas tinha a escolha de aceitá-las ou não.

— Eu quero que minha filha seja feliz. Cansei de querer ficar ao lado dela. Sinto que ela e Leandro se amam de verdade.

— Sim. Eles se amam. Você era muito apegado à sua filha. Está aí a grande chance de você aprender a se desapegar dos outros. Precisamos respeitar a vontade daqueles que amamos. Essa é uma grande lição.

As palavras ecoaram fortes em Émerson: — Precisamos respeitar a vontade daqueles que amamos.

Um tipo de bipe soou e Leônidas pegou o aparelho e disse:

— Precisamos ir. Consuelo acabou de desencarnar.

Émerson arregalou os olhos e, com o peito apertado, seguiu Leônidas até o Hospital São Basílio, na capital paulista.

Os dois chegaram ao hospital no exato momento em que Marina recebera a notícia dos médicos. Émerson sentiu tremenda dor ao ver a filha naquele estado tão lastimável. Marina chorava um pranto dolorido, triste. Ela amava Consuelo e estava sendo difícil encarar aquela realidade.

Émerson aproximou-se e a abraçou com carinho. As suas lágrimas misturavam-se às dela.

— Não fique triste, minha filha. A morte é algo natural e a separação é temporária. Logo estaremos todos juntos, em espírito, traçando novos planos de vida. Não fique assim.

Leônidas chegou rapidamente.

— Afaste-se dela, porquanto as suas emoções estão sendo transmitidas à Marina. — Émerson se afastou e ele continuou:

— Se quiser mesmo ajudá-la, vá atrás daquela enfermeira — apontou.

— Por quê?

— Vá até ela e descubra por si só.

Émerson beijou Marina na fronte e seguiu atrás da enfermeira. Ao se aproximar da moça, escutou seus pensamentos:

— Será que a paciente do leito 43 estava falando coisa com coisa? Será? Ela me disse, antes de morrer, num acesso de tremenda lucidez, que a filha deveria procurar a família de Émerson Theodoro Ferraz. E agora? Conto isso à filha ou não?

Émerson grudou-se na enfermeira e tentava influenciá-la, agora positivamente, a acreditar no que ouvira e transmitir o recado para Marina.

***

Carlos Alberto chegou a casa de Letícia com um sorriso contagiante. Mila não entendeu aquele ar de satisfação enquanto elas choravam por Leandro e Ricardinho. Ela tentou censurar o namorado, mas ele foi logo dizendo:

— Primeiro, gostaria de dizer que eu doei o sangue, a transfusão foi um sucesso e Leandro respira sem aparelhos.

Letícia levou a mão ao peito.

— Leandro acordou?

— Ainda não. Está em coma, mas sem o auxílio de máquinas.

Mila sorriu.

— Leandro é forte, vai vencer essa batalha.

— Outra coisa mais importante ainda, e fantástica — ele falou e pediu para que elas o acompanhassem até a saleta de TV. Ninguém entendeu nada, mas pelo ar de felicidade de Carlos Alberto, levantaram-se. Mila e Teresa ajudaram Letícia a se levantar. Ela estava exaurida em suas forças, a bolsa prestes a estourar. Foram caminhando lentamente e Carlos Alberto ligou o aparelho de TV. Até os dois rapazes da empresa de segurança sentiram curiosidade e os acompanharam. O noticiário corria, com imagens da Polícia Federal e dois homens algemados:

— A Polícia Federal prendeu hoje em São Paulo o advogado Inácio Mello Farias, numa operação de mais de um ano em conjunto com a Receita Federal e o Ministério Público. Inácio é acusado de formação de quadrilha, de montar um esquema supostamente fraudulento na importação de aparelhos eletrônicos para a rede de lojas Dommênyca, além de falsidade ideológica. Outras duas pessoas foram condenadas no mesmo caso: o contador da empresa, Evaristo Nascimento, e a gerente geral da Dommênyca, Denise Sanches Arruda, não encontrada. A operação da Polícia Federal foi iniciada ano passado para combater suspeitas de sonegação fiscal. Inácio Farias e Evaristo Nogueira foram levados para a sede da Polícia Federal, no bairro da Lapa, onde geralmente os suspeitos são interrogados e presos. A polícia não soube informar o paradeiro de Denise Arruda...

Carlos Alberto apertou o controle remoto e desligou a televisão. As três se entreolharam e o fitaram. Mila perguntou:

— Por que nos chamou para mostrar essa matéria no jornal? Estamos acostumados a ver esse tipo de gente ser presa todos os dias.

— Eu também não entendi. Se você queria me distrair — emendou Teresa — não conseguiu.

Letícia não respondeu. Estava de cabeça abaixada, passando delicadamente a mão sobre sua barriga, alheia a tudo.

Carlos Alberto estava radiante.

— Esse advogado, o Inácio Farias, foi preso agora à tarde. Assim que foi interrogado, entregou provas que ligam Denise Arruda ao sequestro do Ricardinho.

Letícia levantou o sobrolho:

— O que foi que disse? Eu não entendi.

— O advogado da Dommênyca estava sendo chantageado por Denise Arruda para emprestar o sítio dele como cativeiro para receber Ricardinho. Inácio gravou num aparelho de MP3 a parte da conversa em que Denise acerta os detalhes do sequestro.

— Isso é tudo muito surreal — tornou Teresa. — Quem pode dizer que o que esse homem falou é verdade?

— Ele tem o aparelho com a gravação. Deu orientação para

a polícia para salvarem Ricardinho, claro que tudo em troca da redução de pena.

— Denise! — gritou Letícia. — Eu não acredito que essa víbora tenha tido coragem de machucar meu filho.

— Também não pensei que ela chegaria a tanto — tornou Mila.

— Eu juro que, se acontecer alguma coisa com Ricardo, eu vou até o inferno atrás dessa mulher. Juro que a mato! — falou Letícia num tom que espantou a todos na sala.

39

A denúncia de Inácio não poderia chegar em melhor hora. Munidos da informação sigilosa, a Polícia Federal entrou em contato com o delegado, chefe da delegacia antissequestros do Rio de Janeiro.

A polícia estourou o cativeiro na madrugada de domingo. Tinhão e Dimas, surpreendidos, foram algemados e presos. Jofre saiu disparando tiros para tudo quanto foi lado e acabou sendo fatalmente atingido. Morreu na hora.

Assim que desencarnou, seu perispírito foi arrancado do corpo físico e sugado para outra dimensão, para outro mundo, muito mais violento e atrasado que o nosso. Como Leônidas havia mencionado anteriormente, Jofre tivera a chance de mudar o seu destino. Preferiu seguir outro caminho. Deu no que deu.

Ricardo e Denise foram desalgemados e um dos policiais tranquilizou o menino.

— Fique tranquilo, tudo acabou bem.

Ricardo abraçou-se ao policial.

— Obrigado. Eu quero ir para casa, cuidar de minha mãe. Eu perdi meu pai e ela deve estar muito só e...

O menino estava muito excitado, a adrenalina nas alturas. O policial levou sua cabeça ao encontro do peito:

— Chi! Calma. Vamos para casa. Sua família o espera.

— Eu preciso sair daqui.

— Fique tranquilo.

Denise estava aliviada.

— Até que enfim. Esses marginais quase nos mataram. Fico feliz de a polícia ter sido tão eficiente.

Um policial sorriu para ela e imediatamente a algemou.

— Denise Sanches Arruda. Você está presa.

Ela meneou violentamente a cabeça para os lados.

— Não pode ser! O que é isso?

— Não vou me pronunciar — o policial falou. — Seu amigo Inácio Mello Farias foi preso ontem à tarde em São Paulo e nos mostrou a gravação em que você acertava os detalhes do sequestro e do esconderijo.

Denise debateu-se, esperneou. Gritou com os policiais, cuspiu na cara de um.

— Também será indiciada por desacato à autoridade.

Ela foi jogada num camburão e levada para a delegacia. No dia seguinte, acompanhada de dois policiais, Denise foi, algemada, num avião e encaminhada para o Presídio Feminino do Carandiru, na zona norte de São Paulo.

Denise foi julgada e condenada a vinte e oito anos de prisão. Ela não se deu bem no presídio. Com seu temperamento forte e gênio irascível, em pouco tempo foi hostilizada pelas detentas. Por razões de segurança, Denise foi transferida para a Penitenciária Feminina de Tremembé, no Vale do Paraíba.

***

Leandro abriu os olhos e primeiramente tateou a cama. Em seguida, olhou para os lados. Estaria morto? Como se tivesse lido seu pensamento, Leônidas respondeu:

— Ainda não morreu.

— Não?

— Não. Depende de você ficar aqui ou voltar para a Terra.

— Como assim? — ele estava confuso. A cabeça doía e sentia fortes dores no braço esquerdo e ombro.

— Você entrou em coma.

— Em coma?

— Sim. Seu corpo físico está debilitado, entretanto não respira mais com a ajuda de aparelhos. Isso é sinal de que seu espírito deseja viver.

— Leandro foi tomando consciência de tudo. Lembrou-se dos marginais, das armas, do desespero de Ricardo e dos tiros.

— Eu pensei que tivesse morrido. Vi meu corpo ensanguentado, pendendo sobre a direção.

— Mas não morreu. Com o choque dos tiros, seu perispírito desgrudou-se do corpo físico e você teve um lampejo de consciência. Veio para esse local de refazimento próximo à crosta terrestre enquanto não decide se volta ou não.

— Meu filho! Estou preocupado com meu filho.

— Ricardo está bem. Ele foi resgatado pela polícia e passa bem.

— Estou cansado e confuso. Por que fomos vítimas de tamanha brutalidade?

— Aos olhos do mundo terreno, você é considerado uma vítima, mas aqui nesta dimensão, tudo tem uma explicação plausível.

— Explicação plausível? Tentaram me matar e sequestraram meu filho. Há explicação plausível para isso?

— Há. Você acredita em reencarnação?

— Comecei a estudar o tema não faz muito tempo. Gosto das reuniões na minha casa, das orações, mas às vezes duvido de tudo. Eu não vejo, não enxergo os espíritos. Será que é verdade?

— Mas Ricardo diz ver e conversar com os espíritos. Acaso seu filho é louco?

— Não. Muito pelo contrário. Ricardo é inteligente e esperto, um menino de inteligência excepcional, além de ter tremenda sensibilidade.

— E, se o seu corpo está em coma e você está aqui nesta cama — Leônidas sorriu –, está conversando com quem?

Leandro não soube responder de pronto. Pensou, pensou e respondeu:

— Você é um espírito?

— Sou um amigo da família. Eu, você e Ricardo estamos ligados há muitas vidas.

— Eu não me recordo de você.

— Não reencarnei perto de vocês desta vez, por ora. Há planos de eu voltar a Terra, caso Ricardo me aceite como filho, daqui a uns vinte anos.

Leandro forçou a vista, comprimiu os olhos.

— Seu rosto não me é estranho, mas o conheço de onde mesmo?

Leônidas inclinou o corpo e pousou sua mão na testa de Leandro. Ele fechou os olhos, fez sentida prece ao Alto e Leandro adormeceu. Entrou num sono profundo, quase hipnótico, que o levou a uma viagem de duzentos anos no tempo.

***

Inglaterra, 1809. A Revolução Industrial estava no auge e as fábricas, de todos os tipos e tamanhos, não paravam de crescer, principalmente indústrias têxteis e mineradoras. John e Edward eram prósperos irmãos, donos de mineradoras e cotonifícios — fábricas de fiação de algodão. Eram gêmeos idênticos e muito bonitos. Por conta da amizade que mantinham com o rei Jorge III, tinham o monopólio de minas numa região próximo a Londres.

Eles eram temidos porque, assim como alguns outros donos de fábrica da época, mantinham crianças no campo de trabalho. Sim, naquela época crianças de até seis anos de idade trabalhavam cerca de dezessete horas por dia, de segunda a segunda, sem descanso, sem condições mínimas de higiene. Viviam espremidas nos porões das fábricas ou das minas de carvão e a expectativa de vida dessa população específica girava em torno dos dezesseis, dezessete anos de idade.

John era mais sério. Sempre atento aos negócios, queria saber de enriquecer e não media esforços para que suas minas trabalhassem a todo vapor, extraindo carvão quase vinte e quatro horas por dia.

Edward era mais relaxado. Típico burguês da época, amigo da rainha Carlota Sofia, frequentava as altas-rodas de Londres e era um conquistador nato. Deitava-se com toda sorte de mulheres.

Havia um lado sombrio na personalidade de Edward. Ele tinha desejo por meninas novinhas. E havia muitas delas que trabalhavam em suas fábricas. Um monte. Ele gostou muito de uma menina de catorze anos recém-completados, Emily. Ela era bonitinha, a pele alva, os cabelos ruivos compridos e encaracolados. Edward exigiu que a menina se deitasse com ele e Emily esquentou a sua cama por três anos. Ela trabalhava das seis da manhã às seis da tarde. Tinha uma hora para almoço, quando lhe era servido pão com manteiga, sem nada para beber. À noite, tinha de se banhar e corria sorrateiramente para a casa de Edward. Entrava pela cozinha e se deleitava com a comida. Descansava um pouco na cozinha mesmo e, lá pelas dez da noite, Edward a chamava para ir ao seu quarto.

Quando ela completou dezessete anos, Edward perdeu o interesse. Estava ficando adulta e, na concepção dele, muito velha para deitar-se em sua cama. Emily foi despedida da algodoaria e vivia mendigando nas ruas, comendo sobras e restos de comida, dormindo em galerias e esgotos fétidos sob a cidade.

Numa tarde, ela avistou John saindo de uma taverna, um tanto embriagado. Ela acreditou ser Edward. Aproximou-se e lhe pediu ajuda. Estava morrendo de fome, havia sido mordida por ratos no esgoto e precisava de ajuda, caso contrário morreria.

John nem imaginava quem era aquela doidivanas. Empurrou-a com força na rua. Emily perdeu o equilíbrio, caiu e avistou uma pedra. Foi uma reação de instinto de sobrevivência. Ela pegou a pedra e avançou sobre John. Bêbado, e com as forças reduzidas, ele não conseguiu se defender a tempo. Emily esmigalhou o seu rosto e o matou na hora.

Edward chorou muito a morte do irmão e quis de toda sorte vingá-lo. Espalhou cartazes de recompensa por toda a cidade para quem desse uma pista que fosse para localizar o paradeiro da menina assassina. Emily foi facilmente encontrada e Edward a aprisionou num quartinho minúsculo e sem janelas, úmido, abafado e fedido, num dos subsolos da mina. Deixou-a lá, presa, cheia de ratos e água ao redor.

— Você merece morrer! — bramiu ele, tão logo a trancafiara no quartinho.

Dez dias depois, quando a porta do quarto foi aberta, um cheiro fétido tomou conta das narinas de Edward. O corpo de Emily, morto, estava coberto de ratos que já devoravam as suas vísceras.

Leandro abriu os olhos e fez um esgar de incredulidade.

— Meus Deus! Eu vivi essa história!

— Viveu. Claro que viveu. Foi sua penúltima encarnação na Terra.

— Tanto tempo assim?

— Hum, hum. Depois de seu desencarne, você e Emily viveram muitos anos no Umbral, um querendo se vingar do outro, por conta de acontecimentos relacionados a vidas anteriores a esta vivida em Londres. John, que havia entendido o porquê de morrer daquela maneira e perdoar Emily, foi encaminhado para uma colônia astral e lá estudou muito. Conseguiu, depois de anos, localizá-lo e convencê-lo a deixar os ressentimentos para trás e tratar de seguir adiante na jornada evolutiva do seu espírito. Para ficar um pouco afastado de Emily, você reencarnou no Brasil por pouco tempo. Morreu na Guerra do Paraguai. Depois de quase duzentos anos, contando a partir da encarnação na Inglaterra, a vida colocou novamente Emily no seu caminho e no de John, a fim de vocês se acertarem e deixarem de lado as mágoas e ruindades praticadas entre todos os três ao longo de muitos séculos.

— Então eu sou Edward?

— Sim. E John hoje é Ricardo.

— E você?

— Eu era o pai de vocês, Robert. Eu me senti culpado pela criação solta que dei a vocês. Julguei ser o responsável pela morte de Emily, porquanto eu havia dado aos meus filhos uma educação libertina e sem freios.

— Emily...

— É Denise.

— Eu a matei.

— Você provocou a morte dela, sim.

— Por isso ela odeia Ricardo sem motivo aparente...

— Tudo fica registrado na memória do espírito. Denise ainda tem *flashes* dessa encarnação passada. Seu espírito odeia Ricardo porque ele a fazia trabalhar quase vinte horas por dia na fábrica.

— E o marido dela nessa história toda? Sim, porque Edgar era alucinado por ela.

Leônidas esboçou um sorriso.

— Sabe, Leandro, quando reencarnamos na Terra, oitenta por

cento das pessoas que cruzam nosso caminho são espíritos que já viveram conosco ao longo de muitas vidas. Somente vinte por cento são espíritos que atravessam nosso caminho por conta da afinidade energética. É como se fôssemos ímãs atraídos pelo ferro, ou como abelhas atraídas pelo mel.

Leandro escutava a tudo com tremenda atenção. Leônidas prosseguiu:

— Depois que você e Emily, quer dizer, Denise, deram uma trégua no astral inferior, ela, atormentada e cheia de ódio no coração, regressou ao planeta, por volta de 1866, precisamente no Brasil. Os mentores acreditavam que, longe de você e de John, ela pudesse ter a chance de viver uma vida diferente, sem atormentações ou rancores.

— Mas você disse que eu vivi no Brasil, nessa mesma época.

— Sim, no entanto você desencarnou durante um confronto na Guerra do Paraguai em 1865. A vida não quis que ambos estivessem na mesma dimensão. Você regressou à pátria espiritual e Denise retornou à Terra.

Denise voltou como uma mulher rica, dona de fazendas de café. Casou-se com Edgar e viveram juntos por alguns anos. Um dia, desconfiado, ele a flagrou nos braços de um escravo, Jofre. Indignado, exigiu satisfações. Denise, fria e desprovida de qualquer tipo de sentimento, pagou uma boa quantia para o escravo matar o marido.

— Denise está severamente comprometida com tantas ações ruins — rebateu Leandro.

— Aqui no mundo espiritual não julgamos as atitudes das pessoas como boas ou ruins. Elas é que vão julgar a si próprias no momento do desencarne. Cada um é dono de sua consciência e a dor que delas advém recairá sobre o próprio espírito. São vocês que entram em pânico quando desencarnam.

— Por quê?

— Porque muitos ainda acreditam que ao morrer tudo se acaba. Ledo engano.

Leandro queria continuar a conversa, mas uma voz familiar ecoava na sala:

— Pai! Pai! Sou eu, estou vivo. Volta para mim e para mamãe. Volta para casa. Volta para a vida!

— A voz é de Ricardo!

— É sim — respondeu Leônidas.

— É meu filho. Está chamando por mim.

— Está ao lado de seu corpo na UTI.

— O que faço?

— Você quer voltar ou...

Leônidas não precisou terminar a frase. O desejo de voltar à vida no planeta, o desejo de estar ao lado do filho e da esposa amada eram mais fortes que tudo. Leandro fechou os olhos e adormeceu.

Ricardinho continuava chamando, chamando. A enfermeira aproximou-se e disse:

— Você não poderia estar aqui. Diante dos acontecimentos, permitimos que viesse ver seu pai apenas por alguns minutos. Agora precisa ir.

— Só mais um pouquinho.

— Precisa ir, meu querido — tornou a enfermeira, amável. — São normas do hospital.

Ricardo, com um nó no coração, despediu-se de Leandro. Beijou-o na testa e saiu, mantendo a cabeça virada para trás.

Leandro mexeu lentamente a cabeça, virou para o lado e abriu os olhos. Balbuciou:

— Filho!

EPÍLOGO

Seis meses se passaram. Leandro recuperou-se bem do atentado. Levara um tiro na cabeça, sendo que a bala não afetou, milagrosamente, nenhuma parte de seu cérebro. Outro tiro pegou no ombro e outro no braço esquerdo, deixando-o condenado a viver com o braço paralisado. Talvez, no decorrer dos anos, ele pudesse voltar a ter algum movimento no braço esquerdo.

Mas ele era um homem feliz. Estava segurando sua filha, Camila, nos braços, quando Ricardo entrou no quarto.

— Os homens chegaram!

— Segure sua irmã, Ricardo. Avisou sua mãe?

— Sim. Ela, Mila e vovó estão perdidas lá embaixo no meio de tantas caixas.

— É melhor não nos metermos nesse assunto.

— Eu também acho.

Leandro aproximou-se do filho. Abraçou Ricardo e beijou Camila na testa.

— Vocês são as pessoas mais importantes da minha vida. Amo vocês. E sou seu fã.

— Meu fã?

— É, filho, você é meu herói.

— Puxa, pai, quando estava no esconderijo, fiquei imaginando o que o Grissom faria, sabe? Lembrei-me daquele episódio do CSI...

Enquanto pai e filho entabulavam conversação, Teresa indicava aos rapazes as caixas que deveriam seguir primeiro para o caminhão de mudanças. Estava um pouco agitada e eufórica. Mila a tranquilizou:

— Fique tranquila que tudo vai dar certo.

— Sei disso, querida — respondeu Teresa. — Deixe comigo que eu adoro dar ordens. Vá para a cozinha e faça um café para você e Letícia. — Teresa falou e fez sinal com a cabeça. Mila olhou para a amiga.

Letícia estava parada perto da janela da sala, olhando para a movimentação na porta de sua casa. Ela estava feliz. Enquanto sorria, seus dedos esfregavam delicadamente os três bonequinhos de ouro que rondavam seu pescoço. Agora, além dos dois pingentinhos com os nomes do marido e do filho havia outro, de uma menininha. Nele estava escrito: com amor, Camila.

Mila aproximou-se e cutucou a amiga.

— Está sonhando?

— Estava com o pensamento longe — Letícia falou e virou-se para Mila.

— Sua mãe pediu que fôssemos fazer um café.

Letícia olhou para Teresa e disse:

— Embrulhamos tudo, mãe. Todos os utensílios da cozinha foram guardados. Como vamos tomar café?

— Eu trouxe uma cafeteira elétrica de casa. Estou acostumada com mudanças. Vá, tome um café com sua amiga. Aproveite porque não vão se ver com tanta frequência.

Letícia mordiscou os lábios e sorriu.

— Estou feliz por ir embora do Brasil, mas sinto um aperto em deixar minha mãe, minha amiga querida...

Teresa piscou para a filha e continuou dando ordens. Mila enlaçou Letícia pela cintura e foram caminhando até a cozinha.

— Nem acredito que mamãe está assim, tão bem.

— Ela tem frequentado o espaço esotérico lá no Recreio. Vai comigo todas as quartas-feiras, religiosamente.

— Depois do ocorrido, a vida de todos mudou muito.

— Para melhor, Letícia — complementou Mila. — Veja, Teresa sofreu muito com o sequestro, contudo acredito que ela sofreu mais com a humilhação sofrida lá com as amigas do clube.

Letícia abriu o potinho de café, pegou uma colher e despejou um pouco de pó no coador de papel. Em seguida apertou o botão da cafeteira.

— Sinto que foi duro para ela ver que fazia parte de um mundo cheio de aparências, cheio de pessoas sem um pingo de espiritualidade. Ela foi execrada em praça pública. Quando vazou na imprensa que meu pai tivera uma filha fora do casamento e, ainda por cima, com uma empregada doméstica, ninguém a perdoou.

— Pois foi. Teresa sofreu todo tipo de chacota, escárnio. Se não estivesse aberta aos ensinamentos espirituais, talvez tivesse sucumbido.

— Também acho.

— Tem visto sua irmã?

Letícia riu.

— Acho tão estranho! Eu sempre fui filha única e depois de trinta anos descubro que tenho uma irmã.

— Uma irmã de coração puro.

— Sem sombra de dúvidas. Marina é uma menina brilhante, carismática.

— Até que o processo de reconhecimento de paternidade foi rápido, não?

— Porque eu e mamãe não entramos na Justiça, caso contrário essa pendenga se arrastaria por anos. Para quê? Somos pessoas de bem. E o caso, em si, não foi tão complexo. Marina ajuizou uma ação de reconhecimento de paternidade por conta do espólio de papai. Em seguida, fizemos o exame de DNA.

— Eu, na minha ignorância, acreditei que fosse necessário exumar o corpo do pai, visto que a mãe biológica de Marina também morrera.

— Eu não entendia muito do assunto, mas soubemos que, quando o suposto pai é falecido, faz-se necessário o comparecimento de parentes que tenham tido vínculo genético direto com ele, no caso irmãos consanguíneos ou filhos biológicos. Foi a partir disso que se tornou viável concluir a possível paternidade. Sem a recomposição genética do falecido, por meio de seus parentes consanguíneos, não há como ser aferida a suposta paternidade.

— Nossa, que aula!

— Um advogado nos contou. Eu estou feliz porque vamos nos mudar, recomeçar nossa vida em outro país. A presidência da Companhia foi entregue à Marina.

— Achei tão bonita a atitude do Leandro.

— Ele fez o certo. Mas ele não deu a direção da empresa nas mãos dela porque de um dia para o outro descobriu que era minha irmã. Marina é competente, tem um currículo fantástico. Uma profissional que vai cuidar direitinho da nossa empresa.

— Mudar para o Canadá! — Mila suspirou e passou as mãos pelos braços. — Muito frio.

— Eu não suporto mais tanto calor. Não nasci para viver nos trópicos. Devo ter uma alma europeia.

As duas riram.

— Agora que Carlos Alberto e eu oficializamos nossa relação, tencionamos passar a lua de mel em Toronto. O que me diz?

Letícia exultou de felicidade.

— Ai, amiga! Que maravilha! Vamos poder nos ver logo.

— Vamos. Não vejo a hora. Talvez mês que vem, depois do *réveillon*.

Letícia a abraçou.

— Fico feliz que tenha encontrado um homem tão bom como o Carlos Alberto. Que Deus abençoe essa união!

Mila pegou duas canecas, encheu-as de café e ofereceu uma à Letícia.

— Um brinde à nossa felicidade!

— Viva!

***

Marina abriu e fechou os olhos. Respirou fundo, rodopiou pela sala imensa e jogou-se nos braços de Edgar.

— Oh, meu amor! Que cobertura linda!

— Eu sabia que você gostaria desta. O corretor me disse que é a mais cobiçada da região.

Ela o beijou várias vezes nos lábios.

— Estou tão feliz! Eu queria mesmo morar perto da Elisa. Ela é praticamente minha irmã. E tornou-se o meu braço direito na Companhia.

— Ela e o Paulo, não?

— O Paulo foi promovido lá na Dommênyca. Tem um futuro promissor. Ele fez muito por mim. Ajudou-me quando mais precisei. Merece tudo o que tem de bom.

— Ele poderia trabalhar com você.

— Paulo tem um futuro promissor lá. Ele sabe que, se quiser, as portas da Companhia sempre estarão abertas. Pode acreditar!

— Gostei de eles terem nos convidado para sermos padrinhos de casamento deles.

— Eu também. Exultei de felicidade. Do mesmo modo que Patrícia e Adriano.

— O que têm eles?

— Lembra-se de como ficaram felizes quando os convidamos para padrinhos do nosso casamento?

Edgar sorriu.

— É mesmo. Foi o dia mais lindo da minha vida.

Marina o censurou.

— Fiquei sabendo que você disse o mesmo quando se casou com — ela abaixou o tom de voz — aquela mulher.

— Eu era um bobo, um idiota. Não sabia o que era amar. Eu tinha fixação na Denise. Descobri isso com terapia e tive certeza quando me apaixonei por você. Você, sim, é a mulher da minha vida.

Marina o abraçou e o beijou. Depois de olharem alguns cômodos, Edgar coçou a cabeça e perguntou:

— Bom, posso trazer a Délis para começar a limpeza?

— Não, amor. O apartamento vai ficar um inferno. Pedreiros, marceneiros, vou contratar muitos profissionais para deixar este apartamento transformado num lar. Num doce lar.

— Continuaremos mais uns meses no meu apartamento?

— Sim. Mas só alguns meses — ela desconversou e perguntou: — O que acha deste quarto em particular?

— Para nós?

— Não! Imagine. O nosso será a suíte principal — apontou na direção do corredor.

— Quer fazer o que nele?

— Decorá-lo para o nosso bebê.

Edgar abriu um sorriso encantador.

— Não imaginava que você quisesse ter filhos tão cedo.

— Eu também, não.

— Você agora dirige a maior empresa fabricante de monitores de TV, aparece em capas de revistas, é assediada pela imprensa...

Marina levou o indicador até a boca de Edgar e delicadamente o calou.

— Psiu! Você está falando muito. Pode atrapalhar o bebê.

Edgar não entendeu. Marina pegou a mão do marido e levou até o próprio ventre.

— Ainda está pequenininho, mas está vivo e já pulsa dentro de mim!

Edgar não acreditou.

— Quer dizer que você...

— Hum, hum. Estou grávida, meu amor. Esperando um filho seu.

Edgar não disse mais nada. Enlaçou Marina nos braços e a beijou com amor. Em seguida, ajoelhou-se, abraçou-se a sua cintura e, com lágrimas de felicidade, beijou-lhe várias vezes o ventre.

Sobre o casal irradiavam luzes dos mais variados matizes, vindas do Alto. Marina e Edgar finalmente estavam felizes e apaixonados. Haviam encontrado o verdadeiro amor!

Fim

Sucessos de ZIBIA GASPARETTO

Romances mediúnicos, crônicas e livros. Mais de 10 milhões de exemplares vendidos. Há mais de 16 anos, Zibia Gasparetto vem se mantendo na lista dos mais vendidos, sendo reconhecida como uma das autoras nacionais que mais vendem livros.

Romances ditados pelo espírito Lucius:

- O Amor Venceu
- O Amor Venceu (em edição ilustrada)
- O Morro das Ilusões
- Entre o Amor e a Guerra
- Laços Eternos
- O Matuto
- Esmeralda
- O Fio do Destino
- Espinhos do Tempo
- Quando a Vida Escolhe
- Somos Todos Inocentes
- Pelas Portas do Coração
- A Verdade de Cada Um
- Sem Medo de Viver
- O Advogado de Deus
- Quando Chega a Hora
- Ninguém é de Ninguém
- Quando é Preciso Voltar
- Tudo Tem seu Preço
- Tudo Valeu a Pena
- Um Amor de Verdade
- Nada é por Acaso
- O Amanhã a Deus Pertence
- Onde Está Teresa?
- Vencendo o Passado
- Se Abrindo pra Vida

Crônicas Mediúnicas — Espíritos Diversos:

- Voltas que a Vida Dá
- Pedaços do Cotidiano

Crônicas ditadas pelo espírito Silveira Sampaio:

- Pare de Sofrer
- O Mundo em que Eu Vivo
- Bate-papo com o Além
- O Repórter do Outro Mundo

Outros Livros de Zibia Gasparetto:

- Conversando Contigo!
- Eles Continuam Entre Nós
- Reflexões Diárias

Sucessos de SILVANA GASPARETTO

Obra de autoconhecimento voltada para o universo infantil. Textos que ajudam as crianças a aprenderem a identificar seus sentimentos mais profundos tais como: tristeza, raiva, frustração, limitação, decepção, euforia etc., e naturalmente auxiliam no seu processo de autoestima positiva.

- Fada Consciência

Sucessos de LUIZ GASPARETTO

Estes livros vão mudar sua vida! Dentro de uma visão espiritualista moderna, vão ensiná-lo a produzir um padrão de vida superior ao que você tem, atraindo prosperidade, paz interior e aprendendo, acima de tudo, como é fácil ser feliz.

- Atitude
- Faça Dar Certo
- Prosperidade Profissional
- Conserto Para uma Alma Só (poesias metafísicas)
- Para Viver sem Sofrer
- Se Ligue em Você (adulto)

Série AMPLITUDE:

- Você está Onde se Põe
- Você é seu Carro
- A Vida lhe Trata como Você se Trata
- A Coragem de se Ver

Livros ditados pelo espírito Calunga:

- Um Dedinho de Prosa
- Tudo pelo Melhor
- Fique com a Luz
- Verdades do Espírito

Livros Infantis:

- Se Ligue em Você – nº 1 (infantil)
- Se Ligue em Você – nº 2 (infantil)
- Se Ligue em Você – nº 3 (infantil)
- A Vaidade da Lolita (infantil)

LUIZ ANTONIO GASPARETTO EM CD

Autoajuda. Aprenda a lidar melhor com as suas emoções para conquistar um maior domínio interior.

Série PRONTO-SOCORRO:

1 – Confrontando o Desespero
2 – Confrontando as Grandes Perdas
3 – Confrontando a Depressão
4 – Confrontando o Fracasso
5 – Confrontando o Medo
6 – Confrontando a Solidão
7 – Confrontando as Críticas
8 – Confrontando a Ansiedade
9 – Confrontando a Vergonha
10 – Confrontando a Desilusão

Série VIAGEM INTERIOR (vols. 1, 2 e 3):

Exercícios de Meditação

Por meio de exercícios de meditação, mergulhe dentro de você e descubra a força de sua essência espiritual e da sabedoria. Experimente e verá como você pode desfrutar de saúde, paz e felicidade desde já.

Série CALUNGA:

- Prece da Solução
- Chegou a sua Vez!
- Presença
- Tá Tudo Bão!
- Teu amigo

Série PALESTRAS:

- Meu Amigo, o Dinheiro
- Seja Sempre o Vencedor
- Abrindo Caminhos
- Força Espiritual
- A Eternidade de Fato
- Prosperidade
- Conexão Espiritual
- S.O.S. Dinheiro
- Mediunidade
- O Sentido da Vida
- Os Homens (somente para mulheres)
- Paz Mental
- Romance Nota 10
- Segurança
- Sem Medo de Ter Poder
- Simples e Chique
- Sem Medo de Ser Feliz
- Sem Medo da Vida
- Sem Medo de Amar
- Sem Medo dos Outros

Série REALIZAÇÃO:

Com uma abordagem voltada aos espiritualistas independentes, eis aqui um projeto de 16 CDs para você sintonizar-se com o Poder Espiritual para práticas espirituais de prosperidade.

Série VIDA AFETIVA:

1 – Sexo e Espiritualidade
2 – Jogos Neuróticos a Dois
3 – O que Falta pra Dar Certo
4 – Paz a Dois

Série LUZES:

Coletânea com oito CDs em dois volumes

Este é um projeto idealizado pelos espíritos desencarnados que formam no mundo astral o Grupo dos Mensageiros da Luz. Nesta coletânea, trazemos essas aulas, captadas ao vivo, para que você também possa se juntar às fileiras dos que sabem que o mundo precisa de mais luz.

Série ESPÍRITO:

1 – Espírito do Trabalho
2 – Espírito do Dinheiro
3 – Espírito do Amor
4 – Espírito da Arte
5 – Espírito da Vida
6 – Espírito da Paz
7 – Espírito da Natureza
8 – Espírito da Juventude
9 – Espírito da Família
10 – Espírito do Sexo
11 – Espírito da Saúde
12 – Espírito da Beleza

LUIZ ANTONIO GASPARETTO EM MP3:

- O Poder Espiritual Inteligente
- Conexão Espiritual
- Tudo Tem Seu Preço/Terminar é Recomeçar/A Lei do Fluxo
- Eu e o Universo/Resgatando o meu Eu/Estou Onde me Pus

LUIZ ANTONIO GASPARETTO EM DVD:

- O Mundo em que Eu Vivo

Este DVD traz momentos inesquecíveis da palestra do Calunga, proferida em 26 de novembro de 2006, no Espaço Vida & Consciência.

Saiba mais

Nossos livros oferecem a você as chaves para abrir as portas do sucesso, em todas as fases da sua vida. Sobre nossos autores e lançamentos acesse: **www.vidaeconsciencia.com.br**

ESPAÇO VIDA & CONSCIÊNCIA

É um centro de cultura e desenvolvimento da espiritualidade independente. Acreditamos que temos muito a estudar para compreender de forma mais clara os mistérios da eternidade.

A Vida parece infinitamente sábia em nos dotar de inteligência para viver com felicidade, e essa me parece a única saída para o sofrimento humano.

Nosso espaço se dedica inteiramente ao conhecimento filosófico e experimental das Leis da Vida, principalmente aquelas que conduzem o nosso destino.

Acreditamos que somos realmente esta imensa força vital e eterna que anima a tudo, e não queremos ficar parados nos velhos padrões religiosos que pouco ou nada acrescentaram ao progresso da humanidade.

Assim, mudamos nossa atitude para uma posição mais cientificamente metodológica e resolvemos reinvestigar os velhos temas com uma nova cabeça.

O resultado é de fato surpreendente, ousado, instigador e prático.

É necessário querer estar à frente de seu tempo para possuí-lo.

Luiz Antonio Gasparetto

Mais informações:
Espaço Vida e Consciência – SP
Rua Salvador Simões, 444 – Ipiranga – São Paulo – SP
CEP 04276-000 – Tel./Fax: (11) 5063-2150
Espaço Vida e Consciência – RJ
Rua Santo Amaro, 119 – Glória – Rio de Janeiro – RJ
CEP 22211-230 – Tel./Fax: (21) 3509-0200
E-mail: espaço@vidaeconsciencia.com.br
Site: www.vidaeconsciencia.com.br

INFORMAÇÕES E VENDAS:

Rua Agostinho Gomes, 2312
Ipiranga • CEP 04206-001
São Paulo • SP • Brasil
Fone / Fax: (11) 3577-3200 / 3577-3201
E-mail: editora@vidaeconsciencia.com.br
Site: www.vidaeconsciencia.com.br